A REPRESENTAÇÃO DO EU NA VIDA COTIDIANA

Dados Internacionais de Catalogação na Publicação (CIP)
(Câmara Brasileira do Livro, SP, Brasil)

Goffman, Erving.
A representação do eu na vida cotidiana / Erving Goffman ; tradução de Maria Célia Santos Raposo. – 20. ed. – Petrópolis, RJ: Vozes, 2014.

Título original : The presentation of self in everyday life.

Bibliografia

12ª reimpressão, 2025.

ISBN 978-85-326-0875-8

1. Comportamento social. 2. Psicologia social. 3. Self (Psicologia) I. Título.

13-03194 CDD - 155.2

Índices para catálogo sistemático:
1. O Eu : Vida social : Psicologia 155.2

ERVING GOFFMAN

A REPRESENTAÇÃO DO EU NA VIDA COTIDIANA

Tradução de
Maria Célia Santos Raposo

Petrópolis

Tradução do original em inglês intitulado
The Presentation of Self in Everyday Life

Rua Frei Luís, 100
25689-900 Petrópolis, RJ
www.vozes.com
Brasil

Capa: Estúdio 483
Diagramação: Sheilandre Desenv. Gráfico

ISBN 978-85-326-0875-8 (Brasil)
ISBN 03-850-9402-7 (Estados Unidos)

Este livro foi composto e impresso pela Editora Vozes Ltda.

As máscaras são expressões controladas e ecos admiráveis do sentimento, ao mesmo tempo fiéis, discretas e supremas. As coisas vivas em contato com o ar devem adquirir uma cutícula, e não podem argumentar que as cutículas não são corações; contudo alguns filósofos parecem aborrecidos com as imagens por não serem objetos e com as palavras por não serem sentimentos. Palavras e imagens são como as conchas, não menos partes integrantes da natureza do que as substâncias que cobrem, porém melhor dirigidas ao olhar e mais abertas à observação. Não diria que a substância existe por causa da aparência, ou o rosto por causa da máscara, ou as paixões por causa da poesia e da virtude. Coisa alguma surge na natureza devido a qualquer outra coisa; todas essas faces e produtos estão igualmente envolvidas no ciclo da existência...

George Santayana[1]

---

1. *Soliloquies in England and Later Soliloquies*. Nova York: Scribner's, 1922, p. 131-132.

Sumário

Agradecimentos

A exposição aqui apresentada foi desenvolvida em conexão com um estudo sobre a interação realizada para o Departamento de Antropologia Social e a Comissão de Pesquisas de Ciências Sociais da Universidade de Edimburgo e com um estudo sobre a estratificação social financiado por um subsídio da Fundação Ford, dirigido pelo Professor E.A. Shils, na Universidade de Chicago. Sou grato a estas fontes de orientação e financiamento. Gostaria de expressar minha gratidão a meus mestres C.W.M. Hart, W.L. Warner e E.C. Hughes. Quero agradecer, também, a Elizabeth Bott, James Littlejohn e Edward Banfield, que me auxiliaram no início do estudo, e aos colegas de trabalho, da Universidade de Chicago, que me ajudaram mais tarde. Sem a colaboração de minha esposa Angélica S. Goffman este trabalho não teria sido escrito.

Prefácio

No meu entender, este trabalho serve como uma espécie de manual que descreve detalhadamente uma perspectiva sociológica a partir da qual é possível estudar a vida social, principalmente aquela que é organizada dentro dos limites físicos de um prédio ou de uma fábrica. Descreverei uma série de aspectos que formam, juntos, um quadro de referência aplicável a qualquer estabelecimento social concreto, seja ele doméstico, industrial ou comercial.

A perspectiva empregada neste relato é a da representação teatral. Os princípios de que parti são de caráter dramatúrgico. Considerarei a maneira pela qual o indivíduo apresenta, em situações comuns de trabalho, a si mesmo e a suas atividades às outras pessoas, os meios pelos quais dirige e regula a impressão que formam a seu respeito e as coisas que pode ou não fazer, enquanto realiza seu desempenho diante delas. Usando este modelo, não tentarei esclarecer suas óbvias insuficiências. O palco apresenta coisas que são simulações. Presume-se que a vida apresenta coisas reais e, às vezes, bem ensaiadas. Mais importante, talvez, é o fato de que no palco um ator se apresenta sob a máscara de um personagem para personagens projetados por outros atores. A plateia constitui um terceiro elemento da correlação, elemento que é essencial, e que entretanto, se a representação fosse real, não estaria lá. Na vida real os três elementos ficam reduzidos a dois: o papel que um indivíduo desempenha é talhado de acordo com os papéis desempenhados pelos outros presentes e, ainda, esses outros também constituem a plateia. Outras inexatidões deste modelo serão consideradas mais adiante.

Os materiais ilustrativos usados neste estudo são de várias categorias. Alguns foram tomados de respeitáveis pesquisas, onde são expostas generalizações válidas referentes a regularidades fidedignamente registradas. Outros vêm de narrativas informais, escritas por pessoas pitorescas. Muitos encontram-se entre os dois casos. Além disso, usei frequentemente um trabalho meu, relativo a uma comunidade agrícola (lavoura de subsistência) das Ilhas Shetland[2]. A justificativa desta abordagem (que suponho seja também a justificativa de Simmel) é de que as ilustrações em conjunto formam um quadro de referência coerente, que liga as paredes de experiência que o leitor já teve e oferece ao estudante um guia que vale a pena pôr à prova no estudo de casos da vida social institucional.

O quadro de referência é apresentado em etapas lógicas. A introdução é necessariamente abstrata e pode ser saltada.

---

2. Relatado em parte no trabalho de GOFFMN, E. *Communication Conduct in an Island Community*. University of Chigago, 1953 [Tese inédita de doutorado]. A comunidade, daqui por diante, será chamada de "Ilha Shetland".

Introdução

Quando um indivíduo chega à presença de outros, estes, geralmente, procuram obter informação a seu respeito ou trazem à baila a que já possuem. Estarão interessados na sua situação socioeconômica geral, no que pensa de si mesmo, na atitude a respeito deles, capacidade, confiança que merece etc. Embora algumas destas informações pareçam ser procuradas quase como um fim em si mesmo, há comumente razões bem práticas para obtê-las. A informação a respeito do indivíduo serve para definir a situação, tornando os outros capazes de conhecer antecipadamente o que ele esperará deles e o que dele podem esperar. Assim informados, saberão qual a melhor maneira de agir para dele obter uma resposta desejada.

Para as pessoas presentes, muitas fontes de informações são acessíveis e há muitos portadores (ou "veículos de indícios") disponíveis para transmitir a informação. Se o indivíduo lhes for desconhecido, os observadores podem obter, a partir de sua conduta e aparência, indicações que lhes permitam utilizar a experiência anterior que tenham tido com indivíduos aproximadamente parecidos com este que está diante deles ou, o que é mais importante, aplicar-lhe estereótipos não comprovados. Podem também supor, baseados na experiência passada, que somente indivíduos de determinado tipo são provavelmente encontrados em um dado cenário social. Podem confiar no que o indivíduo diz de si mesmo ou em provas documentadas que exibe, referentes a quem é e ao que é. Se conhecem o indivíduo ou estão informados a respeito dele, em virtude de uma experiência anterior à interação podem confiar nas suposições relativas à persistência e generalidade dos traços psicológicos, como meio de predizer-lhe o comportamento presente e futuro.

Entretanto, durante o período em que o indivíduo está na presença imediata dos outros, podem ocorrer poucas coisas que deem diretamente a estes a informação conclusiva de que precisarão para dirigir inteligentemente sua própria atividade. Muitos fatos decisivos estão além do tempo e do lugar da interação, ou dissimulados nela. Por exemplo, as atividades "verdadeiras" ou "reais", as crenças e emoções do indivíduo só podem ser verificadas indiretamente, através de confissões ou do que parece ser um comportamento expressivo involuntário. Igualmente, se o indivíduo oferece a outros um produto ou presta um serviço, eles frequentemente acharão que durante a interação não haverá tempo nem lugar imediatamente disponível para apreciar o prato no qual a prova pode ser encontrada. Serão forçados a aceitar alguns acontecimentos como sinais convencionais ou naturais de algo não diretamente acessível aos sentidos. Usando palavras de Ichheiser[3], o indivíduo terá que agir de tal modo que, com ou sem intenção, *expresse* a si mesmo, e os outros por sua vez terão que ser de algum modo *impressionados* por ele.

A expressividade do indivíduo (e, portanto, sua capacidade de dar impressão) parece envolver duas espécies radicalmente diferentes de atividade significativa: a expressão que ele transmite e a expressão que emite. A primeira abrange os símbolos verbais, ou seus substitutos, que ele usa propositadamente e tão só para veicular a informação que ele e os outros sabem estar ligada a esses símbolos. Esta é a comunicação no sentido tradicional e estrito. A segunda inclui uma ampla gama de ações, que os outros podem considerar sintomáticas do ator, deduzindo-se que a ação foi levada a efeito por outras razões diferentes da informação assim transmitida. Como veremos, esta distinção tem apenas validade inicial. O indivíduo evidentemente transmite informação falsa intencionalmente por meio de ambos estes tipos de comunicação, o primeiro implicando fraude, o segundo dissimulação.

Tomando a comunicação tanto no sentido amplo quanto no estrito, verifica-se que, quando o indivíduo está na presença imediata de outros, sua atividade terá um caráter promissório. Os outros, provavelmente, acharão que devem aceitar o indivíduo em confiança, oferecendo-lhe uma justa retribuição enquanto estiver

---

3. ICHHEISER, G. "Misunderstandings in Human Relations". *The American Journal of Sociology*, LV set./1949, p. 6-7 [suplemento].

presente, em troca de algo cujo verdadeiro valor só será estabelecido quando ele se retirar. (Por certo, os outros também fazem inferências no trato com o mundo físico, mas é somente no mundo da interação social que os objetos a respeito dos quais fazem inferências facilitarão ou impedirão intencionalmente este processo inferencial.) A segurança que justificadamente sentem ao fazerem inferências a respeito do indivíduo variará, é claro, de acordo com fatores tais como a quantidade de informação que possuam a seu respeito, mas nenhuma quantidade desta documentação passada pode evitar inteiramente a necessidade de agir com base em inferências. Conforme indicou William I. Thomas:

> É também sumamente importante que compreendamos que, na verdade, na existência quotidiana não dirigimos nossas vidas, tomamos nossas decisões ou alcançamos metas, nem de maneira estatística nem de maneira científica. Vivemos de inferências. Suponhamos que eu seja, por exemplo, seu hóspede. O senhor não sabe, nem pode determinar cientificamente se vou roubar seu dinheiro ou seus talheres. Mas, por inferência, não farei tais coisas, e, por inferência, o senhor me receberá como hóspede[4].

Deixemos agora os outros e voltemo-nos para o ponto de vista do indivíduo que se apresenta a eles. Pode desejar que pensem muito bem dele, ou que eles pensem estar ele pensando muito bem deles ou que percebam o que realmente sente com relação a eles, ou que não cheguem a ter uma impressão definida; pode desejar assegurar harmonia suficiente para que a interação possa ser mantida, ou trapacear, desembaraçar-se deles, confundi-los, induzi-los a erro, opor-se a eles ou insultá-los. Independentemente do objetivo particular que o indivíduo tenha em mente e da razão desse objetivo, será do interesse dele regular a conduta dos outros, principalmente a maneira como o tratam[5]. Este con-

---

4. Apud VOLKART, E.H. (org.). *Social Behavior and Personality*. Nova York: Social Science Research Council, 1951, p. 5. [Contribuições de THOMAS, W.I. para *A teoria e a pesquisa social*].

5. Aqui devo muito a um trabalho inédito de Tom Burns, da Universidade de Edimburgo. Afirma ele que em toda interação o tema básico subjacente é o desejo de cada participante de guiar e regular as respostas dadas pelos outros

trole é realizado principalmente através da influência sobre a definição da situação que os outros venham a formular. O indivíduo pode ter influência nesta definição expressando-se de tal modo que dê aos outros a espécie de impressão que os levará a agir voluntariamente de acordo com o plano que havia formulado. Assim, quando uma pessoa chega à presença de outras, existe, em geral, alguma razão que a leva a atuar de forma a transmitir a elas a impressão que lhe interessa transmitir. Desde que as companheiras de dormitório de uma garota recolham a prova de sua popularidade pelo número de telefonemas que recebe, podemos suspeitar que algumas garotas tomarão providências para receber tais chamadas, e assim a descoberta de Willard Waller pode ser prevista:

> Muitos observadores relatam que uma garota que é chamada ao telefone nos dormitórios escolares se permitirá, com frequência, ser chamada muitas vezes, para dar a todas as outras garotas amplas oportunidades de ouvir chamarem seu nome[6].

Das duas formas de comunicação – expressões dadas e expressões emitidas – este trabalho levará em conta primordialmente a última, a de tipo mais teatral e contextual, a de natureza não verbal e presumivelmente não intencional, quer esta comunicação seja arquitetada propositadamente quer não. Como exemplo do que tentaremos examinar, gostaria de citar por extenso um incidente romanceado no qual Preedy, um inglês em férias, aparece pela primeira vez na praia do hotel de verão, na Espanha:

> Mas, em todo caso, ele cuidou de evitar o olhar de quem quer que fosse. Antes de tudo tinha de deixar claro àqueles potenciais companheiros de férias que não lhe interessavam absolutamente. Olhou por entre eles, em torno deles, acima deles, com os olhos perdidos no espaço. Era como se a praia estivesse vazia. Se por acaso uma bola fosse jogada em sua dire-

---

presentes. Uma opinião semelhante foi defendida por Jay Haley, em trabalho inédito recente, mas tendo em vista uma forma especial de controle, a que se refere à natureza do relacionamento entre os participantes da interação.

6. WALLER, W. "The Rating and Dating Complex". *American Sociological Review*, II, p. 730.

ção, pareceria surpreendido. Deixaria então um sorriso divertido iluminar-lhe o rosto (Preedy Amável), olharia em torno, atordoado por ver que havia gente na praia, atirá-la-ia de volta, sorrindo para si mesmo e não para as pessoas, e então voltaria a examinar despreocupada e indiferentemente o ambiente.

Mas era hora de dar uma pequena mostra, a do Preedy Ideal. Com gestos esquivos deu, a quem quisesse olhar, a oportunidade de ver o título de seu livro, uma tradução espanhola de Homero, clássico, portanto, mas não audacioso nem cosmopolita, e então juntou com esmero seu roupão de praia e a sacola num monte, protegendo-os da areia (Preedy Metódico e Sensato); levantou-se vagarosamente para espreguiçar seu enorme corpo à vontade (Preedy Felino) e jogou para o lado as sandálias (Preedy afinal Despreocupado). A união de Preedy e o mar! Havia vários rituais possíveis. O primeiro consistia no passeio que virara corrida e mergulho direto na água, suavizando-se depois num *crawl* enérgico e sem salpicos em direção ao horizonte. Mas, é claro, não realmente para o horizonte. De súbito, ele se viraria de costas e levantaria grandes salpicos brancos com as pernas, de certo modo demonstrando assim que poderia ter nadado até mais longe se quisesse, e em seguida ficaria de pé por um pouco fora da água para todos verem quem era.

A outra linha de ação era mais simples, evitava o impacto da água fria e o risco de parecer animado demais. A questão cifrava-se em demonstrar estar tão habituado ao mar, o Mediterrâneo e a esta praia em particular, que tanto poderia estar no mar como fora dele. Consistia numa lenta caminhada e na descida até à beira d'água – nem mesmo notando que os pés estavam molhados, uma vez que, terra e água, tudo era igual para ele! – com os olhos no céu, examinando gravemente os presságios do tempo, invisíveis para os outros (Preedy Pescador Local)[7].

O romancista quer que percebamos que Preedy está indevidamente preocupado com a profunda impressão que julga

7. SANSOM, W. *A Contest of Ladies*. Londres: Hogarth, 1956, p. 230-232.

causar nos circunstantes com sua mera ação corporal. Podemos imaginar Preedy ainda mais maliciosamente, supondo que agiu somente para dar determinada impressão, que esta é uma falsa impressão, e que os presentes ou não recebem impressão alguma ou, pior ainda, percebem que Preedy está tentando, de maneira afetada, causar-lhes esta impressão particular. Mas o problema importante, para nós, aqui, é que a espécie de impressão que Preedy pensa estar causando é de fato o tipo de impressão que os outros, correta ou incorretamente, colhem de alguma pessoa dentre eles.

Afirmei que quando um indivíduo chega diante de outros suas ações influenciarão a definição da situação que se vai apresentar. Às vezes, agirá de maneira completamente calculada, expressando-se de determinada forma somente para dar aos outros o tipo de impressão que irá provavelmente levá-los a uma resposta específica que lhe interessa obter. Outras vezes, o indivíduo estará agindo calculadamente, mas terá, em termos relativos, pouca consciência de estar procedendo assim. Ocasionalmente, irá se expressar intencional e conscientemente de determinada forma, mas, principalmente, porque a tradição de seu grupo ou posição social requer este tipo de expressão, e não por causa de qualquer resposta particular (que não a de vaga aceitação ou aprovação), que provavelmente seja despertada naqueles que foram impressionados pela expressão. Outras vezes as tradições de um papel pessoal poderão levá-lo a dar uma impressão deliberada de determinada espécie e, contudo, é possível que não tenha, nem consciente nem inconscientemente, a intenção de criar tal impressão. Os outros, por sua vez, podem ficar convenientemente impressionados pelos esforços do indivíduo em comunicar-se, ou podem não compreender a situação e chegar a conclusões que não se justificam nem pelo propósito do indivíduo nem pelos fatos. Em todo caso, na medida em que os outros agem *como se* o indivíduo tivesse transmitido uma determinada impressão, podemos ter uma perspectiva funcional ou pragmática, e considerar que o indivíduo projetou "efetivamente" uma certa definição da situação e "efetivamente" promoveu a compreensão obtida por um certo estado de coisas.

Há um aspecto da resposta dos outros que merece neste ponto um comentário especial. Sabendo que o indivíduo irá, certamente, apresentar-se sob uma luz favorável, os outros podem dividir o que assistem em duas partes: uma, que o indivíduo facilmente manipulará quando quiser, constituída principalmente por suas afirmações verbais, e outra, em relação à qual parece ter pouco interesse ou domínio, oriunda principalmente das expressões que emite. Os outros podem então usar os aspectos considerados não governáveis do comportamento expressivo do indivíduo como uma prova da validade do que é transmitido pelos aspectos governáveis. Demonstra-se nisso uma assimetria fundamental no processo de comunicação, pois o indivíduo presumivelmente só tem consciência de um fluxo de sua comunicação, e os observadores têm consciência deste fluxo e de um outro. Por exemplo, na Ilha Shetland a esposa de um lavrador, ao servir pratos nativos a um visitante vindo da Inglaterra, ouviria com um sorriso cortês suas polidas afirmativas de estar gostando do que come. Ao mesmo tempo notaria a rapidez com que o visitante leva o garfo ou a colher à boca, a ansiedade com que põe o alimento na boca e a satisfação expressa ao mastigá-lo, usando tais sinais como prova dos sentimentos declarados por quem come. A mesma mulher, para descobrir o que um conhecido (A) "realmente" pensa de outro conhecido (B), teria de esperar até que B estivesse na presença de A, mas conversando com uma outra pessoa (C). Examinaria então discretamente as expressões faciais de A quando olha para B conversando com C. Não estando conversando com B e nem sendo diretamente observado por ele, A às vezes diminuiria as repressões habituais e os cautelosos disfarces e expressaria livremente o que "realmente" sente a respeito de B. Este habitante das Ilhas Shetland, em resumo, observaria o observador não observado.

Ora, dado o fato de que os outros com mais probabilidades procurarão avaliar os aspectos mais controláveis do comportamento por meio dos menos controláveis, pode-se esperar que, às vezes, o indivíduo tente explorar esta mesma possibilidade, guiando a impressão que dá mediante o comportamento que ele julga dar uma informação digna da confiança[8]. Por exemplo, ao ser admitido num círculo social fechado, o observador participante tem oportunidade não apenas de mostrar um olhar de aceitação quando está ouvindo um informante, mas deve também ter o cuidado de mostrar o mesmo olhar quando observar o informante conversando com outros. Os observadores do observador, assim, não descobrirão tão facilmente sua verdadeira posição. Pode-se citar um exemplo especial da Ilha Shetland. Sempre que um vizinho entrasse para tomar uma xícara de chá, comumente esboçaria, pelo menos, um sorriso caloroso e acolhedor ao passar pela porta do chalé. Já que não havia obstáculos físicos do lado de fora do chalé nem luz dentro dele, era, em geral, possível observar despercebidamente o visitante quando se aproximava, e assim os ilhéus se deleitavam muitas vezes em espiar o visitante abandonar qualquer expressão que estivesse manifestando e trocá-la por outra sociável, logo antes de alcançar a porta. Entretanto, alguns visitantes, verificando que havia este exame, adotavam um ar sociável bem longe da casa, assegurando deste modo a projeção de uma imagem constante.

Esta forma de controle sobre o papel do indivíduo restabelece a simetria do processo de comunicação e monta o palco para um tipo de jogo de informação, um ciclo potencialmente infinito de encobrimento, descobrimento, revelações falsas e redescobertas. Dever-se-ia acrescentar que, como os outros provavelmente não suspeitam, em termos relativos, do aspecto que se supõe não intencional da conduta do indivíduo, este pode ganhar muito controlando-o. Os outros, por certo, podem perceber que o indivíduo está manipulando o aspecto supostamente espontâneo de seu comportamento e procurar no próprio ato da manipulação alguma variação da conduta que o indivíduo não tenha conseguido controlar. Isto, ainda uma vez, oferece uma verificação do

8. Os trabalhos amplamente lidos e bastante sólidos de Stephen Potter tratam, em parte, dos sinais que podem ser arquitetados para dar a um observador perspicaz as deixas aparentemente incidentais de que precisa para descobrir virtudes ocultas que o jogador de fato não possui.

comportamento do indivíduo, desta feita seu comportamento presumivelmente imprevisto, restabelecendo consequentemente a assimetria do processo de comunicação. Aqui eu gostaria de acrescentar a indicação de que a arte de penetrar no esforço do indivíduo em mostrar uma inintencionalidade calculada parece mais bem desenvolvida do que nossa capacidade de manipular nosso próprio comportamento. Deste modo, sejam quantas forem as etapas que ocorrerem no jogo da informação, o observador provavelmente levará vantagem sobre o ator e a assimetria inicial do processo de comunicação com toda probabilidade será mantida.

Quando permitimos que o indivíduo projete uma definição da situação no momento em que aparece diante dos outros, devemos ver também que os outros, mesmo que o seu papel pareça passivo, projetarão de maneira efetiva uma definição da situação, em virtude da resposta dada ao indivíduo e por quaisquer linhas de ação que inaugurem com relação a ele. Em geral, as definições da situação projetadas pelos diferentes participantes são suficientemente harmoniosas, a ponto de não ocorrer uma franca contradição. Não quero dizer que haverá aquela espécie de consenso que surge quando cada indivíduo presente candidamente expressa o que realmente sente e concorda sinceramente com os sentimentos expressos pelos outros presentes. Esta forma de harmonia é um ideal otimista, não sendo, de qualquer forma, necessária para o funcionamento regular da sociedade. Ao contrário, espera-se que cada participante suprima seus sentimentos cordiais imediatos, transmitindo uma visão da situação que julga ser ao menos temporariamente aceitável pelos outros. A conservação desta concordância superficial, desta aparência de consenso, é facilitada pelo fato de cada participante ocultar seus próprios desejos por trás de afirmações que apoiam valores aos quais todos os presentes se sentem obrigados a prestar falsa homenagem. Além disso há geralmente uma espécie de divisão no trabalho definicional. Cada participante tem a permissão de estabelecer a regulamentação oficial experimental relativa a assuntos que sejam vitais para ele, mas que não sejam imediatamente importantes para os outros: por exemplo, as racionalizações e justificativas pelas quais explica sua atividade passada. Em troca desta cortesia, cala sobre, ou se mantém neutro em, questões importantes para os outros, mas não imediatamente importantes para ele. Temos então uma forma de *modus vivendi* interacional. Os participantes, em conjunto, contribuem para uma única definição geral da situação, que implica não tanto um acordo real sobre o que existe, mas, antes, num acordo real quanto às pretensões de qual pessoa, referentes a quais questões, serão temporariamente acatadas. Haverá também um acordo real quanto à conveniência de se evitar um conflito aberto de definições da situação[9]. Referir-me-ei a este nível de acordo como um "consenso operacional". Deve ser entendido que este consenso operacional estabelecido num cenário de interação será bem diferente, em conteúdo, do estabelecido num tipo diferente de cenário. Assim, entre dois amigos no almoço, mantém-se uma recíproca demonstração de amizade, respeito e interesse. Por outro lado, em ocupações de serviço, o especialista muitas vezes mantém uma imagem de participação desinteressada no problema do cliente, enquanto este responde mostrando respeito pela competência e integridade do outro. Deixando de lado estas diferenças de conteúdo, entretanto, a forma geral destes acordos operacionais é a mesma.

Notando a tendência de um participante em aceitar as exigências de definição feitas pelos outros presentes, podemos apreciar a importância capital da informação que o indivíduo *inicialmente* possui ou adquire a respeito dos companheiros participantes, já que é com base nesta informação inicial que o indi-

---

9. Uma interação pode ser propositadamente estabelecida como oportunidade e lugar para enunciar diferenças de opinião, mas em tais casos os participantes devem ter o cuidado de concordar em não discordar quanto ao tom de voz conveniente, vocabulário e grau de seriedade com que todo argumento deve ser exposto, e quanto ao mútuo respeito que os participantes discordantes devem cuidadosamente continuar a expressar uns para com os outros. Esta definição da situação dos debatedores, ou definição acadêmica, pode também ser invocada súbita e prudentemente como meio de traduzir um sério conflito de opiniões em outro que possa ser tratado dentro de uma estrutura aceitável por todos os presentes.

víduo começa a definir a situação e a planejar linhas de ação, em resposta. A projeção inicial do indivíduo prende-o àquilo que está se propondo ser e exige que abandone as demais pretensões de ser outras coisas. À medida que a interação dos participantes progride, ocorrerão sem dúvida acréscimos e modificações neste estado inicial de informações, mas é indispensável que estes desenvolvimentos posteriores se relacionem sem contradições com as posições iniciais tomadas pelos diversos participantes, ou mesmo sejam construídos a partir delas. Parece que é mais fácil para o indivíduo escolher a linha de tratamento que vai exigir de, e estender aos, outros presentes no início de um encontro do que alterar a que está sendo seguida, uma vez iniciada a interação.

Na vida cotidiana, por certo, há uma clara compreensão de que as primeiras impressões são importantes. Assim, o ajuste ao trabalho daqueles que prestam serviços dependerá, com frequência, da capacidade de tomar e conservar a iniciativa na relação de serviço, capacidade que exigirá uma sutil agressividade por parte do servidor, quando este for pessoa de posição socioeconômica inferior à do cliente. W.F. Whyte sugere a garçonete como exemplo:

> O que sobressai inicialmente é que a garçonete, que se mantém firme sob pressão, não responde simplesmente a seus fregueses. Atua com certa habilidade para dominar o comportamento deles. A primeira pergunta a fazer ao observar o relacionamento do freguês é: "A garçonete leva vantagem sobre o freguês ou é este quem leva vantagem?" A garçonete profissional compreende a natureza capital da pergunta...
>
> A garçonete profissional atende ao freguês com confiança e sem hesitação. Por exemplo, pode perceber que um novo cliente sentou-se antes que ela pudesse tirar os pratos sujos e trocar a toalha. O freguês agora está curvado sobre a mesa estudando o cardápio. Saúda-o e diz: "Posso trocar a toalha por favor?" e, sem esperar resposta, tira-lhe o cardápio das mãos, de tal modo que tem de se afastar da mesa, e ela continua seu trabalho. O relacionamento é processado polida

> e firmemente, e nunca surge a oportunidade de perguntar quem está mandando"[10].

Quando a interação iniciada por "primeiras impressões" é simplesmente a interação inicial de uma extensa série de interações envolvendo os mesmos participantes, falamos em "começar com o pé direito", e julgamos essencial proceder deste modo. Assim sabemos que alguns professores têm a seguinte opinião:

> Não os deixe nunca levar vantagem sobre você ou estará derrotado. Por isto eu começo firme. No primeiro dia em que recebo uma nova turma, faço com que saibam quem é que manda... Você tem de começar firme e então poderá facilitar, à medida que prossegue. Se começar facilitando, quando tentar "apertar", vão apenas olhá-lo e rir[11].

De modo semelhante, os servidores de instituições de doentes mentais podem julgar que, se o novo paciente for rapidamente colocado em seu lugar no primeiro dia de reclusão e lhe dão a entender quem é que manda, muitas dificuldades futuras serão evitadas[12].

Dado o fato de o indivíduo efetivamente projetar uma definição da situação quando chega à presença dos outros, podemos supor que venham a ocorrer, durante a interação, fatos que contradigam, desacreditem ou, de qualquer outro modo, lancem dúvidas sobre esta projeção. Quando estes fatos perturbadores ocorrem, a própria interação pode sofrer uma interrupção confusa e embaraçosa. Algumas das suposições sobre as quais se baseavam as reações dos participantes tornam-se insustentáveis e os participantes se descobrem envolvidos numa interação para a qual a situação havia sido erradamente definida e agora não

---

10. WHYTE, W.F. "When Workers and Customers Meet", Cap. VII. In: WHYTE, W.F. (org.). *Industry and Society*. Nova York: McGraw-Hill, 1946, p. 132-133.

11. Apud BECKER, H.S. "Social Class Variations in the Teacher-Pupil Relationship". *Journal of Educational Sociology*, XXV, p. 459 [Entrevista com uma professora].

12. TAXEL, H. *Authority Structure in a Mental Hospital Ward*. Chicago: University of Chicago, 1953 [Tese inédita de mestrado].

está mais definida. Em tais ocasiões o indivíduo cuja representação tenha sido desacreditada pode se sentir constrangido enquanto os outros presentes podem tornar-se hostis e tanto um quanto os outros podem se sentir pouco à vontade, confusos, envergonhados, embaraçados, experimentando o tipo de anomia gerado quando o minúsculo sistema social da interação face a face entra em colapso.

Ao acentuar o fato de que a definição inicial da situação projetada por um indivíduo tende a fornecer um plano para a atividade cooperativa que se segue – ao acentuar este ponto de vista de ação – não devemos passar por cima do fato essencial de que qualquer definição projetada da situação tem também um caráter próprio. É principalmente deste caráter moral das projeções que nos ocuparemos neste trabalho. A sociedade está organizada tendo por base o princípio de que qualquer indivíduo que possua certas características sociais tem o direito moral de esperar que os outros o valorizem e o tratem de maneira adequada. Ligado a este princípio há um segundo, ou seja, de que um indivíduo que implícita ou explicitamente dê a entender que possui certas características sociais deve de fato ser o que pretende que é. Consequentemente, quando um indivíduo projeta uma definição da situação e com isso pretende, implícita ou explicitamente, ser uma pessoa de determinado tipo, automaticamente exerce uma exigência moral sobre os outros, obrigando-os a valorizá-lo e a tratá-lo de acordo com o que as pessoas de seu tipo têm o direito de esperar. Implicitamente também renuncia a toda pretensão de ser o que não aparenta ser[13] e, portanto, abre mão do tratamento que seria adequado a tais pessoas. Os outros descobrem, então, que o indivíduo os informou a respeito do que é e do que eles *devem* entender por "é".

Não se pode julgar a importância das rupturas definicionais pela frequência com que ocorrem, porque, aparentemente, elas aconteceriam com maior frequência não fossem as constantes

13. Este papel do observador de limitar o que o indivíduo pode ser tem sido enfatizado pelos existencialistas, que veem isto como ameaça básica à liberdade individual. Cf. de SARTRE, J.-P. *Being and Nothingness*. Nova York: Philosophical Library, 1956 [Trad. por Hazel E. Barnes].

preocupações tomadas. Achamos que são constantemente empregadas práticas preventivas para evitar esses embaraços e que práticas corretivas são constantemente empregadas para compensar as ocorrências desabonadoras que não tenham sido evitadas com sucesso. Quando o indivíduo emprega tais estratégias e táticas para proteger suas próprias projeções, podemos referir-nos a elas como "práticas defensivas". Quando um participante as emprega para salvaguardar a definição da situação projetada por outro, falamos de "práticas protetoras" ou "diplomacia". Em conjunto, as práticas defensivas e protetoras abrangem as técnicas empregadas para salvaguardar a impressão acalentada por um indivíduo durante o período em que está diante de outros. Seria conveniente acrescentar que, embora possamos perceber prontamente que nenhuma impressão cultivada sobreviveria se práticas defensivas não fossem empregadas, estamos menos dispostos talvez a perceber que poucas impressões sobreviveriam, se aqueles que as recebem não revelassem tato na maneira de recebê-las.

Além do fato de que são tomadas precauções para impedir a ruptura das definições projetadas, podemos notar também que um interesse intenso nestas rupturas vem exercer um papel significativo na vida social do grupo. Fazem-se brincadeiras e jogos sociais nos quais são intencionalmente arquitetadas situações embaraçosas que não devem ser levadas a sério[14]. Criam-se fantasias nas quais ocorrem situações de exposição arrasadoras. Contam-se e repetem-se anedotas do passado – reais, enfeitadas ou inventadas – pormenorizando rupturas que de fato ocorreram, quase ocorreram ou que ocorreram e foram admiravelmente solucionadas. Parece não haver nenhum grupo que não tenha um estoque preparado desses jogos, fantasias e contos que servem de aviso, para serem usados como fonte de humor, recursos catárticos para as ansiedades e sanção destinada a persuadir os indivíduos a serem modestos nas suas pretensões e razoáveis nas expectativas projetadas. O indivíduo pode se revelar através de sonhos nos quais alcança posições impossíveis. As famílias falam da ocasião em que uma visita confundiu as datas

14. GOFFMAN. Op. cit., p. 319-327.

e chegou quando nem a casa nem ninguém estavam preparados para recebê-la. Os jornalistas falam das vezes em que ocorreu um erro tipográfico muito sério, ficando a pretensão de objetividade ou decoro do jornal humoristicamente desacreditada. Os servidores públicos comentam a ocasião em que um cliente não entendeu um formulário, dando respostas que implicavam uma definição bizarra e não prevista da situação[15]. Os marinheiros cuja vida fora do lar se passa rigorosamente entre homens contam histórias nas quais, de regresso a casa, pedem inadvertidamente à mãe para "passar esta merda de manteiga"[16]. Os diplomatas contam o caso de uma rainha míope que perguntou ao embaixador de uma república pela saúde de seu rei[17].

Resumindo, então, acho que, quando um indivíduo se apresenta diante de outros, terá muitos motivos para procurar controlar a impressão que estes recebem da situação. Este trabalho trata de algumas das técnicas comuns que as pessoas empregam para manter tais impressões, bem como de algumas das contingências habituais associadas a seu emprego. Não discutiremos o conteúdo específico de qualquer atividade apresentada pelo indivíduo participante, ou o papel por ele desempenhado nas atividades interdependentes de um sistema social. Somente me ocuparei dos problemas dramatúrgicos do participante ao representar a atividade perante os outros. As questões que envolvem a montagem e a direção da peça são às vezes triviais, mas muito gerais. Parecem ocorrer em todo lugar na vida social, oferecendo uma dimensão definida para a análise sociológica formal.

Será conveniente terminar esta introdução com algumas definições implícitas no que foi dito antes e necessárias para o que se seguirá. Para o objetivo deste trabalho, a interação (isto é, interação face a face) pode ser definida, em linhas gerais, como

---

15. BLAU, P. *The Dynamics of Bureaucracy*: A Study of Intepersonal Relations in two Government Agencies. University of Chicago Press, p. 127-129.

16. BEATTLE JR., W.M. *The Merchant Seaman*. University of Chicago, 1950, p. 35 [Tese inédita de mestrado].

17. PONSONBY, F. *Recollections of Three Reigns*. Nova York: Dutton, 1952, p. 46.

a influência recíproca dos indivíduos sobre as ações uns dos outros, quando em presença física imediata. Uma interação pode ser definida como toda interação que ocorre em qualquer ocasião, quando, num conjunto de indivíduos, uns se encontram na presença imediata de outros. O termo "encontro" também seria apropriado. Um "desempenho" pode ser definido como toda atividade de um determinado participante, em dada ocasião, que sirva para influenciar, de algum modo, qualquer um dos outros participantes. Tomando um participante particular e seu desempenho como um ponto de referência básico, podemos chamar aqueles que contribuem com os outros desempenhos de plateia observadores ou coparticipantes. O padrão de ação preestabelecido que se desenvolve durante a representação, e que pode ser apresentado ou executado em outras ocasiões, pode ser chamado de um "movimento" ou "prática"[18]. Estes termos referentes à situação podem facilmente ser relacionados com outros termos estruturais convencionais. Quando um indivíduo ou ator desempenha o mesmo movimento para o mesmo público em diferentes ocasiões há probabilidade de surgir um relacionamento social. Definindo papel social como a promulgação de direitos e deveres ligados a uma determinada situação social, podemos dizer que um papel social envolverá um ou mais movimentos, e que cada um destes pode ser representado pelo ator numa série de oportunidades para o mesmo tipo de público ou para um público formado pelas mesmas pessoas.

18. Para comentários sobre a importância de distinguir entre uma rotina de interação e qualquer caso particular em que esta rotina é executada, cf. NEUMANN, John von & MORGENSTERN, O. *The Theory of Games and Economic Behaviour*. 2. ed. Princeton: Princeton University Press, 1947, p. 49.

Capítulo I
Representações

Crença no papel que o indivíduo está representando

Quando um indivíduo desempenha um papel, implicitamente solicita de seus observadores que levem a sério a impressão sustentada perante eles. Pede-lhes para acreditarem que o personagem que veem no momento possui os atributos que aparenta possuir, que o papel que representa terá as consequências implicitamente pretendidas por ele e que, de um modo geral, as coisas são o que parecem ser. Concordando com isso, há o ponto de vista popular de que o indivíduo faz sua representação e dá seu espetáculo "para benefício de outros". Será conveniente começar o estudo das representações invertendo a questão e examinando a própria crença do indivíduo na impressão de realidade que tenta dar àqueles entre os quais se encontra.

Num dos extremos, encontramos o ator que pode estar inteiramente compenetrado de seu próprio número. Pode estar sinceramente convencido de que a impressão de realidade que encena é a verdadeira realidade. Quando seu público está também convencido deste modo a respeito do espetáculo que o ator encena – e esta parece ser a regra geral – então, pelo menos no momento, somente o sociólogo ou uma pessoa socialmente descontente terão dúvidas sobre a "realidade" do que é apresentado.

No outro extremo verificamos que o ator pode não estar completamente compenetrado de sua própria prática. Esta possibilidade é compreensível, pois ninguém está em melhor posição para observar o número do que a pessoa que o executa. Aliado a isso, o executante pode ser levado a dirigir a convicção de seu público apenas como um meio para outros fins, não tendo interesse final na ideia que fazem dele ou da situação. Quando o indivíduo não crê em sua própria atuação e não se interessa em última análise pelo que seu público acredita, podemos chamá-lo de cínico, reservando o termo "sincero" para os que acreditam na impressão criada por sua representação. Fique entendido que o cínico, com todo o seu descompromisso profissional, pode obter prazeres não profissionais da sua pantomima, experimentando uma espécie de jubilosa agressão espiritual pelo fato de poder brincar à vontade com alguma coisa que o público deve levar a sério[19].

Não queremos dizer com isso, por certo, que todos os atores cínicos estejam interessados em iludir sua plateia, tendo por finalidade o que se chama de "interesse pessoal" ou lucro privado. Um indivíduo cínico pode enganar o público pelo que julga ser o próprio bem deste, ou pelo bem da comunidade etc. Para exemplificar este caso, não precisamos lembrar empresários teatrais tão tristemente esclarecidos como Marco Aurélio ou Hsun Tzu. Sabemos que, em funções de serviços, os profissionais, que em outras condições são sinceros, veem-se forçados às vezes a iludir os fregueses, pois estes mostram grande desejo disso. Os médicos que são levados a receitar medicamentos inócuos para tranquilizar os doentes; os empregados de postos de gasolina que resignadamente verificam e tornam a verificar a pressão dos pneus para ansiosas senhoras; os vendedores de calçados que vendem um sapato de n. diferente, mas que dá no pé da freguesa e dizem a ela que é do tamanho pedido, todos estes são profissionais cínicos, cujo público não lhes permitirá serem sinceros. Igualmente, parece que os pacientes bondosos nos hospitais de doenças mentais fingirão às vezes sintomas estranhos para que

19. Talvez o verdadeiro crime do vigarista não consista em tomar dinheiro de suas vítimas, mas em roubar-nos a todos nós da crença de que as maneiras e a aparência da classe média só podem ser mantidas por pessoas da classe média. Um profissional desabusado pode ser cinicamente hostil à relação de serviço que seus clientes esperam que ele lhes preste. O vigarista tem condições de manter o mundo "legal" inteiro em desonra.

as enfermeiras alunas não tenham de enfrentar um desempenho desapontadoramente sadio[20]. Assim quando os inferiores acolhem com a máxima generosidade visitantes superiores, o desejo egoísta de conquistar favores pode não ser o motivo principal. O inferior pode estar tentando, com muito tato, colocar o superior à vontade, simulando o tipo de mundo que se julga que o superior considera natural.

Indiquei dois extremos: um indivíduo pode estar convencido do seu ato ou ser cínico a respeito dele. Estes extremos são algo mais do que simplesmente as extremidades de um contínuo. Cada um dá ao indivíduo uma posição que tem suas próprias garantias e defesas, e por isso haverá a tendência, para quem viajou próximo a um desses polos, de completar a viagem. Começando com a falta de crença interior no papel de outrem, o indivíduo pode seguir o movimento natural descrito por Park:

> Não é provavelmente um mero acidente histórico que a palavra "pessoa", em sua acepção primeira, queira dizer máscara. Mas, antes, o reconhecimento do fato de que todo homem está sempre e em todo lugar, mais ou menos conscientemente, representando um papel [...] É nesses papéis que nos conhecemos uns aos outros; é nesses papéis que nos conhecemos a nós mesmos[21].
>
> Em certo sentido, e na medida em que esta máscara representa a concepção que formamos de nós mes-

---

20. Cf. TAXEL. Op. cit., p. 4. Harry Stack Sullivan mostrou que o tato de atores institucionalizados pode agir em sentido oposto, dando em resultado uma espécie de sanidade do tipo *noblesse-oblige*. Cf. sua "Socio-Psychiatric Research" (*American Journal of Psychiatry*, X, p. 987-988): "Um estudo das curas sociais num dos nossos grandes hospitais de doenças mentais ensinou-me há alguns anos que os doentes com frequência recebiam alta porque tinham aprendido a não manifestar sintomas diante das pessoas circunstantes; em outras palavras, tinham compreendido suficientemente o ambiente pessoal para perceber o preconceito oposto às suas ilusões. Pareceria quase como se eles se tornassem suficientemente inteligentes para serem tolerantes com a imbecilidade à sua volta, tendo finalmente descoberto que este preconceito era causado por estupidez e não pretendia prejudicar ninguém. Podiam então se satisfazer com o contato dos outros, enquanto descarregavam uma parte de seus anseios por meios psicóticos".

21. PARK, R.E. *Race and Culture*. Glencoe, Ill: The Free Press, 1950, p. 249.

> mos – o papel que nos esforçamos por chegar a viver –, esta máscara é o nosso mais verdadeiro eu, aquilo que gostaríamos de ser. Ao final a concepção que temos de nosso papel torna-se uma segunda natureza e parte integral de nossa personalidade. Entramos no mundo como indivíduos, adquirimos um caráter e nos tornamos pessoas[22].

Isto pode ser ilustrado pela vida comunitária de Shetland[23]. Nos últimos quatro ou cinco anos, o hotel de turismo da ilha pertencia a um casal de origem agrária, que o dirigia. Desde o início os proprietários foram obrigados a deixar de lado suas próprias ideias a respeito do modo como a vida deveria ser levada, exibindo no hotel toda sorte de serviços e comodidades da classe média. Ultimamente, porém, parece que os proprietários se tornaram menos cínicos a respeito da representação que encenavam. Eles próprios estão se transformando em pessoas de classe média, e cada vez mais enamorados dos atributos que seus clientes lhes imputam.

Outro exemplo encontra-se no recruta novato que inicialmente segue a etiqueta do exército para evitar uma punição física e, finalmente, chega a seguir o regulamento para que sua organização não seja envergonhada e seus oficiais e companheiros o respeitem.

Conforme dissemos, o ciclo da descrença à crença pode ser seguido em sentido oposto, começando com a convicção ou a aspiração insegura e terminando em cinismo. As profissões que o público considera com temor religioso frequentemente permitem que seus recrutas sigam o ciclo nesta direção. Muitas vezes os recrutas o seguirão nessa direção não por causa de uma compreensão lenta de estarem iludindo seu público – porquanto pelos padrões sociais comuns suas pretensões bem podem ser válidas –, mas porque podem se servir deste cinismo como meio de isolarem sua personalidade íntima do contato com o público. E podemos esperar mesmo encontrar típicas carreiras

22. Id., p. 250.

23. Estudo da Ilha Shetland.

de fé, começando o indivíduo com um tipo de envolvimento pela representação que deve fazer, oscilando em seguida para trás e para diante várias vezes entre a sinceridade e o cinismo, antes de completar todas as fases e pontos de inflexão na crença a seu respeito, para uma pessoa de sua condição. Assim, os estudantes de medicina dizem que os principiantes orientados num sentido idealista tipicamente deixam de lado suas sagradas aspirações por algum tempo. Durante os primeiros dois anos, os estudantes descobrem que o interesse pela medicina deve ser abandonado para que possam dedicar todo o tempo à tarefa de aprender como passar nos exames. Nos dois anos seguintes, estão demasiado ocupados em aprender a conhecer as doenças para mostrar muito interesse pelas pessoas que estão doentes. Só depois que o curso médico terminou é que seus primitivos ideais a respeito do trabalho médico podem ser reafirmados[24].

Conquanto possamos esperar encontrar uma oscilação natural entre cinismo e sinceridade, ainda assim não devemos excluir o tipo de ponto de transição, que pode ser mantido à custa de um ponto de autoilusão. Verificamos que o indivíduo pode tentar induzir o auditório a julgá-lo e à situação de um modo particular, procurando este julgamento como um fim em si mesmo e, contudo, pode não acreditar completamente que mereça a avaliação de sua personalidade que almeja ou que a impressão de realidade por ele alimentada seja válida. Outra mistura de cinismo e crença é indicada no estudo de Kroeber sobre o xamanismo:

> Em seguida, há a velha questão da fraude. Provavelmente a maioria dos xamãs ou feiticeiros-médicos, pelo mundo a fora, prestam socorro usando de prestidigitações no tratamento e principalmente nas demonstrações de poder. Esta escamoteação é muitas vezes deliberada; em muitos casos a consciência do que faz não é talvez mais profunda que a inconsciência. A atitude, quer tenha havido repressão ou não, parece inclinar-se para uma piedosa fraude. Os etnógrafos parecem convencidos, de um modo geral, de

24. BECKER, H.S. & GREER, B. "The Fate of Idealism in Medical School". *American Sociological Review*, 23, p. 50-56.

> que mesmo os curandeiros que sabem estar cometendo uma fraude, apesar disso acreditam também em seus poderes e, especialmente, nos de outros xamãs. Consultam-nos quando eles próprios ou seus filhos estão doentes[25].

Fachada

Venho usando o termo "representação" para me referir a toda atividade de um indivíduo que se passa num período caracterizado por sua presença contínua diante de um grupo particular de observadores e que tem sobre estes alguma influência. Será conveniente denominar de fachada a parte do desempenho do indivíduo que funciona regularmente de forma geral e fixa com o fim de definir a situação para os que observam a representação. Fachada, portanto, é o equipamento expressivo de tipo padronizado intencional ou inconscientemente empregado pelo indivíduo durante sua representação. Para fins preliminares será conveniente distinguir e rotular aquelas que parecem ser as partes padronizadas da fachada.

Primeiro, há o "cenário", compreendendo a mobília, a decoração, a disposição física e outros elementos do pano de fundo que vão constituir o cenário e os suportes do palco para o desenrolar da ação humana executada diante, dentro ou acima dele. O cenário tende a permanecer na mesma posição, geograficamente falando, de modo que aqueles que usem determinado cenário como parte de sua representação não possam começar a atuação até que se tenham colocado no lugar adequado e devam terminar a representação ao deixá-lo. Somente em circunstâncias excepcionais o cenário acompanha os atores. Vemos isto num enterro, numa parada cívica e nos cortejos irreais com que se fazem reis e rainhas. Em geral, tais exceções parecem oferecer uma espécie de proteção extra aos atores que são, ou se tornaram momentaneamente, altamente sagrados. Estes ilustres personagens devem ser distinguidos, certamente, dos atores in-

---

25. KROEBER, A.L. *The Nature of Culture*. Chicago: University of Chicago Press, 1952, p. 311.

teiramente profanos da classe dos mascates, que deslocam seus locais de trabalho entre as representações, sendo com frequência forçados a proceder assim. No caso de haver um lugar fixo para o cenário do indivíduo, o governante pode ser demasiado sagrado, o ambulante, demasiado profano.

Ao pensar nos aspectos cênicos da fachada, tendemos a imaginar a sala de estar de uma determinada casa e o pequeno número de atores que pode identificar-se inteiramente com ela. Temos dado atenção insuficiente aos conjuntos de equipamentos assinaladores que um grande número de atores pode chamar de seus durante certos períodos de tempo. É característico dos países da Europa Ocidental, e sem dúvida constitui uma fonte de estabilidade para eles, disporem de grande número de luxuosos ambientes para alugar a qualquer pessoa do tipo adequado que tenha recursos para isso. Podemos citar uma ilustração retirada de um estudo sobre os empregados públicos de nível mais alto na Inglaterra:

> A questão de saber até que ponto os homens que atingem as mais elevadas posições no serviço público adquirem o "tom" ou "cor" de uma classe diferente daquela à qual pertencem pelo nascimento é delicada e difícil. A única informação exata a respeito desta questão são os números correspondentes à quantidade de membros dos grandes clubes de Londres. Mais de 3/4 de nossos altos oficiais administrativos pertencem a um ou mais clubes de elevada posição e considerável luxo, onde o pagamento de admissão deve ser de 20 ou mais guinéus e a contribuição anual de 12 a 20 guinéus. Tais instituições são da classe superior (nem mesmo da alta classe média) por suas propriedades, bens, estilo de vida e por sua atmosfera global. Embora muitos dos membros não possam ser considerados ricos, somente um homem rico proporcionaria, sem ajuda, a si próprio e à sua família espaço, alimentos e bebidas, serviços e outras comodidades de vida do mesmo padrão que encontrará no União, no Clube dos Viajantes ou no da Reforma[26].

26. DALE, H.E. *The Higher Civil Service of Great Britain*. Oxford: Oxford University Press, 1941, p. 50.

Podemos encontrar outro exemplo no recente desenvolvimento da profissão de médico, onde verificamos ser cada vez mais importante para um doutor ter acesso ao complicado nível científico proporcionado pelos grandes hospitais, de modo que um número cada vez menor de médicos tem condições de pensar que seu ambiente é um lugar que possam fechar à noite[27].

Se tomarmos o termo "cenário" como referente às partes cênicas de equipamento expressivo, podemos tomar o termo "fachada pessoal" como relativo aos outros itens de equipamento expressivo, aqueles que de modo mais íntimo identificamos com o próprio ator, e que naturalmente esperamos que o sigam onde quer que vá. Entre as partes da fachada pessoal podemos incluir os distintivos da função ou da categoria, vestuário, sexo, idade e características raciais, altura e aparência; atitude, padrões de linguagem, expressões faciais, gestos corporais e coisas semelhantes. Alguns desses veículos de transmissão de sinais, como as características raciais, são relativamente fixos e, dentro de um certo espaço de tempo, não variam para o indivíduo de uma situação para outra. Em contraposição, alguns desses veículos de sinais são relativamente móveis ou transitórios, como a expressão facial, e podem variar, numa representação, de um momento a outro.

Às vezes é conveniente dividir os estímulos que formam a fachada pessoal em "aparência" e "maneira", de acordo com a função exercida pela informação que esses estímulos transmitem. Pode-se chamar de "aparência" aqueles estímulos que funcionam no momento para nos revelar o *status* social do ator. Tais estímulos nos informam também sobre o estado ritual temporário do indivíduo, isto é, se ele está empenhado numa atividade social formal, trabalho ou recreação informal, se está realizando, ou não, uma nova fase no ciclo das estações ou no seu ciclo de vida. Chamaremos de "maneira" os estímulos que funcionam no momento para nos informar sobre o papel de interação que o ator espera desempenhar na situação que se aproxima. Assim,

---

27. SOLOMON, D. *Career Contingencies of Chicago Physicians*. University of Chicago, 1952, p. 74 [Tese inédita de doutorado].

uma maneira arrogante, agressiva pode dar a impressão de que o ator espera ser a pessoa que iniciará a interação verbal e dirigirá o curso dela. Uma maneira humilde escusatória pode dar a impressão de que o ator espera seguir o comando de outros, ou pelo menos que pode ser levado a proceder assim.

Frequentemente esperamos, é claro, uma compatibilidade confirmadora entre aparência e maneira. Esperamos que as diferenças de situações sociais entre os participantes sejam expressas de algum modo por diferenças congruentes nas indicações dadas de um papel de interação esperado. Este tipo de coerência da fachada pode ser ilustrado pela seguinte descrição da procissão de um mandarim numa cidade chinesa:

> Vindo logo atrás [...] a luxuosa cadeira do mandarim, transportada por oito carregadores, enche o espaço vazio na rua. É o prefeito da cidade e praticamente o poder supremo nela. É um funcionário de aparência ideal, pois é grande e de aspecto corpulento, ao mesmo tempo que tem aquele olhar severo e inflexível, que se supõe indispensável em qualquer magistrado que espere manter seus súditos em ordem. Tem um aspecto austero e ameaçador, como se estivesse indo ao campo de execuções para mandar decapitar algum criminoso. Este é o ar que os mandarins assumem quando aparecem em público. No curso de muitos anos de experiência, jamais vi algum, do mais alto ao mais inferior, com sorriso no rosto ou um olhar de simpatia para o povo, enquanto era oficialmente carregado nas ruas[28].

Mas, evidentemente, aparência e maneira podem se contradizer uma à outra, como acontece quando um ator que parece ser de posição mais elevada que sua plateia age de maneira inesperadamente igualitária, íntima ou humilde, ou quando um ator vestido com o traje de uma alta posição se apresenta a um indivíduo de condição ainda mais elevada.

Além da esperada compatibilidade entre aparência e maneira, esperamos naturalmente certa coerência entre ambiente, aparên-

---

28. MacGOWAN, J. *Sidelights on Chinese Life*. Filadélfia: Lippincott, 1908, p. 187.

cia e maneira[29]. Tal coerência representa um tipo ideal que nos fornece o meio de estimular nossa atenção e nosso interesse nas exceções. Neste ponto o estudioso é ajudado pelo jornalista, pois as exceções à esperada compatibilidade entre ambiente, aparência e maneira oferecem o sabor picante e o encanto de muitas carreiras e o apelo vendável de muitos artigos de revistas. Por exemplo, o perfil de Roger Stevens (o verdadeiro agente imobiliário que maquinou a venda do Empire State Building) traçado pelo *New Yorker* faz comentários sobre o fato espantoso de Stevens ter uma casa pequena, um escritório pobre e nenhum papel timbrado[30].

A fim de explorar mais completamente as relações entre as várias partes da fachada social, será conveniente considerar aqui uma significativa característica da informação transmitida pela fachada, a saber, seu caráter abstrato e sua generalidade.

Por mais especializada e singular que seja uma prática, sua fachada social, com algumas exceções, tenderá a reivindicar fatos que podem ser igualmente reivindicados e defendidos por outras práticas algo diferentes. Por exemplo, muitos serviços oferecem a seus clientes uma representação que é abrilhantada por impressionantes manifestações de asseio, modernidade, competência e integridade. Conquanto, de fato, estes padrões abstratos tenham um significado diferente em diferentes desempenhos de serviços, o observador é encorajado a realçar as semelhanças abstratas. Para o observador isto é uma maravilhosa conveniência embora, às vezes, desastrosa. Em vez de ter de manter um padrão diferente de expectativa e de trato dado em resposta a cada ator e representação ligeiramente diferentes, pode colocar a situação numa ampla categoria em torno da qual lhe é fácil mobilizar sua experiência anterior e seu pensamento estereotipado. Os observadores, então, só precisam estar familiarizados com um pequeno vocabulário de fachada, de fácil manejo portanto, e saber como responder a elas a fim de se orientarem numa grande variedade de situações. Assim, em Londres a

---

29. *A Grammar of Motives*. Nova York: Prentice-Hall, 1945, p. 6-9 [Comentários de Kenneth Burke sobre a "relação cena-ato-agente"].

30. KAHN JR., E.J. "Closings and Openings". *The New Yorker*, 13 e 20/02/1954.

tendência geral dos limpadores de chaminés[31] e dos empregados de perfumarias de usar aventais brancos de laboratórios ajuda a dar a entender ao cliente que as delicadas tarefas executadas por essas pessoas serão realizadas de uma maneira que se tornou uniforme, austera, digna de confiança.

Há razões para se acreditar que a tendência de apresentar uma grande quantidade de números diferentes partindo de um pequeno número de fachadas é uma consequência natural na organização social. Radcliffe-Brown indicou isto ao afirmar que um sistema de parentesco "descritivo", que dá a cada pessoa um único lugar, pode funcionar em comunidades muito pequenas, mas quando o número de pessoas aumenta, a segmentação em clãs torna-se necessária, como meio de estabelecer um sistema de identificações e tratamentos menos complicado[32]. Vemos exemplos desta tendência em fábricas, quartéis e outros grandes estabelecimentos sociais. Aqueles que organizam estes estabelecimentos acham impossível oferecer uma cantina particular, formas particulares de pagamento, direitos específicos a férias e instalações sanitárias específicas para cada linha ou categoria de funcionários da organização, e ao mesmo tempo julgam que pessoas de posições diferentes não devem ser indiscriminadamente reunidas ou classificadas juntas. Como solução intermediária, a gama inteira das diferenças é cortada em alguns poucos pontos capitais, sendo que todos os indivíduos situados num dado grupo têm permissão para, ou são obrigados a, manter a mesma fachada social em certas situações.

Além do fato de que práticas diferentes podem empregar a mesma fachada, deve-se observar que uma determinada fachada social tende a se tornar institucionalizada em termos das expectativas estereotipadas abstratas às quais dá lugar e tende a receber um sentido e uma estabilidade à parte das tarefas específicas que no momento são realizadas em seu nome. A fachada torna-se uma "representação coletiva" e um fato, por direito próprio.

---

31. Cf. JONES, M. "White as a Sweep". *The New Statesman and Nation*, 06/12/1952.

32. RADCLIFFE-BROWN, A.R. "The Social Organization of Australian Tribes". *Oceania*, I, 440.

Quando um ator assume um papel social estabelecido, geralmente verifica que uma determinada fachada já foi estabelecida para esse papel. Quer a investidura no papel tenha sido primordialmente motivada pelo desejo de desempenhar a mencionada tarefa, quer pelo desejo de manter a fachada correspondente, o ator verificará que deve fazer ambas as coisas.

Além disso, se o indivíduo assume um papel que não somente é novo para ele, mas também não está estabelecido na sociedade, ou se tenta modificar o conceito em que o papel é tido, provavelmente descobrirá a existência de várias fachadas bem-estabelecidas entre as quais tem de escolher. Deste modo, quando é dada uma nova fachada a uma tarefa, raramente verificamos que a fachada dada é, ela própria, nova.

Desde que as fachadas tendem a ser selecionadas e não criadas, podemos esperar que surjam dificuldades quando os que realizam uma dada tarefa são obrigados a selecionar, para si, uma fachada adequada dentre muitas diferentes. Assim nas organizações militares estão sempre surgindo tarefas que (segundo se pensa) exigem demasiada autoridade e habilidade para serem levadas a cabo por trás da fachada mantida por um certo posto do pessoal e autoridade e habilidade demasiadamente pequenas para serem realizadas por trás da fachada mantida pelo posto seguinte na hierarquia. Havendo relativamente grandes saltos entre os postos, a tarefa importará em "acarretar excessiva autoridade" ou muito pouca.

Um exemplo interessante do dilema da escolha de uma fachada apropriada dentre várias não perfeitamente compatíveis pode ser encontrado hoje nas organizações médicas americanas, com respeito à tarefa de ministrar anestesia[33]. Em alguns hospitais a anestesia ainda é feita por enfermeiras por trás da fachada que se permite que as enfermeiras tenham nos hospitais, sem levar em conta as tarefas que realizam – uma fachada que implica subordi-

---

33. Cf. este problema tratado de modo completo em LORTIE, D.C. *Doctors Without Patients*: The Anesthesiologist, a New Medical Speciality. University of Chicago, 1950 [Tese inédita de mestrado]. Cf. tb. o perfil do Dr. Rovenstine em três partes, por MURPHY, M. "Anesthesiologist". *The New Yorker*, 25/10, 01/11 e 08/11/1947.

nação cerimoniosa aos médicos e baixo nível de salário. A fim de estabelecer a anestesiologia como especialidade para médicos formados, os profissionais interessados tiveram de defender intensamente a ideia de que administrar anestesia é uma tarefa bastante complexa e vital para justificar que seja dada aos que a executam a recompensa cerimonial e financeira atribuída aos médicos. A diferença entre a fachada mantida por uma enfermeira e a mantida por um médico é grande; muitas coisas aceitáveis nas enfermeiras são *infra dignitatem* para os médicos. Alguns médicos acham que uma enfermeira está "abaixo da categoria" no que se refere à tarefa de aplicar anestesia, e que os médicos estão "acima da categoria". Se houvesse uma condição social intermediária entre enfermeira e médico, uma solução mais fácil para o problema poderia talvez ser encontrada[34]. Igualmente, se o exército canadense tivesse um posto intermediário entre tenente e capitão com duas estrelas e meia no ombro em vez de duas ou três, os capitães-dentistas, muitos deles de origem étnica humilde, poderiam adquirir um posto que seria mais adequado, aos olhos do exército, que o grau de capitão a eles dado atualmente.

Não pretendo aqui salientar o ponto de vista de uma organização formal ou de uma sociedade. O indivíduo, como alguém que possui uma gama limitada de equipamento de sinais, deve também fazer escolhas infelizes. Assim, na comunidade agrária estudada pelo autor, os anfitriões marcavam a visita de um amigo, frequentemente, oferecendo-lhe uma bebida forte, um copo de vinho, cerveja feita em casa ou uma xícara de chá. Quanto mais alta a categoria ou a posição cerimonial temporária do visitante, mais probabilidades tinha ele de receber um presente situado na extremidade do contínuo representada pelas bebidas alcoólicas. Ora, um problema relacionado com esta escala de equipamento de sinais é que alguns lavradores não poderiam dar-se ao luxo de ter uma garrafa de bebida forte, de modo que o vinho tendia a ser o melhor gesto de cortesia que podiam fazer. Mas, talvez, uma

---

34. Em alguns hospitais, o interno e o estudante de medicina desempenham funções inferiores às de médico e superiores à de enfermeira. Possivelmente tais funções não exigem muita experiência e treino prático, pois enquanto esta condição intermediária de médico em treinamento é parte permanente dos hospitais, aqueles que a ocupam o fazem temporariamente.

dificuldade mais comum fosse o fato de certos visitantes, dada sua posição permanente ou temporária na ocasião, consumirem uma bebida superior à sua categoria e em seguida uma correspondente à categoria inferior. Havia o frequente perigo de o visitante sentir-se um pouco ofendido ou, por outro lado, de que o equipamento do anfitrião, limitado e caro, fosse mal-aplicado. Em nossas classes médias, uma situação semelhante acontece quando uma anfitriã tem de decidir se usa, ou não, a prataria de luxo, ou o que será mais adequado vestir, se o melhor vestido de passeio ou o mais simples traje de noite.

Dissemos que a fachada social pode ser dividida em partes tradicionais tais como cenário, aparência e maneira, e que (visto que diferentes práticas regulares podem ser apresentadas por trás da mesma fachada) não encontramos um ajustamento perfeito entre o caráter específico de uma atuação e o aspecto socializado geral em que nos aparece. Estes dois fatos, tomados em conjunto, levam-nos a verificar que elementos da fachada social de uma determinada prática não são encontrados somente nas fachadas sociais de toda uma série de práticas, mas também que a série inteira de práticas na qual se encontra um elemento do equipamento de sinais diferirá da série de práticas na qual outro elemento da mesma fachada social será encontrado. Assim, um advogado pode conversar com um cliente num ambiente social que emprega somente para este fim (ou para um estudo), mas as roupas adequadas que usa em tais ocasiões, também as usará com igual adequação num jantar com colegas ou no teatro com a esposa. Igualmente, as gravuras penduradas na parede e o tapete no chão podem ser encontrados em residências. Sem dúvida, em ocasiões de grande cerimônia, o cenário, a maneira e a aparência podem ser únicos e específicos, usados somente para representações de um único tipo de prática, mas este uso exclusivo do equipamento de sinais é a exceção, não a regra.

Realização dramática

Em presença de outros, o indivíduo geralmente inclui em sua atividade sinais que acentuam e configuram de modo impressionante fatos confirmatórios que, sem isso, poderiam permanecer despercebidos ou obscuros. Pois se a atividade do indivíduo tem de tornar-se significativa para os outros, ele precisa mobilizá-la de modo tal que expresse, *durante a interação*, o que ele precisa transmitir. De fato pode-se exigir que o ator não somente expresse suas pretensas qualidades durante a interação, mas também que o faça durante uma fração de segundo na interação. Assim, se um árbitro de beisebol quer dar a impressão de que está seguro de seu julgamento, deve abster-se do momento de pensamento que lhe poderia dar a certeza de sua decisão. Tem de tomar uma decisão instantânea de modo que o público fique certo de que ele está seguro de seu julgamento[35].

Note-se que no caso de alguns *status* sociais a dramatização não apresenta problemas, pois alguns dos números instrumentalmente essenciais para completar a tarefa central do *status* são, ao mesmo tempo, maravilhosamente adaptados, do ponto de vista da comunicação, como meios de transmitir vividamente as qualidades e atributos pretendidos pelo ator. Os papéis dos lutadores, cirurgiões, violinistas e policiais são exemplos disto. Estas atividades permitem uma autoexpressão tão dramática, que os profissionais exemplares – reais ou falsos – tornam-se famosos e ocupam lugar de destaque nas fantasias comercialmente organizadas da nação.

Em muitos casos, contudo, a dramatização do trabalho de um indivíduo constitui um problema. Podemos citar como ilustração o estudo feito num hospital, onde se mostra que o corpo de enfermeiras de clínica tem um problema que o corpo de enfermeiras de cirurgia desconhece.

> As coisas que uma enfermeira faz durante o pós-operatório dos doentes no pavimento de cirurgia são geralmente de importância perceptível mesmo para os pacientes estranhos às atividades hospitalares. Por exemplo, o doente que vê a enfermeira trocando os curativos, colocando os aparelhos ortopédicos em posição, pode compreender que estas são atividades que têm um objetivo. Mesmo se ela não puder estar a seu lado ele respeita suas atividades intencionais.

---

35. Cf. PINELLI, B. Filadélfia: Westminster Press, 1953, p. 75 [Como foi contado a Joe King, Mr. Ump].

> O trabalho de enfermeira clínica também exige grande perícia[...] O diagnóstico do médico deve basear-se na observação cuidadosa dos sintomas ao longo do tempo, enquanto o diagnóstico do cirurgião depende em grande parte de coisas visíveis. A impossibilidade de ver cria problemas para o diagnóstico médico. Um paciente verá sua enfermeira parar junto ao leito próximo e conversar, por alguns momentos, com o outro doente. Não sabe que ela está observando a profundidade da respiração, a cor e tonalidade da pele. Pensa que ela está só visitando. Infelizmente o mesmo pode pensar a família do paciente, que presumirá então que tais enfermeiras não são lá grande coisa. Se a enfermeira demora mais tempo junto ao leito próximo, o paciente pode sentir-se desprezado [...] As enfermeiras estão "matando o tempo" a menos que estejam correndo para fazer coisas visíveis como aplicar injeções[36].

De maneira semelhante, o proprietário de um estabelecimento de serviço pode achar difícil dramatizar o que está sendo feito realmente em favor dos clientes, porque estes não podem "ver" os custos gerais do serviço que lhes é prestado. Os donos de casas funerárias devem, por conseguinte, pedir muito pelo seu produto extremamente visível – uma caixa que foi transformada em esquife – porque muitas das outras despesas de um funeral são de natureza tal que não podem ser facilmente dramatizadas[37]. Os negociantes, também, acham que devem cobrar altos preços por coisas que parecem intrinsecamente dispendiosas, a fim de compensar os gastos caros com os seguros, períodos de baixa etc., que nunca aparecem aos olhos do freguês.

O problema de dramatizar o próprio trabalho implica mais do que simplesmente tornar visíveis os custos invisíveis. O tra-

---

36. LENTZ, E. *A Comparison of Medical and Surgical Floors*. Nova York: Universidade de Cornell, 1954, p. 2-3 [Mimeo: Escola Estadual de Relações Industrial e de Trabalho de Nova York].

37. O material sobre o comércio funerário usado neste trabalho foi tirado de HABENSTEIN, R.W. *The American Funeral Director*. Chicago: University of Chicago, 1954 [Tese inédita de doutorado – Devo muito à análise de um funeral como representação, feita pelo Sr. Habenstein].

balho que deve ser feito por aqueles que ocupam certos *status* é, com frequência, tão malplanejado como expressão de um significado desejado, que se a pessoa incumbida dele quisesse dramatizar a natureza de seu papel deveria desviar considerável quantidade de energia para esse fim. E esta atividade canalizada para a comunicação vai requerer muitas vezes atributos diferentes dos que estão sendo dramatizados. Assim, para mobiliar uma casa de modo tal que exprima dignidade simples e tranquila, o dono da casa pode ter de correr a leilões, regatear com antiquários e teimosamente esmiuçar todas as lojas locais para encontrar o papel de parede e o material para as cortinas adequadas. Para fazer uma palestra no rádio que pareça genuinamente natural, espontânea e tranquila, o locutor pode ter de planejar seu "texto" com esmerado cuidado, ensaiando frase por frase, a fim de imitar o conteúdo, a linguagem, o ritmo e a fluência do falar cotidiano[38]. Da mesma forma, uma modelo do *Vogue*, por seu traje, postura e expressão facial, é capaz de retratar de maneira expressiva uma compreensão culta do livro que tem nas mãos; mas as pessoas que se embaraçam em se expressar com tanta propriedade terão muito pouco tempo livre para ler. Como disse Sartre: "O aluno atento que deseja *ser* atento, olhos fixos no professor, ouvidos bem abertos, consome-se tanto em representar o papel de atento que termina por não ouvir mais nada"[39]. E assim os indivíduos se encontram muitas vezes em face do dilema expressão *versus* ação. Aqueles que têm tempo e talento para desempenhar bem uma tarefa não podem, por este motivo, ter tempo para mostrar que estão representando bem. É possível dizer que algumas organizações resolvem este dilema delegando oficialmente a função dramática a um especialista, que gastará o tempo expressando o significado da tarefa e não perderá tempo em desempenhá-la efetivamente.

Se alterarmos nosso ponto de referência por um momento e nos voltarmos de uma determinada representação para os indivíduos que a apresentam podemos considerar um fato interes-

---

38. HILTON, J. "Calculated Spontaneity". *Oxford Book of English Talk*. Oxford: Clarendon Press, 1953, p. 399-404.

39. SARTRE. Op. cit., p. 60.

sante sobre a sucessão das diferentes práticas para cuja execução qualquer grupo ou classe de indivíduos contribui. Quando se examina um grupo ou classe, vê-se que seus membros tendem a empenhar-se primordialmente em certas práticas, enfatizando menos as outras que executam. Assim, um profissional pode concordar em desempenhar um papel muito modesto na rua, numa loja ou em sua casa, mas na esfera social que abrange o exercício de sua competência profissional preocupar-se-á muito em dar uma demonstração de eficiência. Ao mobilizar seu comportamento para fazer uma demonstração, estará interessado não tanto no curso completo das diferentes práticas que executa, mas somente naquela da qual deriva sua reputação profissional. Foi com base neste princípio que alguns autores escolheram distinguir grupos comuns com hábitos aristocráticos (seja qual for seu *status* social) daqueles com características de classe média. O comportamento aristocrático, diz-se, é aquele que mobiliza todas as atividades secundárias da vida, situadas fora das particularidades sérias de outras classes, e injeta nessas atividades uma expressão de dignidade, poder e alta categoria.

> Por meio de que importantes realizações o jovem nobre é educado para manter a dignidade de sua classe e tornar-se merecedor daquela superioridade sobre seus concidadãos, a que o mérito de seus antepassados o elevou; é pelo saber, pela diligência, paciência, espírito de sacrifício ou outra espécie de virtude? Como todas as suas palavras, todos os seus gestos, são objeto de atenção, ele aprende a levar em consideração habitualmente todas as circunstâncias do comportamento comum e estuda a fim de executar todos estes pequenos deveres com a mais exata propriedade. Como tem consciência do quanto é observado e de como os homens estão dispostos a favorecer todas as suas inclinações, age, nas ocasiões mais corriqueiras, com aquela liberdade e elevação que o pensamento desta condição naturalmente inspira. Seu ar, suas maneiras, sua conduta, tudo marca aquele sentido elegante e gracioso de sua própria superioridade, que os nascidos para posições inferiores dificilmente podem alcançar. Estes são os estratagemas pelos quais pretende tornar os

> homens mais facilmente submissos à sua autoridade e governar as inclinações deles a seu bel-prazer. E nisto raramente se desilude. Estes estratagemas, sustentados pela posição e preeminência, são geralmente suficientes para governar o mundo[40].

Se tais virtuoses realmente existem, proporcionam um grupo conveniente no qual é possível o estudo das técnicas pelas quais a atividade é transformada em espetáculo.

Idealização

Indicamos, anteriormente, que a execução de uma prática apresenta, através de sua fachada, algumas exigências um tanto abstratas em relação à audiência, que provavelmente lhe são apresentadas durante a execução de outras práticas. Isto constitui um dos modos pelos quais uma representação é "socializada", moldada e modificada para se ajustar à compreensão e às expectativas da sociedade em que é apresentada. Desejo considerar aqui outro importante aspecto deste processo de socialização, a saber, a tendência que os atores têm a oferecer a seus observadores uma impressão que é idealizada de várias maneiras diferentes.

A noção de que uma representação apresenta uma concepção idealizada da situação é, sem dúvida, muito comum. A opinião de Cooley pode ser tomada como exemplo:

> Se nunca tentássemos parecer um pouco melhores do que somos, como poderíamos melhorar ou "educar-nos de fora para dentro?" Este mesmo impulso de mostrar ao mundo um aspecto melhor ou idealizado de nós mesmos encontra uma expressão organizada nas várias profissões e classes, cada uma das quais até certo ponto tem um linguajar convencional ou atitudes próprias, que seus membros adotam inconscientemente, na maior parte das vezes, mas que têm o efeito de uma conspiração para atuar sobre a credu-

---

40. SMITH, A. *The Theory of Moral Sentiments*. Londres: Henry Bohn, 1853, p. 75.

> lidade do resto do mundo. Há um tipo de linguagem convencional não somente da teologia e da filantropia, mas também do direito, da medicina, da educação, e mesmo da ciência – talvez particularmente da ciência precisamente agora, visto que quanto mais um tipo particular de mérito é reconhecido e admirado, tanto maior a probabilidade de ser adotado por pessoas indignas[41].

Assim, quando o indivíduo se apresenta diante dos outros, seu desempenho tenderá a incorporar e exemplificar os valores oficialmente reconhecidos pela sociedade e até realmente mais do que o comportamento do indivíduo como um todo.

Na medida em que uma representação ressalta os valores oficiais comuns da sociedade em que se processa, podemos considerá-la, à maneira de Durkheim e Radcliffe-Brown, como uma cerimônia, um rejuvenescimento e reafirmação expressivos dos valores morais da comunidade. Além disso, tanto quanto a tendência expressiva das representações venha a ser aceita como realidade, aquela que é no momento aceita como tal terá algumas das características de uma celebração. Permanecer no próprio quarto distante do lugar onde a festa se realiza, ou longe do local onde o profissional atende ao cliente, é permanecer longe do lugar onde a realidade está acontecendo. O mundo, na verdade, é uma reunião.

Uma das fontes mais ricas de dados sobre a representação de desempenhos idealizados é a literatura sobre mobilidade social. Na maioria das sociedades parece haver um sistema principal ou geral de estratificação e em muitas sociedades estratificadas existe a idealização dos estratos superiores e uma certa aspiração, por parte dos que ocupam posições inferiores, de ascender às mais elevadas. Deve-se ter cuidado de compreender que isto implica não apenas no desejo de uma posição de prestígio, mas também o desejo de uma posição junto ao centro sagrado dos valores comuns da sociedade. Verificamos habitualmente que a mobilidade ascendente implica a representação de desempenhos adequados e que os esforços para subir e para evitar descer exprimem-se em

---

41. COOLEY, C.H. *Human Nature and the Social Order*. Nova York: Scribner's, 1922, p. 352-353.

termos dos sacrifícios feitos para a manutenção da fachada. Uma vez obtido o equipamento conveniente de sinais e adquirida a familiaridade na sua manipulação, este equipamento pode ser usado para embelezar e iluminar com estilo social favorável as representações diárias do indivíduo.

Talvez a peça mais importante do equipamento de sinais associado à classe social consista nos símbolos do *status*, mediante os quais se exprime a riqueza material. A sociedade norte-americana é semelhante a outras neste particular, mas parece ter-se distinguido como exemplo extremo de estrutura de classe orientada para a riqueza, talvez porque nos Estados Unidos a liberdade de empregar símbolos de riqueza e a capacidade financeira de assim proceder estejam tão amplamente distribuídas. A sociedade indiana, por outro lado, tem sido citada, às vezes, não somente como aquela na qual a mobilidade ocorre em termos de grupos de casta e não de indivíduos, mas também como uma sociedade na qual as representações tendem a estabelecer pretensões favoráveis relativas a valores não materiais. Um recente estudioso da Índia, por exemplo, disse o seguinte:

> O sistema de castas está longe de ser um sistema rígido, no qual a posição de cada componente é fixada para sempre. O movimento sempre foi possível, principalmente nas posições intermediárias da hierarquia. Uma casta inferior tinha a possibilidade, no curso de uma ou duas gerações, de elevar-se a uma posição mais alta da hierarquia, adotando o regime vegetariano e a abstinência de álcool e passando a usar o sânscrito em seu ritual e panteão. Em suma, adota, tanto quanto possível, os costumes, ritos e crenças dos brâmanes, e a incorporação do modo de vida brâmane por uma casta inferior parece ter sido frequente, embora teoricamente proibida [...]. A tendência das castas inferiores em imitar as mais elevadas foi um poderoso fator na difusão dos rituais e costumes sânscritos e na realização de um certo grau de uniformidade cultural, não somente ao longo da escala das castas, mas em todas as direções da Índia[42].

42. SRINIVAS, M.N. *Religion and Society Among the Coorgs of South India*. Oxford: Oxford University Press, 1952, p. 30.

De fato, há certamente muitos círculos hindus cujos membros estão muito interessados em emprestar uma expressão de riquezas, luxo e situação de classe à representação de seu dia a dia e que pensam muito pouco em pureza ascética para se darem ao incômodo de simulá-la. Correlativamente, sempre houve grupos influentes nos Estados Unidos cujos membros julgavam que certos aspectos de toda representação devem menosprezar a expressão de mera riqueza para nutrir a impressão de que os padrões referentes ao nascimento, à cultura ou à seriedade moral são os que prevalecem.

Talvez por causa da orientação ascendente encontrada nas principais sociedades de hoje tendemos a supor que os esforços expressivos numa representação necessariamente reivindicam para o ator uma posição de classe superior à que, se assim não fosse, seria-lhe concedida. Por exemplo, não nos surpreendemos ao saber dos seguintes detalhes de representações domésticas do passado na Escócia:

> Uma coisa é certa: o proprietário de terras escocês médio e sua família viviam muito mais frugalmente no cotidiano do que quando recebiam visitas. Aí eles se punham à altura da grande ocasião e serviam pratos que lembravam os banquetes da nobreza medieval, mas também como aqueles mesmos nobres, fora das festividades, "guardavam o segredo da casa", como se costumava dizer, e comiam do mais simples. O segredo era bem guardado. Mesmo Edward Burt, com todo o seu conhecimento dos escoceses, achava difícil descrever-lhes as refeições diárias. Tudo o que pôde dizer, com exatidão, foi que, sempre que recebiam um inglês, providenciavam comida em excesso. "Tem sido dito com frequência, observou Burt, que eles prefeririam saquear os seus inquilinos a que pudessem fazer mau juízo de seu modo de vida; mas ouvi de muitas pessoas que eles empregaram [...] que, embora fossem servidos ao jantar por cinco ou seis criados, ainda assim, com todo esse aparato, muitas vezes jantavam farinha de aveia preparada de várias maneiras, arenque em conserva ou outro prato barato e ordinário"[43].

43. PLANT, M. *The Domestic Life of Scotland in the Eighteenth Century*. Edinburgh: Edinburgh University Press, 1952, p. 96-97.

De fato, entretanto, muitas classes de pessoas tiveram muitas razões diferentes para praticar sistematicamente a modéstia e desprezar qualquer expressão de riqueza, capacidade, força espiritual ou respeito para consigo mesmo.

A atitude ignorante, indolente, despreocupada que os negros dos Estados do Sul se julgam às vezes obrigados a exibir durante a interação com os brancos exemplifica o modo como uma representação pode exibir valores ideais que conferem ao ator uma posição inferior à que ele intimamente aceita para si. Mencionemos uma versão moderna desta farsa:

> Onde há efetiva competição acima dos níveis não qualificados para empregos tidos usualmente como "de branco", alguns negros aceitarão espontaneamente símbolos de condição inferior, conquanto desempenhem um trabalho de nível mais elevado. Assim, um encarregado da expedição em um escritório aceitará o título e o salário de um mensageiro; uma enfermeira deixará que a chamem de doméstica, e a pedicure entrará nas casas dos brancos pela porta de serviço, à noite[44].

As estudantes norte-americanas deixariam de lado, e sem dúvida alguma o fazem, sua inteligência, habilidade e determinação quando na presença dos namorados, manifestando, por esse meio, uma profunda disciplina psíquica, a despeito de sua reputação internacional de frivolidade[45]. Conta-se que estas atrizes dão oportunidade a seus namorados de explicar-lhes enfadonhamente coisas que elas já sabem; escondem de seus companheiros menos dotados sua capacidade em matemática; perdem partidas de pingue-pongue pouco antes do final:

> Uma das técnicas mais delicadas é escrever palavras longas erradamente de vez em quando. Meu namorado parece divertir-se com isso e responde por escrito: "Querida, você certamente não sabe como se escreve isso"[46].

---

44. JOHNSON, C. *Patterns of Negro Segregation*. Nova York: Harper Bros., 1943, p. 273.

45. KOMAROVSKY, M. "Cultural Contradictions and Sex Roles". *American Journal of Sociology*, III, p. 186-188.

46. Id., p. 187.

Mediante todos estes meios a superioridade natural do macho fica demonstrada e confirmado o papel inferior da mulher.

De maneira semelhante os habitantes de Shetland disseram-me que seus avós costumavam abster-se de melhorar a aparência da casa, com medo de que os senhores da terra tomassem tais melhoramentos como sinal de que poderiam extrair deles maiores rendas. Esta tradição prolongou-se um pouco em conexão com uma demonstração de pobreza exibida, às vezes, diante da assistente social de Shetland. O que mais importa é que há ilhéus hoje em dia que há muito abandonaram a lavoura de subsistência e o padrão estrito de trabalho interminável, o pouco conforto e a dieta de peixe e batatas, que eram tradicionalmente o destino deles. No entanto, esses homens frequentemente usam em lugares públicos a jaqueta de lã e as botas altas de borracha que são notoriamente símbolos da condição de lavradores. Apresentam-se à comunidade como pessoas que não estão de nenhum "lado", leais à condição social de seus companheiros ilhéus. Este papel eles o desempenham com sinceridade, calor, linguagem apropriada e uma grande decisão. Contudo no refúgio de suas próprias cozinhas esta lealdade é relaxada e eles aproveitam algumas das modernas comodidades da classe média a que se acostumaram.

A mesma espécie de idealização negativa foi comum evidentemente durante a depressão nos Estados Unidos, quando o estado de pobreza de uma família era às vezes enfaticamente declarado para se conseguir a visita dos agentes do bem-estar, demonstrando que em toda parte onde há um meio de verificação há, provavelmente, uma exibição de pobreza:

> Uma investigadora do DPC relatou experiências interessantes sobre isso. Ela é italiana, mas clara e loura, decididamente não parecendo italiana. Sua função principal era a investigação das famílias italianas no FERA. O fato de não parecer italiana permitiu-lhe ouvir conversas em italiano, que indicavam a atitude dos clientes com relação ao auxílio. Por exemplo, quando sentada na sala conversando com a dona da casa, esta chamava um filho para vir ver a pesquisadora, mas avisava a criança para calçar primeiro seus

> sapatos velhos. Ou então ouvia a mãe ou o pai dizer a alguém nos fundos da casa que guardasse o vinho ou a comida antes que ela entrasse[47].

Pode-se citar outro exemplo, tomado de um recente estudo sobre o comércio de ferro-velho, onde são fornecidos dados sobre a impressão que os negociantes julgam oportuno dar:

> [...] o vendedor de ferro-velho está vitalmente interessado em sonegar ao público em geral a informação sobre o verdadeiro valor financeiro do "ferro-velho". Deseja perpetuar o mito de que o ferro-velho não tem valor e que os indivíduos que com ele negociam estão "arruinados" e são dignos de pena[48].

Estas impressões têm um aspecto idealizado, pois para que o autor seja bem-sucedido deve apresentar o tipo de cena que leva a cabo os estereótipos extremos dos observadores sobre a pobreza infeliz.

Como nova ilustração de tais práticas idealizadoras, talvez não haja outra com tanto fascínio sociológico quanto as representações executadas pelos mendigos de rua. Na sociedade ocidental, entretanto, desde o começo do século XX, as cenas que os mendigos encenam parecem ter declinado em mérito dramático. Hoje ouve-se falar menos da "artimanha da família limpa", na qual uma família se apresenta em roupas esfarrapadas, mas incrivelmente limpas, os rostos das crianças brilhando em consequência de uma camada de sabão que neles foi esfregada com um pano macio. Não vemos mais representações nas quais um homem seminu se engasga com uma côdea de pão suja, que aparentemente não consegue engolir tão fraco está. Também não vemos a cena em que um homem esfarrapado espanta um pardal de sobre um pedaço de pão, limpa-o vagarosamente na manga do paletó e, aparentemente esquecido da plateia que então o cerca, tenta comê-lo. Torna-se raro também o "mendigo envergonhado", que implora com os olhos humildemente o que

---

47. BAKKE, E.W. *The Unemployed Worker.* New Haven: Yale University Press, 1940, p. 371.

48. RALPH, J.B. *The Junk Business and the Junk Peddler.* University of Chicago, 1950, p. 20 [Tese inédita de mestrado].

sua delicada sensibilidade aparentemente o impede de dizer. Diga-se de passagem que as cenas representadas por pedintes têm recebido muitos nomes em inglês, fornecendo-nos termos bem-apropriados para descrever representações que têm maior legitimidade e menos arte[49] – conto do vigário, artimanha, ramo de negócio, extorsão, camelôs e assalto.

Se um indivíduo tem de dar expressão a padrões ideais na representação, então terá de abandonar ou esconder ações que não sejam compatíveis com eles. Quando tal conduta imprópria é em certo sentido satisfatória como muitas vezes acontece, verifica-se então comumente que o indivíduo se entrega a ela secretamente; desse modo o ator pode abster-se do bolo e comê-lo também[50]. Por exemplo, na sociedade norte-americana descobrimos que crianças de oito anos alegam falta de interesse por programas de televisão que são dirigidos às de cinco ou seis anos, mas, às vezes, furtivamente, assistem a eles[51]. Descobrimos também que donas de casa de classe média muitas vezes empregam, de forma secreta e disfarçada, substitutos mais baratos para o café, o sorvete e a manteiga; deste modo podem economizar dinheiro, esforço ou tempo, e ainda assim manter a impressão de que o alimento que servem é de alta qualidade[52]. As mesmas mulheres podem deixar na mesa da sala o *Saturday Evening Post*, mas guardar um exemplar do *True Romance* ("A arrumadeira deve ter deixado isto por aí"), oculto no quarto de dormir[53]. Tem-se dito que a mesma espécie de comportamento, à qual nos referimos como "consumo secreto", pode ser encontrada entre os hindus.

---

49. Para detalhes a respeito dos mendigos, cf. MAYHEW, H. *London Labour and the London Poor*. 4 vol. Londres: Griffin, Bohn, 1 (1861), p. 415-417 e IV (1862), p. 404-438.

50. Jogo de palavras com a expressão *you can't eat your cake and have it* que seria equivalente em português a "Você não pode assoviar e chupar cana ao mesmo tempo" [N.R.].

51. Relatórios de pesquisas inéditos feitos pela Social Research, Inc., Chicago. Sou grato a esta entidade por permitir-me usar esses e outros dados neste trabalho.

52. Relatório de pesquisa inédito da Social Research, Inc.

53. Contado pelo professor W.L. Warner, da Universidade de Chicago, num seminário, em 1951.

> Eles obedecem a todos os seus costumes enquanto são observados, mas não são tão escrupulosos quando sozinhos[54].
>
> Fui informado, por fonte de confiança, que alguns brâmanes foram em pequenos grupos, muito secretamente, à casa de sudras nos quais podiam confiar, para participar de carne e bebidas fortes, que tomam a liberdade de consumir sem escrúpulo[55].
>
> O uso secreto de bebidas embriagantes é ainda mais frequente que o da comida proibida, porque é menos difícil de ocultar. Contudo, nunca se ouviu dizer que um brâmane tenha sido encontrado bêbado em público[56].

Pode-se acrescentar que, recentemente, o Relatório Kinsey trouxe novo impulso ao estudo e análise do consumo secreto[57].

É importante notar que, quando um indivíduo faz uma representação, esconde tipicamente mais que prazeres e poupanças impróprias. Podemos indicar aqui alguns desses objetos que são ocultados.

Primeiramente, além de prazeres e poupanças secretas, o ator pode estar empenhado em uma forma lucrativa de atividade que oculta de seu público por ser incompatível com a noção dessa atividade que ele espera que o público tenha. Isto é exemplificado com hilariante clareza pelas tabacarias que também funcionam como locais de corretagem de apostas, mas algo do espírito de tais estabelecimentos pode ser encontrado em muitos lugares. Um número surpreendente de trabalhadores parece justificar seu emprego, a seus próprios olhos, pelas ferramentas que podem roubar, pelas quantidades de alimentos que podem revender, pela viagem de que podem gozar com os salários pa-

---

54. DUBOIS, Pe. J.A. *Character, Manners and Customs of the People of Índia*. 2 vol. Filadélfia: M'Carey and Son, 1818, I, p. 235.

55. Id., p. 237.

56. Id., p. 238.

57. Como diz SMITH, A. Op. cit., p. 88, as virtudes, assim como os vícios, podem ser ocultados. "Homens vaidosos dão-se ares, muitas vezes, de um desregramento elegante, que no íntimo não aprovam e do qual talvez não sejam realmente culpados. Desejam ser louvados por aquilo que eles mesmos não acham louvável e se envergonham de virtudes "fora de moda", que, às vezes, praticam em segredo, e pelas quais têm secretamente um certo grau de verdadeiro respeito".

gos pelo tempo de trabalho, ou pela propaganda que pode ser distribuída, ou pelos contatos que podem ser feitos e convenientemente influenciados etc.[58] Em todos esses casos, o local de trabalho e a atividade oficial tornam-se uma espécie de concha que esconde a vida animada do ator.

Em segundo lugar, verificamos que os erros e enganos são muitas vezes corrigidos antes da representação, enquanto que os indícios que mostram terem sido erros cometidos e corrigidos são ocultos. Deste modo, é mantida uma impressão de infalibilidade, tão importante em muitas representações. É famoso o comentário de que os médicos enterram seus erros. Outro exemplo encontra-se num recente trabalho sobre interação social em três repartições do governo, mostrando que os funcionários detestam ditar relatórios a uma estenógrafa porque gostariam de repassá-los e corrigir as imperfeições antes que ela, e menos ainda um chefe, os visse[59].

Em terceiro lugar, nas interações em que o indivíduo apresenta um produto a outros, ele lhes mostrará apenas o produto final levando-os a apreciá-lo com base em uma coisa acabada, polida e embrulhada. Em certos casos, se foi exigido muito pouco esforço para completar o objeto, este fato será escondido. Em outros, serão as longas e cansativas horas de trabalho isolado que se ocultarão. Por exemplo, o estilo cortês que aparece em alguns livros eruditos pode ser instintivamente comparado com a labuta febril que o autor deve ter suportado para completar o índice em tempo, ou com as brigas que deve ter tido com o editor, a fim de aumentar o tamanho da primeira letra de seu sobrenome, tal como aparece na capa do livro.

Uma quarta discrepância entre aparência e realidade total pode ser citada. Verificamos que há muitas representações que não poderiam ser feitas se certas tarefas não tivessem sido realizadas, tarefas estas que são fisicamente sujas, quase ilegais,

---

58. Dois estudiosos recentes do trabalhador do Serviço Social sugerem a expressão "trapaça externa" para se referir às fontes secretas de renda acessíveis a quem trabalha no Chicago Public Case Worker. Cf. BOGDANOFF, E. de & GLASS, A. *The Sociology of the Public Case Worker in an Urban Área*. University of Chicago, 1953 [Tese inédita de mestrado].

59. BLAU. Op. cit., p. 184.

cruéis e de certo modo degradantes. Mas estes fatos perturbadores raramente são expressos numa representação. Nas palavras de Hughes, temos a tendência a esconder de nosso público todos os indícios de "trabalho sujo", quer o realizemos em particular ou encarreguemos um empregado de fazê-lo, entreguemo-lo ao mercado impessoal, ao especialista legítimo ou ilegítimo.

Intimamente ligada à noção de trabalho desonesto há uma quinta discrepância entre as aparências e verdadeira realidade. Se a atividade de um indivíduo tem de incorporar vários padrões ideais e se é preciso fazer uma boa representação, então, provavelmente, alguns desses padrões serão mantidos em público à custa do sacrifício privado de alguns outros. Com frequência, certamente, o ator sacrificará aqueles padrões cuja perda pode ser ocultada e fará este sacrifício para sustentar padrões cuja aplicação inadequada não pode ser escondida. Deste modo, em épocas de racionamento, se um dono de restaurante, um merceeiro ou um açougueiro quiser manter sua aparência habitual de variedade e confirmar a imagem que os fregueses têm dele, poderá apelar para fontes ocultas de fornecimento como solução. Assim também se um serviço é julgado pela rapidez e pela qualidade, esta provavelmente ficará em segundo lugar em relação à velocidade, pois a qualidade inferior pode ser ocultada, mas não um serviço moroso. Igualmente, se os servidores de um hospital de doentes mentais têm de manter a ordem e ao mesmo tempo não bater nos pacientes e se for difícil conservar esta combinação de padrões, então o paciente turbulento pode ser "engravatado" com uma toalha molhada e sufocado até ficar submisso de um modo tal que não deixe vestígio dos maus-tratos[60]. Pode-se dissimular os maus-tratos, mas não a ordem:

> As regras, regulamentos e ordens mais facilmente postos em vigor são os que deixam sinais visíveis de terem sido obedecidos ou não, por exemplo, as regras relativas à limpeza da enfermaria, ao fechamento das portas, uso de bebidas alcoólicas durante o serviço, uso de medidas repressivas etc.[61]

---

60. WILLOUGHBY, R.H. *The Attendant in the State Mental Hospital*. University of Chicago, 1953, p. 44 [Tese de mestrado].

61. Id., p. 45-46.

Seria incorreto, neste ponto, mostrar-se demasiado cínico. Com frequência verificamos que, se os principais objetivos ideais de uma organização têm de ser alcançados, então será necessário, às vezes, contornar momentaneamente outros ideais da organização, embora dando a impressão de que estes outros ideais ainda estão em vigor. Em tais casos, faz-se o sacrifício não do ideal mais visível e sim do mais legitimamente importante. Encontramos um exemplo num artigo sobre a burocracia naval:

> Esta característica (o sigilo imposto ao grupo) não é de modo algum inteiramente atribuível ao receio, por parte dos membros, de que elementos condenáveis venham à luz. Embora este medo sempre desempenhe um papel em não revelar a "imagem interna" de qualquer burocracia, é a alguma das características da própria estrutura informal que deve ser atribuída maior importância. Pois a estrutura informal serve ao papel muito significativo de fornecer um canal para contornar as regras e métodos de proceder formalmente prescritos. Nenhuma organização julga poder dar publicidade a tais métodos (pelos quais certos problemas são resolvidos, é importante notar), que são a antítese dos oficialmente sancionados e, neste caso, imensamente caros às tradições do grupo[62].

Finalmente, encontramos com frequência atores que alimentam a impressão de ter motivos ideais para assumir o papel que estão representando, que possuem as qualificações ideais para o papel, e que não precisam sofrer quaisquer indignidades, insultos e humilhações, ou fazer "acordos" tácitos para consegui-lo. (Conquanto esta impressão geral de compatibilidade sagrada entre o homem e sua atividade seja, talvez, mais comumente alimentada por membros das profissões mais elevadas, um elemento semelhante é encontrado em muitas das menos importantes.) Reforçando tais impressões ideais, há uma espécie de "retórica do treinamento", graças à qual os sindicatos, universidades, associações comerciais e outras corporações que outorgam permissões exigem dos profissionais que absorvam uma margem mística e um período de treinamento, em parte para

62. PAGE, C.H. "Bureaucracy's Other Face". *Social Forces*, XXV, p. 90.

manter o monopólio, mas em parte para alimentar a impressão de que o profissional licenciado é alguém que foi reconstituído pela experiência da aprendizagem e acha-se agora colocado à parte dos outros homens. Assim, um estudioso indica, a respeito dos farmacêuticos, que eles julgam que o curso universitário de quatro anos exigido para a licença é "bom para a profissão", mas alguns admitem que uns poucos meses de treinamento é tudo quanto realmente se necessita[63]. Pode-se acrescentar que o exército americano durante a Segunda Guerra Mundial tratou inocentemente ramos de negócio tais como farmácia e relojoaria de maneira puramente instrumental e treinou profissionais eficientes em cinco ou seis semanas, para horror dos membros estabelecidos destes ofícios. E, da mesma forma, verificamos que os eclesiásticos dão a impressão de terem entrado para a Igreja por um apelo de sincera vocação, com o que nos Estados Unidos procuram esconder seu interesse em subir socialmente, e na Inglaterra esconder seu interesse de não baixar demasiadamente. E, ainda, os eclesiásticos querem dar a impressão de terem escolhido sua atual congregação pelo que lhe podem oferecer espiritualmente, e não, como de fato acontece, porque os presbíteros lhes oferecem uma boa casa ou o pagamento integral das despesas correntes. De maneira semelhante, as escolas de medicina nos Estados Unidos cuidam de recrutar os estudantes, em parte tomando por base as origens étnicas, pois certamente os doentes levam em conta este fator ao escolher seus médicos. Mas na interação real entre o médico e o paciente admite-se que se crie a impressão de que o médico é médico simplesmente devido a aptidões e ao treinamento especiais. Da mesma forma, os diretores de empresas mostram com frequência um ar de competência e domínio geral da situação com o que se tornam cegos e cegam os outros, para o fato de conservarem o emprego porque têm a aparência de diretores e não porque são capazes de agir como diretores.

> Poucos diretores percebem quanto pode ser decisivamente importante sua aparência física para um

---

63. WEINLEIN, A. "Pharmacy as a Profession in Wisconsin". University of Chicago, 1943, p. 89 [Tese de mestrado inédita].

> empregador. Ann Hoff, uma "expert" do assunto, observa que os empregadores atualmente parecem estar procurando um "tipo hollywoodiano" ideal. Uma companhia rejeitou um candidato porque tinha "dentes muito quadrados", e outros foram desqualificados por terem orelhas de abano ou por beberem ou fumarem abundantemente, durante uma entrevista. Muitas vezes os empregadores estipulam também francamente atributos raciais e religiosos[64].

Os atores podem mesmo tentar dar a impressão de que seu equilíbrio e eficiência atuais são coisas que sempre tiveram e que nunca precisaram passar por um período de aprendizado. Em tudo isso o ator pode tacitamente receber apoio do estabelecimento no qual atua. Assim, muitas escolas e instituições anunciam qualificações e exames de admissão inflexíveis, mas de fato rejeitam muito poucos candidatos. Por exemplo, um hospital de doentes mentais pode exigir que os candidatos a servidores se submetam a um exame de Rorschach e a uma longa entrevista, mas contrata todos os que aparecem[65].

Fato bastante interessante é que, quando a importância das qualificações não oficiais se torna escândalo ou um problema político, então alguns poucos indivíduos que indiscretamente não possuem as qualificações informais podem ser admitidos com estardalhaço, sendo-lhe dado um papel de grande evidência, como prova de "jogo limpo". Cria-se assim a impressão de legitimidade[66].

Indiquei que um ator cuida de dissimular ou desprezar as atividades, fatos e motivos incompatíveis com a versão idealizada de sua pessoa e de suas realizações. Além disso, o ator muitas vezes incute na plateia a crença de estar relacionado com ela de um modo mais ideal do que o que ocorre na realidade. Dois exemplos genéricos podem ser citados.

---

64. STRYKER, P. "How Executives Get Jobs". *Fortune*, ago./1953, p. 182.

65. WILLOUGHBY. Op. cit., p. 22-23.

66. Cf., p. ex., KORNHAUSER, W. "The Negro Union Official: A Study of Sponsorship and Control". *American Journal of Sociology*, LVIII, p. 443-452. • GREER, S. "Situated Pressures and Functional Role of Ethnic Labor Leaders". *Social Forces*, XXXII, p. 41-45.

Primeiro, os indivíduos frequentemente alimentam a impressão de que a prática regular que estão representando no momento é sua única prática ou, pelo menos, a mais essencial. Como foi dito anteriormente, a plateia, por sua vez, admite muitas vezes que o personagem projetado diante dela é tudo que há no indivíduo que executa a representação. Como diz a conhecida citação de William James:

> [...] podemos dizer que ele tem praticamente tantas individualidades sociais diferentes quantos são os *grupos* distintos de pessoas cuja opinião lhe interessa. Geralmente mostra uma faceta diferente de si mesmo a cada um desses diversos grupos. Mais de um jovem, bastante sério diante de pais e professores, pragueja e faz bravatas como um pirata entre seus jovens e "insubordinados" amigos. Não nos mostramos a nossos filhos da mesma forma que aos companheiros de clube, aos clientes como aos nossos empregados, aos nossos próprios chefes e patrões, como aos amigos íntimos[67].

Simultaneamente, como efeito e causa eficientes deste tipo de incumbência do papel que o indivíduo está habitualmente desempenhando, verificamos haver uma "segregação do auditório". Graças à segregação do auditório o indivíduo garante que aqueles diante dos quais desempenha um de seus papéis não serão as mesmas pessoas para as quais representará um outro papel num ambiente diferente. A segregação da plateia como ardil protetor de impressões criadas será considerada mais tarde. Gostaria aqui apenas de notar que, mesmo que os atores tentem destruir esta segregação e a ilusão que ela cria, as plateias o impediriam muitas vezes de proceder assim. O público pode achar uma grande economia de tempo e energia emocional no direito de tratar o ator segundo seu valor profissional visível, como se ele fosse tão somente o que seu uniforme exige que seja[68]. A vida urbana tornar-se-ia insuportavelmente desagradável para alguns, se todo contato

---

67. JAMES, W. *The Philosophy of William James*. Nova York: Random House, p. 128-129.

68. Minha gratidão a Warren Peterson por essa e outras sugestões.

entre dois indivíduos acarretasse a participação nas aflições, aborrecimentos e segredos pessoais. Assim, se um homem deseja que lhe sirvam um jantar tranquilo, poderá procurar os serviços de uma criada de preferência aos da esposa.

Em segundo lugar, os atores tendem a alimentar a impressão de que o atual desempenho de sua rotina e seu relacionamento com a plateia habitual têm um caráter especial e único. A natureza rotineira da representação é escondida (o próprio ator não percebe até que ponto sua representação é realmente rotineira) e os aspectos espontâneos da situação são reforçados. O executante médico serve de exemplo claro. Como diz um autor:

> [...] deve simular boa memória. O doente, consciente da importância singular dos fatos que nele se passam, lembra-se de tudo e, no seu prazer de contar ao médico, sofre de "completa lembrança". O doente não pode acreditar que o médico também não se lembre, o seu orgulho fica profundamente ferido se este o deixa perceber que não guarda de cabeça precisamente que comprimidos receitou na última consulta, quantos e quando deviam ser tomados[69].

Da mesma forma, como sugere um estudo atual dos médicos de Chicago, um clínico geral indica um especialista a um doente como a pessoa mais aconselhável por motivos técnicos; mas de fato o especialista pode ter sido escolhido em parte devido a laços do tempo de estudantes, com o médico que faz a recomendação, ou por acordo de divisão dos honorários, ou por algum outro *quid pro quo* claramente definido entre os dois médicos[70]. Em nossa vida comercial, esta característica das representações tem sido explorada e difamada sob o rótulo de "serviço personalizado". Em outras áreas da vida, fazem-se brincadeiras a respeito do "jeito" do clínico em tratar com os doentes, ou da "engabelação". (Muitas vezes deixamos de mencionar que, como atores no papel de clientes, com muito tato mantemos este efeito personalizante, tentando dar a

---

69. JOAD, C.E.M. "On Doctors". *The New Statesman and Nation*, 07/03/1953, p. 255-256.

70. SOLOMON. Op. cit., p. 146.

impressão de que não "compramos" o serviço e não pensaríamos em obtê-lo em outro lugar.) Talvez seja nossa culpa que dirigiu nossa atenção para essas áreas de grosseiro "pseudo-gemeinschaft", pois dificilmente haverá uma representação, em qualquer área da vida, que não conte com o toque pessoal para exagerar o caráter de ineditismo das transações entre ator e plateia. Por exemplo, sentimos um leve desapontamento quando ouvimos um amigo, cujos gestos espontâneos de afeto achávamos que nos eram reservados, conversar intimamente com outro de seus amigos (principalmente um que não conheçamos). Um enunciado explícito deste tema é dado num manual de boas maneiras americano do século XIX.

> Se o senhor fez uma cortesia a um homem, ou se usou para com ele alguma expressão de especial polidez, não deveria mostrar a mesma conduta com relação a outra pessoa na presença dele. Por exemplo, se um cavalheiro vem à sua casa e o senhor lhe diz, com calor e interesse, que "está feliz em vê-lo", ele ficará encantado com a atenção e provavelmente agradecerá; mas se ouvir o senhor dizer o mesmo a vinte outras pessoas, não somente achará que sua cortesia não tem qualquer valor, mas sentirá certo ressentimento por ter sido enganado[71].

Manutenção do controle expressivo

Foi dito que o ator pode confiar em que a plateia aceite pequenos indícios como sinal de algo importante a respeito de sua atuação. Este fato conveniente tem uma implicação inconveniente. Em virtude da mesma tendência a aceitar os sinais, a plateia pode não compreender o sentido que um indício devia transmitir, ou emprestar um significado embaraçoso a gestos ou acontecimentos acidentais, inadvertidos ou ocasionais, aos quais o ator não pretendia dar qualquer significação.

---

71. *The Canons of Good Breeding*: or the Handbook of the Man of fashion. Filadélfia: Lee e Blanchard, 1839, p. 87.

Em resposta a estas contingências da comunicação, os atores comumente tentam exercer uma espécie de responsabilidade por sinédoque, tomando providências para que o maior número possível de acontecimentos da representação, por mais que sejam instrumentalmente inconsequentes, ocorra, de modo tal a não causar impressão ou a dar uma impressão compatível e coerente com a definição geral da situação que está sendo promovida. Quando se sabe que o público secretamente é cético quanto à realidade que lhe está sendo exibida, estamos preparados para apreciar sua tendência de precipitar-se sobre defeitos insignificantes como sinal de que o espetáculo inteiro é falso. Mas, como estudiosos da vida social, estamos menos preparados para levar em conta que mesmo as plateias simpáticas podem ser momentaneamente perturbadas, chocadas e enfraquecidas na sua confiança pela descoberta de uma discrepância insignificante nas impressões que lhes são apresentadas. Acontece que alguns destes mínimos acidentes e "gestos involuntários" são tão capazes de dar uma impressão que contradiz a que é fomentada pelo ar, que a plateia não pode deixar de se sobressaltar com um adequado grau de envolvimento na interação, mesmo que o público compreenda que, em última análise, o acontecimento discrepante é realmente sem significado e deve ser completamente desprezado. O ponto essencial não é que a efêmera definição da situação, causada por um gesto involuntário, seja censurável por si mesma, mas sim que seja *diferente* da definição oficialmente projetada. Esta diferença introduz um cunho agudamente embaraçoso entre a projeção oficial e a realidade, pois faz parte da primeira ser a única possível nas circunstâncias existentes. Talvez, portanto, não devêssemos analisar as representações de acordo com padrões mecânicos, pelos quais um grande lucro pode compensar uma pequena perda, ou um grande peso contrabalançar um menor. As imagens artísticas seriam mais exatas, porque nos preparam para o fato de que uma só nota em falso pode quebrar a harmonia da representação inteira.

Na nossa sociedade, alguns gestos involuntários ocorrem numa variedade tão ampla de representações, dando impressões geralmente tão incompatíveis com as que se pretende transmitir, que estes acontecimentos inoportunos adquiriram uma condição simbólica coletiva. Podemos mencionar aproximadamente três grupos destes acontecimentos. Primeiro, um ator pode mostrar acidentalmente incapacidade, impropriedade ou desrespeito por perder momentaneamente o controle muscular. Pode tropeçar, claudicar, cair; pode arrotar, bocejar, cometer um *lapsus linguae*, coçar-se ou ter flatulência; pode, acidentalmente, esbarrar em outro participante. Segundo, o ator pode agir de tal maneira que dê a impressão de estar preocupado demais ou de menos com a interação. Pode gaguejar, esquecer o que tem a dizer, mostrar-se nervoso, culpado ou consciente de si mesmo; pode ter inadequadas explosões de riso, raiva ou outros estados emocionais que momentaneamente o incapacitam; pode revelar um envolvimento e interesse demasiado sérios ou pequenos demais. Terceiro, o ator pode deixar que sua apresentação sofra por uma incorreta direção dramática. O cenário pode não ter sido montado adequadamente, ou ter sido preparado para outra representação, ou funcionar mal durante a representação; contingências imprevistas podem causar atraso na entrada e na saída do ator ou provocar murmúrios embaraçosos durante a interação[72].

As representações diferem, evidentemente, no grau de cuidado expressivo dos detalhes que exigem. No caso de algumas culturas estranhas a nós, estamos dispostos a ver um alto grau de coerência expressiva. Exemplificando, Granet, por exemplo, indica isso a respeito do comportamento filial na China:

> Seu belo modo de trajar é por si uma homenagem. Sua boa conduta será tomada como uma oferenda de res-

72. Um meio de tratar essas interrupções perturbadoras consiste, para as pessoas envolvidas, em rir delas, como sinal de que suas implicações foram compreendidas, mas não levadas a sério. Supondo isso, o ensaio de Bergson sobre o riso pode ser considerado uma descrição dos meios pelos quais esperamos que o ator siga a aptidão humana para a mobilidade, e uma descrição da tendência do público a atribuir essas aptidões ao ator desde o início da interação, e dos modos pelos quais esta projeção efetiva é rompida quando o executante se movimenta de modo não humano. Igualmente, os ensaios de Freud sobre o chiste e a psicopatologia da vida cotidiana podem ser considerados corretamente como uma descrição dos meios pelos quais esperamos que os atores tenham alcançado certos padrões de tato, modéstia e virtude, e como uma descrição dos meios pelos quais estas projeções efetivas podem ser desacreditadas por deslizes, hilariantes para os leigos, mas sintomáticos para os analistas.

> peito. Na presença dos pais, a seriedade é indispensável; deve-se, portanto, ter cuidado de não arrotar, fungar, tossir, bocejar, assoar-se ou cuspir. Qualquer expectoração correria o risco de manchar a santidade paterna. Seria um crime mostrar o forro das roupas de alguém. Para mostrar ao pai que ele está sendo tratado como chefe, deve-se sempre permanecer de pé em sua presença, o olhar reto, corpo ereto sobre as pernas, nunca ousando inclinar-se sobre qualquer objeto, curvar-se ou ficar apoiado sobre um pé. É dessa forma que, com a voz baixa e humilde que convém a um discípulo, chega-se noite e dia a render homenagem. Depois do que, esperam-se as ordens[73].

Estamos também dispostos a perceber que em cenas de nossa própria cultura que envolvem personagens eminentes em ações simbolicamente importantes a coerência será também exigida. Sir Frederick Ponsonby, o falecido camarista da corte britânica, escreve:

> Quando assistia a uma apresentação na corte ficava chocado com a música imprópria que a banda tocava e resolvi fazer o que pudesse para remediar este fato. A maioria da casa, não tendo gosto musical, clamava por músicas populares [...] Argumentei que essas árias populares tiravam a dignidade da cerimônia. Uma apresentação na corte era frequentemente um grande acontecimento na vida de uma dama, mas se esta passava diante do rei e da rainha ao som de "His nose was redder than it was"[74], toda a impressão se estragava. Sustentei que os minuetos e as árias antiquadas, a música de ópera com um toque de "mistério" era o que se desejava[75].
>
> Também levantei a questão da música tocada pela banda da Guarda de Honra nas investiduras e escrevi a respeito ao mais antigo chefe da banda, Ca-

73. GRANET, M. *Chinese Civilization*. Londres: Kegan Paul, 1930, p. 328 [Tradução de Innes e Brailsford].

74. "Seu nariz estava mais vermelho que o normal" [N.R.].

75. PONSONBY. Op. cit., p. 182-183.

> pitão Rogan. O que me desagradava era ver homens eminentes serem sagrados cavaleiros, enquanto canções jocosas eram tocadas pela banda lá fora. Da mesma maneira quando o Ministro do Interior estava discursando emocionalmente sobre alguma ação particularmente heroica praticada por um homem que ia receber a Medalha do Rei Alberto, a banda, fora, tocava *two-step* que roubava toda dignidade à cerimônia inteira. Sugeri que tocassem música lírica de natureza dramática, e ele concordou inteiramente[...][76]

Igualmente, nos funerais norte-americanos de classe média, o motorista do carro fúnebre, gravemente vestido de preto e diplomaticamente estacionado nas imediações do cemitério durante o serviço, pode ter permissão para fumar, mas provavelmente chocará e irritará as pessoas enlutadas se jogar o toco do cigarro num arbusto, fazendo-o descrever um elegante arco, em lugar de deixá-lo cair a seus pés discretamente[77].

Em acréscimo à nossa apreciação da compatibilidade exigida em ocasiões sagradas, compreendemos facilmente que durante os conflitos mundanos, principalmente os de alto nível, cada protagonista terá de observar cuidadosamente a própria conduta, para não oferecer ao oponente um ponto vulnerável ao qual dirija sua crítica. Assim, Dale, discutindo as contingências do trabalho dos funcionários superiores, diz:

> Uma investigação ainda mais rigorosa (do que a referente a declarações) é feita nos rascunhos das cartas oficiais, pois uma declaração incorreta ou uma frase infeliz em uma carta cujo conteúdo é perfeitamente inocente e o assunto irrelevante pode encher de confusão o departamento se por acaso cair nas mãos de uma das muitas pessoas para as quais os erros mais insignificantes de uma repartição do governo constituem saboroso prato para oferecer ao público. Três ou quatro anos desta disciplina, na idade ainda receptiva de vinte

---

76. Id., p. 183.

77. HABENSTEIN. Op. cit.

> e quatro a vinte e cinco anos, infundem permanentemente no espírito e no caráter uma paixão pelos fatos exatos e pelas inferências estritas, além de uma severa desconfiança com relação às generalizações vagas[78].

A despeito de nossa boa vontade em apreciar as exigências expressivas desses vários tipos de situações, tendemos a vê-las como casos especiais; inclinamo-nos a nos manter cegos para o fato de que representações diárias seculares, em nossa própria sociedade anglo-americana, devem passar muitas vezes por uma rigorosa prova de idoneidade, conveniência, propriedade e decoro. Talvez esta cegueira se deva, em parte, ao fato de que, como atores, somos frequentemente mais conscientes dos padrões que deveríamos ter aplicado à nossa atividade, mas não o fizemos, do que dos padrões que irrefletidamente utilizamos. De qualquer modo, como estudiosos, devemos estar preparados para examinar a dissonância criada por uma palavra incorretamente escrita ou por uma combinação que aparece sob a saia; e devemos estar prontos para apreciar as razões pelas quais um bombeiro hidráulico míope, para garantir a impressão de força bruta que é *de rigueur* em sua profissão, acha necessário guardar precipitadamente os óculos no bolso quando a aproximação da dona da casa transforma seu trabalho numa representação; ou ainda as razões pelas quais um técnico em conserto de aparelhos de televisão é advertido por seus conselheiros de relações públicas a guardar, junto com os seus, os parafusos que não conseguir recolocar no aparelho, de modo que as partes não recolocadas não deem má impressão. Em outras palavras, devemos estar capacitados para compreender que a impressão de realidade criada por uma representação é uma coisa delicada, frágil, que pode ser quebrada por minúsculos contratempos.

A coerência expressiva exigida nas representações põe em destaque uma decisiva discrepância entre nosso eu demasiado humano e nosso eu socializado. Como seres humanos somos, presumivelmente, criaturas com impulsos variáveis, com estados de espírito e energias que mudam de um momento para outro. Quando, porém, revestimo-nos de caráter de personagens

---

78. DALE. Op. cit., p. 81.

em face de um público, não devemos estar sujeitos a altos e baixos. Como disse Durkheim, não permitimos que nossa atividade social superior "siga a trilha de nossos estados físicos, conforme acontece com nossas sensações e nossa consciência corporal geral"[79]. Espera-se que haja uma certa burocratização do espírito, a fim de que possamos inspirar a confiança de executar uma representação perfeitamente homogênea a todo tempo. Como diz Santayana, o processo de socialização não apenas transfigura, mas também fixa:

> Mas, quer a fisionomia que adotamos seja alegre ou triste, ao tomá-la e acentuá-la definimos nosso temperamento supremo predominante. Daí em diante, enquanto continuarmos sob o feitiço deste autoconhecimento, não viveremos apenas, mas atuaremos; compomos e representamos nosso personagem escolhido, calçamos os coturnos da deliberação, defendemos e idealizamos nossas paixões, encorajamo-nos eloquentemente a ser o que somos – dedicados ou desdenhosos, descuidados ou austeros; monologamos (diante de um público imaginário) e envolvemo-nos graciosamente no manto de nosso papel inalienável. Assim trajados, solicitamos aplausos e esperamos morrer em meio ao silêncio universal. Declaramos mostrar-nos à altura dos belos sentimentos que enunciamos, quando tentamos acreditar na religião que professamos. Quanto maiores nossas dificuldades, maior nosso zelo. Por baixo de nossos princípios propalados e de nossa linguagem comprometida, devemos esconder assiduamente todos os defeitos de nosso temperamento e conduta, e isto sem hipocrisia, visto que nosso personagem deliberado é mais verdadeiramente nós mesmos que o fluxo de nossos devaneios involuntários. O retrato que pintamos desse modo e exibimos como nossa verdadeira pessoa pode bem ser feito em grande estilo, com colunas, cortinas e distante paisagem de fundo, um dedo apontado para o globo terrestre ou para o crânio de Yorick da filosofia. Mas se este estilo é natural em nós e se nossa arte é

---

79. DURKHEIM, E. *The Elementary Forms of the Religious Life*. Londres: Allen & Unwin, 1926, p. 272 [Traduzido por J.W. Swain].

vital, quanto mais transfigura seu modelo, tanto mais será profunda e verdadeira arte. O busto severo de uma escultura arcaica, que mal dá um aspecto humano à pedra, expressará um espírito com muito mais propriedade do que a aparência matinal estúpida ou as caretas casuais de um homem. Todo aquele que está seguro de seu pensamento, orgulhoso de seu ofício ou ansioso a respeito de seu dever reveste-se de uma máscara trágica. Delega a ela o seu próprio ser e lhe transfere quase toda sua vaidade. Enquanto ainda vivo e sujeito, como todas as coisas existentes, ao fluxo solapador de sua própria substância, cristalizou sua alma numa ideia e, com mais orgulho que tristeza, ofereceu a vida no altar das Musas. O conhecimento de si, como qualquer arte ou ciência, torna seu objeto um novo ambiente, o das ideias, no qual perde suas velhas dimensões e seu lugar antigo. Nossos hábitos animais são transmutados em lealdade e deveres e nos tornamos "pessoas" ou máscaras[80].

Mediante a disciplina social, pois, uma máscara de atitude pode ser mantida firme no lugar por dentro. Mas, segundo Simone de Beauvoir, para manter esta atitude valemo-nos de ganchos presos diretamente ao corpo, alguns ocultos e outros à mostra.

> Mesmo se cada mulher se vestisse de acordo com sua condição, ainda assim estaria sendo feito um jogo: o artifício, como a arte, pertence ao domínio do imaginário. Não se trata apenas de que cintas, corpetes, tinturas e maquilagem disfarçam o corpo e o rosto, mas do fato de que a menos sofisticada das mulheres, uma vez "arrumada", não mostra ela mesma à observação. Tal como o quadro, a estátua ou o ator no palco, é um agente por meio do qual sugere alguém que não está aí, a saber, o personagem que ela representa, mas não é. É esta identificação com algo irreal, fixo, perfeito, como o herói de um romance, um retrato ou um busto, que agrada a ela. Esforça-se em identificar-se com esta figura e assim parecer a si mesma estar estabilizada, justificada em seu esplendor[81].

80. SANTAYANA. Op. cit., p. 133-134.

81. BEAUVOIR, S. *The Second Sex*. Nova York: Knopf, 1953, p. 533 [Tradução de H.M. Parshley].

Representação falsa

Sugeriu-se anteriormente que uma plateia é capaz de se orientar numa situação, aceitando as deixas da representação confiantemente, tratando estes sinais como prova de algo maior ou diferente dos próprios veículos transmissores de sinais. Se esta tendência do público em aceitar sinais coloca o ator numa posição de ser mal-interpretado e torna necessário que ele tenha um cuidado significativo com relação a tudo que faz diante da plateia, da mesma forma também esta tendência coloca o público na posição de ser enganado e mal-orientado, pois poucos são os sinais que não podem ser usados para confirmar a presença de algo que não está realmente ali. E é claro que muitos atores têm ampla capacidade e motivos para falsear os fatos. Somente a vergonha, a culpa ou o medo os impedem de fazê-lo.

Como membros de uma plateia, é natural sentirmos que a impressão que o ator procura dar pode ser verdadeira ou falsa, genuína ou ilegítima, válida ou mentirosa. Esta dúvida é tão comum que, como foi indicado, damos frequentemente atenção aos aspectos da representação que não podem ser facilmente manejados, capacitando-nos assim a julgar a fidedignidade das mais deturpáveis deixas da representação. (O trabalho da polícia científica e os testes projetivos são exemplos extremos da aplicação desta tendência.) E se permitirmos, de má vontade, que certos símbolos de posição social estabeleçam o direito de um ator a um dado tratamento, estamos sempre prontos a precipitar-nos sobre as rachas da sua armadura simbólica, a fim de desacreditar suas pretensões.

Quando pensamos nos que apresentam uma fachada falsa ou "somente" uma fachada, nos que dissimulam, enganam e trapaceiam, pensamos na discrepância entre as aparências alimentadas e a realidade. Pensamos também na posição precária em que se colocam estes atores, pois em qualquer momento de sua representação pode ocorrer um acontecimento que os apanhe em erro e contradiga manifestamente o que declaravam abertamente, trazendo-lhes imediata humilhação e, às vezes, perda permanente da reputação. Sentimos muitas vezes que são justamente essas terríveis eventualidades, que surgem por ser apanhado em *flagrante delicto* em um ato patente de representação errônea, que um ator honesto é capaz de evitar. Esta noção de bom-senso tem pouca utilidade analítica.

Às vezes, quando indagamos se uma impressão adotada é verdadeira ou falsa, na verdade queremos saber se o ator está, ou não, autorizado a desempenhar o papel em questão, e não estamos interessados primordialmente na representação real em si mesma. Quando descobrimos que alguém com quem lidamos é um impostor, um rematado velhaco, estamos descobrindo que ele não tinha o direito de representar o papel que desempenhava e não era um ocupante credenciado da importante posição social. Presumimos que a atuação do impostor, ademais do fato de representá-lo falsamente, será enganosa em outros aspectos, mas frequentemente o disfarce é descoberto antes que possamos perceber qualquer outra diferença entre a falsa atuação e a legítima, que a primeira simula. Paradoxalmente, quanto mais estreitamente a representação do impostor se aproxima da realidade, tanto mais intensamente podemos estar ameaçados, pois uma representação competente feita por alguém que demonstra ser um impostor pode enfraquecer, em nosso espírito, a ligação moral entre a autorização legítima para desempenhar um papel e a capacidade de representá-lo. (Os mímicos hábeis, que admitem sempre que suas intenções não são sérias, parecem fornecer um caminho pelo qual podemos superar algumas destas inquietações.)

A definição social de personificação, entretanto, não é algo muito coerente. Por exemplo, enquanto se julga ser um crime indesculpável contra a comunicação fazer-se passar por alguém de *status* sagrado, como um médico ou um sacerdote, ficamos frequentemente menos preocupados quando alguém se faz passar por uma pessoa de *status* não muito considerado, sem importância, profano, como o de vagabundo ou de trabalhador não qualificado. Quando uma descoberta mostra que estávamos tratando com um ator cuja condição é mais elevada do que a que fôramos levados a crer, há bons precedentes cristãos para nossa reação de assombro e desgosto, mais do que de hostilidade. A mitologia e nossas revistas populares de fato estão cheias de histórias românticas, nas quais o vilão e o herói têm pretensões fraudulentas que são desmentidas no último capítulo: o vilão mostrando não ter uma posição social elevada, o herói mostrando não ter uma inferior.

Além disso, embora possamos ter uma opinião desfavorável de atores como os vigaristas que propositadamente falseiam todos os fatos relativos à sua vida, podemos ter alguma simpatia pelos que possuem apenas um defeito fatal e tentam esconder o fato de serem, por exemplo, ex-condenados, moças defloradas, epiléticos ou pessoas racialmente impuras, em lugar de admitir seu erro e fazer uma honrosa tentativa de viver de modo a redimir-se. Distinguimos também entre a personificação de um determinado indivíduo concreto, que geralmente consideramos absolutamente imperdoável, e a de um membro de determinada categoria, que podemos julgar com menos severidade. Da mesma forma também julgamos de modo diferente aqueles que falsificam sua personalidade para promover o que acham constituir as justas pretensões de uma coletividade, ou os que o fazem acidentalmente ou por brincadeira, e aqueles que se apresentam falsamente para obter vantagens psicológicas ou materiais pessoais.

Finalmente, assim como há sentidos nos quais o conceito de *status* não é bem-delineado, há também sentidos em que o conceito de personificação não é claro. Por exemplo, há muitos *status* cujos ocupantes não estão, evidentemente, sujeitos a uma ratificação formal. A pretensão de ser um advogado formado pode ser estabelecida como válida ou não, mas a de ser amigo, crente verdadeiro ou amante da música só pode ser mais ou menos confirmada ou desmentida. Quando os padrões de competência não são objetivos e os profissionais "autênticos" não estão coletivamente organizados para proteger seus direitos, um indivíduo pode se intitular de especialista e não ter nenhum castigo a não ser algumas risadas.

Todas estas fontes de confusão acham-se instintivamente ilustradas na atitude variável que temos em relação ao trato das condições de idade e sexo. É algo culposo o fato de um menino de quinze anos que dirige um carro ou bebe em um bar fazer-se passar como tendo dezoito, mas há muitos contextos sociais nos quais seria inconveniente para uma mulher não fingir ser mais jovem e sexualmente atraente do que na realidade é. Quando dizemos que determinada mulher não é realmente tão bem-feita quanto aparenta ser e que a mesma mulher não é realmente médica, embora pareça, estamos usando concepções diferentes do termo "realmente". Além disso, modificações na fachada pessoal de alguém que são consideradas como informações falsas, num determinado ano, podem ser julgadas meramente decorativas poucos anos mais tarde. Tal divergência pode ser encontrada a qualquer tempo entre um subgrupo e outros de nossa sociedade. Por exemplo, muito recentemente a dissimulação do cabelo grisalho pela tintura veio a ser considerada aceitável, embora ainda haja setores do povo que não a admitam[82]. Acha-se certo que os imigrantes representem o papel de americanos natos na maneira de vestir e nos padrões de decoro, mas é ainda um assunto controverso americanizar o próprio nome[83] ou o próprio nariz[84].

Tentemos uma outra abordagem da compreensão da falsa representação. Podemos definir a mentira "deslavada", "rematada" ou "descarada" como aquela para a qual é possível encontrar uma prova irrefutável de que a pessoa que a disse sabe que está mentindo e o faz deliberadamente. A afirmação de ter estado em determinado lugar a certa hora, quando tal não aconteceu, é um exemplo. (Algumas formas de personificação, mas não todas, implicam tais mentiras, e muitas destas mentiras não implicam personificação.) Os indivíduos surpreendidos em flagrante no ato de dizer mentiras " descaradas" não apenas ficam desacreditados durante a interação, mas podem ter sua dignidade destruída, pois muitas plateias acharão que, se um indivíduo pode permitir-se uma vez contar semelhante mentira, não deve nunca

82. Cf., por exemplo, "Tintair". *Fortune*, nov./1951, p. 102.

83. Cf., p. ex., MENCKEN, H.L. *The American Language*. 4. ed. Nova York: Knopf, 1936, p. 474-525.

84. Cf., p. ex., "Plastic Surgery". *Ebony*, mai./1949. • MacGREGOR, F.C. & SCHAFFNER, B. "Screening Patients for Nasal Plastic Operations: Some Sociological and Psychiatric Considera-tions". *Psychosomatic Medicine*, XII, p. 277-291.

mais merecer confiança. Entretanto, há muitas "mentiras inocentes", ditas por médicos, possíveis visitas e outras pessoas, provavelmente para resguardar os sentimentos do público que é enganado, e tais formas de inverdades não são consideradas horríveis. (Estas mentiras, ditas com a intenção de proteger outrem, mais que defender a si próprio, serão consideradas mais tarde.) Além disso, na vida cotidiana é em geral possível para o ator criar propositadamente quase todos os tipos de falsa impressão sem se colocar na posição indefensável de ter dito uma flagrante mentira. As técnicas de comunicação, tais como a insinuação, a ambiguidade estratégica e omissões essenciais permitem ao informante enganador aproveitar-se da mentira sem tecnicamente dizer nenhuma. Os meios de comunicação de massas têm sua própria versão a respeito disto e demonstram que, por meio de reportagens e ângulos fotográficos criteriosos, uma minúscula resposta a uma celebridade pode ser transformada em uma torrente impetuosa[85].

Os matizes entre mentiras e verdades e as embaraçosas dificuldades causadas por esse "contínuo" recebera reconhecimento formal. Organizações como conselhos imobiliários criam códigos explícitos, especificando até que ponto podem ser dadas impressões duvidosas por exageros, reduções e omissões[86]. A administração pública na Inglaterra aparentemente opera tendo por base um modo de compreensão semelhante:

> A regra aqui (a respeito das "declarações que se destinam a ser divulgadas ou que provavelmente o serão") é simples. Nada pode ser dito que não seja verdade. Mas é desnecessário, bem como às vezes indesejável, mesmo no interesse público, dizer todas as coisas importantes que são verdadeiras. E os fatos fornecidos devem ser arrumados em qualquer ordem conveniente. É maravilhoso o que pode ser feito dentro desses limites por um

85. Um bom exemplo encontra-se num estudo a respeito da chegada de MacArthur a Chicago, durante a Convenção Nacional Republicana de 1952. Cf. LANG, K. & LANG, G. "The Unique Perspective of Television and its Effect: A Pilot Study". *American Sociological Review*, XVIII, p. 3-12.

86. Cf., p. ex., HUGHES, E.C. *Study of a Secular Institution*: The Chicago Real Estate Board. University of Chicago, 1928, p. 85 [Tese inédita de doutorado].

> redator hábil. Poder-se-ia dizer cinicamente, mas com certa dose de verdade, que a resposta perfeita a uma pergunta embaraçosa na Câmara dos Comuns é aquela que seja breve, pareça responder completamente à questão, se contestada, possa provar ser absolutamente precisa, não dê margem a "acréscimos" inconvenientes e que na realidade não revele nada[87].

A lei suprime muitos requintes sociais comuns, introduzindo outros seus. Na lei norte-americana, faz-se distinção entre intenção, negligência e rigorosa responsabilidade. Representação falsa é considerada um ato intencional, sendo um ato que pode surgir pela palavra ou pela ação, por uma declaração ambígua ou distorção da verdade literal, não revelação ou impedimento da descoberta[88]. Considera-se que a não revelação culpável varia, de acordo com a área da vida onde ocorre, havendo um padrão para o comércio de anúncios e outro para os conselheiros profissionais. Além disso, a lei tem de considerar que:

> Um relato feito acreditando-se honestamente na sua verdade pode, ainda assim, ser negligente por falta de cuidado razoável na verificação dos fatos, ou no modo de expressão ou na falta de capacidade e competência requeridas por determinado negócio ou profissão[89].
> [...] o fato de o acusado agir desinteressadamente, ter o melhor dos motivos, e pensar que está fazendo um favor ao querelante, não o absolverá da responsabilidade, na medida em que tenha, de fato, pretendido enganar[90].

Quando passamos de francas usurpações de identidade e de mentiras deslavadas para outros tipos de representação falsa, a distinção feita pelo bom-senso entre impressões verdadeiras e falsas torna-se menos sustentável. A atividade profissional, que é considerada charlatanice em uma década, talvez se torne uma

---

87. DALE. Op. cit., p. 105.

88. Cf. PROSSER, W.L. *Handbook of the Law of Torts*. Hornbook Series; St. Paul, Minn.: West Publishing Co., 1941, p. 701-776.

89. Id., p. 733.

90. Id., p. 728.

ocupação legítima e aceitável na seguinte[91]. Sabemos que certas atividades consideradas legítimas por alguns grupos de nossa sociedade são julgadas fraudulentas por outros.

Mais importante, verificamos que dificilmente haverá uma profissão ou relacionamento cotidiano legítimo cujos atores não se entreguem a práticas secretas incompatíveis com as impressões criadas. Embora determinadas representações, e mesmo certas partes ou práticas delas, possam colocar o ator na posição de não ter o que esconder, em alguma parte do curso inteiro de suas atividades haverá algo que ele é incapaz de tratar abertamente. Quanto maior a quantidade de assuntos e de partes ativas que caem no domínio do papel ou do relacionamento, maior será a probabilidade, parece, de existirem pontos de segredo. Assim em casais bem-ajustados, esperamos que cada um possa manter segredo em relação ao outro a respeito de assuntos financeiros, experiências anteriores, leviandades atuais, indulgência com hábitos "maus" ou perdulários, aspirações e desejos pessoais, comportamento das crianças, opiniões sinceras a respeito de parentes ou amigos comuns etc.[92] Com estas reticências estrategicamente colocadas é possível manter um satisfatório *status* quo no relacionamento, sem ter de levar a cabo rigorosamente as implicações deste arranjo em todas as áreas da vida.

Talvez seja mais importante observarmos que uma falsa impressão mantida por um indivíduo em qualquer de suas práticas pode ser uma ameaça ao relacionamento ou papel inteiro do qual a prática é apenas uma parte, pois uma revelação desonrosa em uma área da atividade de um indivíduo lançará dúvida sobre as múltiplas outras, nas quais não tenha o que ocultar. Igualmente, se o indivíduo tem somente uma coisa a esconder durante uma representação, e mesmo se a probabilidade de revelação se der apenas em determinado momento ou fase da representação, a ansiedade do ator pode bem se estender a toda ela.

---

91. Cf. MacDOWELL, H.D. *Osteopathy*: A Study of a Semiorthodox Healing Agency and the Recruitment of its Clientele. University of Chicago, 1951 [Tese inédita de mestrado].

92. Cf., p. ex., DRESSLER, D. "What Don't They Tell Each Other". *This Week*, 13/09/1953.

Em passagens anteriores deste capítulo foram indicadas algumas características gerais da representação, a saber: a atividade orientada para tarefas de trabalho tende a converter-se em atividade orientada para a comunicação; a fachada atrás da qual a prática é apresentada servirá para outras práticas um pouco diferentes e, assim, talvez não seja perfeitamente ajustada a qualquer delas em particular; o autocontrole exerce-se de modo a manter um consenso atuante; uma impressão idealizada é oferecida acentuando-se certos fatos e ocultando-se outros; o ator mantém a coerência expressiva tomando mais cuidado em prevenir-se contra os mínimos desacordos do que o público poderia imaginar levando em conta o propósito manifesto da interação. Todas essas características gerais das representações podem ser consideradas como coações da interação, que agem sobre o indivíduo e transformam suas atividades em representações. Em lugar de meramente realizar sua tarefa e dar vazão a seus sentimentos, expressará a realização de sua tarefa e transmitirá de modo aceitável seus sentimentos. Em geral, portanto, a representação de uma atividade diferirá da própria atividade e, por conseguinte, inevitavelmente a representará falsamente. E como se exige do indivíduo que confie nos sinais para construir uma representação de sua atividade, a imagem que construir, por mais fiel que seja aos fatos, estará sujeita a todas as rupturas a que as impressões estão sujeitas.

Embora conservemos a noção do senso comum de que as aparências alimentadas podem ser desacreditadas por uma realidade discrepante, em geral não há razão para pretender que os fatos discordantes da impressão criada sejam mais a verdadeira realidade que a realidade criada, por eles perturbada. Uma opinião cínica das representações cotidianas pode ser tão unilateral quanto a que é patrocinada pelo ator. Para muitos acontecimentos sociológicos pode nem mesmo ser necessário decidir qual a mais real, se a impressão criada ou a que o ator tenta impedir que o público receba. A consideração sociológica decisiva, pelo menos para este trabalho, é simplesmente que as impressões alimentadas pelas representações cotidianas estão sujeitas a ruptura. Desejaremos saber que espécie de impressão de realidade pode destroçar a impressão alimentada de realidade, e que realidade pode realmente ser deixada a outros estudiosos. Desejaremos perguntar "quais os meios pelos quais uma dada impressão pode ser desacreditada?", e isto não é bem o mesmo que perguntar "quais as maneiras pelas quais a impressão dada é falsa?"

Voltamos então a compreender que, embora a representação oferecida por impostores e mentirosos seja de todo flagrantemente falsa, distinguindo-se a este respeito das representações comuns, ambas são semelhantes no cuidado que seus atores deverão ter para manter a impressão criada. Assim, por exemplo, sabemos que o código formal dos servidores públicos britânicos[93] e dos árbitros[94] do beisebol americano os obriga não somente a renunciar a fazer "transações" impróprias, mas também a renunciar a atos inocentes que possam dar a impressão (errônea) de que eles estão fazendo transações. Quer um ator honesto deseje transmitir a verdade ou quer um desonesto deseje transmitir uma falsidade, ambos devem tomar cuidado para animar seus desempenhos com expressões apropriadas, excluir expressões que possam desacreditar a impressão que está sendo alimentada e tomar cuidado para evitar que a plateia atribua significados não premeditados[95]. Por causa destas contingências dramáticas compartilhadas podemos estudar com proveito as representações completamente falsas para aprender alguma coisa a respeito das que são inteiramente honestas[96].

---

93. DALE. Op. cit., p. 103.

94. PINELLI. Op. cit., p. 100.

95. Deve-se mencionar uma exceção a esta semelhança, embora se trate de uma que ainda traz pouco crédito para os atores honestos. Segundo dissemos anteriormente, as representações legítimas comuns tendem a supervalorizar o grau em que uma determinada execução de uma rotina é a única. Representações inteiramente falsas, por outro lado, podem acentuar um sentido de rotinização para diminuir as suspeitas.

96. Há uma outra razão para se dar atenção às representações e fachadas que são flagrantemente falsas. Quando verificamos que antenas falsificadas de televisão são vendidas a pessoas que não têm aparelhos e pacotes de selos de viagem exóticos a quem nunca saiu de casa, acessórios de calotas das rodas a motoristas de carros ordinários, temos a prova definida da função impressionista de objetos presumivelmente instrumentais. Quando estudamos a coisa real, isto é, pessoas com antenas verdadeiras e aparelhos verdadeiros etc., pode ser difícil em muitos casos demonstrar de modo concludente a

Mistificação

Indiquei os modos pelos quais a representação de um indivíduo acentua certos aspectos e dissimula outros. Se considerarmos a percepção como uma forma de contato e participação, então o controle sobre o que é percebido é o controle sobre o contato feito, e a limitação e regulação do que é mostrado é limitação e regulação do contato. Aqui há uma relação entre elementos informacionais e rituais. O fracasso em regular a informação adquirida por uma plateia acentua a possível ruptura da definição projetada da situação. O fracasso em regular o contato implica a possível contaminação ritual do ator.

É uma noção largamente defendida que as restrições ao contato, a manutenção da distância social, fornecem um meio pelo qual o temor respeitoso pode ser gerado e mantido na plateia, um meio, como disse Kenneth Burke, pelo qual a plateia pode ser mantida num estado de mistificação com relação ao ator. A afirmação de Cooley pode servir de exemplo:

> Até que ponto é possível a um homem agir sobre os outros mediante uma falsa ideia de si mesmo, é coisa que depende de um grande número de circunstâncias. Como já foi assinalado, o próprio homem pode ser um mero incidente, sem nenhuma relação definida com a ideia de si, sendo a última um produto distinto da imaginação. Isto dificilmente pode acontecer, exceto onde haja contato imediato entre líder e adeptos e explica parcialmente por que a autoridade, especialmente se encobre uma fraqueza pessoal intrínseca, tem sempre tendência a se rodear de formalidades e mistério artificial, cujo objetivo é evitar o contato íntimo e dar, assim, à imaginação uma oportunidade de idealizar [...] A disciplina dos exércitos e das marinhas, por exemplo, reconhece com toda clareza a necessidade dessas formalidades que separam os superiores dos inferiores, ajudando, desse modo, a estabelecer uma ascendência não discutida nos pri-

---

função impressionista do que se pretende que seja um ato espontâneo ou instrumental.

> meiros. Da mesma forma, como o Professor Ross assinala em seu trabalho sobre controle social, as atitudes são largamente usadas pelos homens do mundo como meio de se ocultarem, e isto serve, entre outros propósitos, ao objetivo de preservar uma espécie de ascendência sobre os indivíduos mais simples[97].

Ponsonby, dando um conselho ao rei da Noruega, exprime a mesma teoria:

> Uma noite o Rei Haakon falou-me de suas dificuldades em face das tendências republicanas da oposição e consequentemente de quanto precisava ser cuidadoso em tudo que fazia e dizia. Pretendia, disse-me, andar tanto quanto possível no meio do povo e pensava que seria uma coisa popular se, em vez de andar de automóvel, ele e a Rainha Maud viajassem de bonde elétrico. Disse-lhe francamente que achava isso um grande erro, pois a familiaridade gera o desrespeito. Como oficial da marinha, ele deveria saber que o capitão de um navio nunca faz suas refeições junto com os outros oficiais, mas se mantém completamente afastado. Isto evidentemente destinava-se a impedir qualquer familiaridade com os oficiais. Disse-lhe que deveria subir a um pedestal e lá ficar. Desceria ocasionalmente, e nenhum prejuízo lhe adviria. O povo não gostaria de um rei com quem pudesse fazer íntima camaradagem, mas algo nebuloso como um Oráculo de Delfos. A monarquia era realmente a criação de cada cérebro individual. Todo homem gostava de pensar no que faria se fosse rei. O povo revestia o monarca de todas as virtudes e talentos concebíveis. Ficaria, portanto, desapontado se o vissem andando na rua, como um homem qualquer[98].

A lógica extrema implicada nesta espécie de teoria, quer seja de fato correta ou não, consiste em impedir o público de ver o ator. Às vezes, quando um ator pretendeu ter qualidades e poderes celestiais, esta conclusão lógica parece ter sido posta em vigor.

---

97. COOLEY. Op. cit., p. 351.

98. PONSONBY. Op. cit., p. 277.

Sem dúvida, no que diz respeito a manter as distâncias sociais, a plateia frequentemente cooperará, agindo de maneira respeitosa, com reverente temor pela sagrada integridade atribuída ao ator. Como diz Simmel:

> Influir sobre a segunda destas decisões corresponde ao sentimento (que também age em outros lugares) de que uma esfera ideal circunda todo ser humano. Embora diferindo em tamanho nas diferentes direções e de acordo com a pessoa com quem estabelecemos relações, não se pode penetrar nessa esfera, a menos que o valor de personalidade do indivíduo fique, com isso, destruído. Uma esfera deste tipo é colocada em torno do homem por sua "honra". A linguagem, com muita agudeza, designa um insulto à honra de alguém como "intimidade excessiva". O raio desta esfera marca, por assim dizer, a distância que, ultrapassada por outrem, insulta a honra do indivíduo[99].

Durkheim faz uma observação semelhante:

> A personalidade humana é uma coisa sagrada; ninguém pode violá-la ou infringir seus limites, embora, ao mesmo tempo, o maior bem consista na comunicação com os outros[100].

Deve ficar bem claro, em contradição com as implicações das observações de Cooley, que o temor e a distância são experimentados com relação a atores de condição igual ou inferior, assim como (embora não na mesma extensão) com relação a atores de condição superior.

Seja qual for sua função para o público, estas inibições do público oferecem ao ator certo campo livre de ação para formar uma impressão escolhida e permitem funcionar, para seu próprio bem ou o da plateia, como proteção ou ameaça que uma inspeção apurada destruiria.

---

99. *The Sociology of Georg Simmel*. Glencoe, Ill: The Free Press, 1950, p. 321 [traduzido e editado por Kurt H. Wolff].

100. DURKHEIM, E. *Sociology and Philosophy*. Londres: Cohen & West, 1953, p. 37 [Traduzido por D.F. Pocock].

Gostaria, finalmente, de acrescentar que os assuntos em que o público não se mete pelo respeito ao ator são, provavelmente, aqueles de que ele se envergonharia se fossem revelados. Como indicou Riezler, temos, portanto, uma moeda social básica, com o respeito de um lado e a vergonha de outro[101]. A plateia percebe mistérios e poderes secretos por trás da representação e o ator sente que seus principais segredos são insignificantes. Como demonstra um sem-número de contos populares e de ritos de iniciação, frequentemente o verdadeiro segredo por trás do mistério é que realmente não há mistério. O problema real consiste em evitar que o público também aprenda isso.

Realidade e artifícios

Em nossa própria cultura anglo-americana parece haver dois modelos de bom-senso, de acordo com os quais formulamos nosso conceito do comportamento: a representação verdadeira, sincera, honesta; e a falsa, que falsificadores completos reúnem para nós, quer não se destinem a ser levadas a sério, como no trabalho dos atores de teatro, quer pretendam ser sérias, como no trabalho dos vigaristas. Inclinamo-nos a considerar as representações verdadeiras como uma coisa não organizada propositadamente, sendo produto não intencional da resposta inconsciente do indivíduo aos fatos, na sua situação. E tendemos a julgar as representações tramadas como algo que foi pessoalmente montado – um elemento falso colado ao outro, uma vez que não há uma realidade à qual os elementos do comportamento fossem a resposta direta. Será necessário ver agora que o objetivo destas concepções dicotômicas é ser a ideologia dos atores honestos, dando força ao espetáculo de que se revestem, mas constituindo uma deficiente análise deste espetáculo.

Primeiramente, diga-se que há muitos indivíduos que acreditam sinceramente que a definição da situação que habitualmente projetam é a realidade verdadeira. Neste trabalho não

---

101. RIEZLER, K. "Comment on the Social Psychology of Shame". *American Journal of Sociology*, XLVIII, p. 462ss.

desejo discutir a proporção deles, na população, mas a relação estrutural entre sua sinceridade e as suas representações. Se uma representação está se desenrolando, os assistentes, de modo geral, devem ser capazes de acreditar que os atores são sinceros. Este é o lugar estrutural da sinceridade no drama dos acontecimentos. Os atores podem ser sinceros – ou insinceros, mas sinceramente convencidos de sua sinceridade –, mas este tipo de disposição de ânimo com relação ao papel do indivíduo não é necessário para se ter um desempenho convincente. Não há muitos cozinheiros franceses que sejam realmente espiões russos e talvez não haja muitas mulheres que desempenhem o papel de esposas para um homem e de amantes para outro. Mas estas duplicidades na verdade acontecem, sendo muitas vezes mantidas com sucesso durante muito tempo. Isto indica que, embora normalmente as pessoas sejam o que aparentam, as aparências podem ser manipuladas. Há, portanto, uma relação estatística entre aparência e realidade, que não é nem intrínseca nem necessária. De fato, dadas as ameaças não previstas que influem numa representação e a necessidade (a ser discutida posteriormente) de manter solidariedade com os companheiros de representação e certa distância com relação aos observadores, verificamos que uma inflexível incapacidade de se afastar da concepção interior da realidade que o indivíduo possui pode, ocasionalmente, pôr em perigo a representação que executa. Algumas são levadas a termo vitoriosamente, com inteira desonestidade, outras, com total honestidade; mas para as representações, de modo geral, nenhum desses extremos é essencial e nem talvez seja dramaturgicamente aconselhável.

A conclusão a tirar, neste caso, é que uma representação honesta, sincera, séria, liga-se menos firmemente com o mundo real do que se poderia à primeira vista supor. Esta conclusão será reforçada se repararmos, ainda uma vez, na distância geralmente existente entre representações inteiramente sinceras e outras inteiramente forjadas. Tomemos, por exemplo, o interessante fenômeno da representação teatral. É preciso profunda habilidade, longo treinamento e capacidade psicológica para que alguém se torne um bom ator. Mas este fato não nos deve impedir de ver outro, a saber, que quase qualquer indivíduo pode aprender rapidamente um texto bastante bem para dar a um público condescendente certo sentido de realidade ao que está sendo executado diante dele. E parece que isto acontece porque o relacionamento social comum é montado tal como uma cena teatral, resultado da troca de ações, oposições e respostas conclusivas dramaticamente distendidas. Os textos, mesmo em mãos de atores iniciantes, podem ganhar vida porque a própria vida é uma encenação dramática. O mundo todo não constitui evidentemente um palco, mas não é fácil especificar os aspectos essenciais em que não é.

O uso recente do "psicodrama" como técnica terapêutica ilustra mais um aspecto a este respeito. Nestas cenas psiquiatricamente montadas os pacientes não somente representam papéis com alguma eficiência, como também não usam textos em seu procedimento. Seu próprio passado lhes é acessível de uma forma que lhes permite representar uma recapitulação dele. Ao que parece, um papel, uma vez representado com honestidade e seriamente, deixa o ator em condições de inventar uma mostra dele mais tarde. Além disso, os papéis que "outros" significativos representaram com relação a ele no passado também parecem ser acessíveis, permitindo-lhe passar da pessoa que foi para ser as pessoas que outros foram para ele. Esta capacidade para mudar de papéis encenados, quando há obrigação de proceder assim, poderia ter sido prevista: aparentemente todos podem fazer isso. Pois ao aprendermos a desempenhar nossos papéis na vida real guiamos nossas próprias apresentações não mantendo, demasiado conscientemente, uma incipiente familiaridade com a rotina daqueles com quem iremos lidar. E quando chegamos a ser capazes de dirigir convenientemente uma rotina real, isto se deverá, em parte, a uma "socialização antecipada"[102], já tendo sido instruídos sobre a realidade que justamente se está tornando verdadeira para nós.

Quando o indivíduo passa a uma nova posição na sociedade e consegue um novo papel a desempenhar, provavelmente não será

---

102. Cf. MERTON, R.K. *Social Theory and Social Structure*. Glencoe: The Free Press, edição revista e aumentada, 1957, p. 265ss.

informado, com todos os detalhes, sobre o modo como deverá se conduzir, nem os fatos de nova situação o pressionarão suficientemente desde o início para determinar-lhe a conduta, sem que tenha posteriormente de refletir sobre ela. Comumente, receberá apenas algumas deixas, insinuações e instruções cênicas, pois se pressupõe que já tenha em seu repertório uma grande quantidade de "pontas" de representações que serão exigidas no ambiente. O indivíduo já deverá ter uma ideia clara da aparência, da modéstia, deferência e justa indignação, e pode tomar liberdades em desempenhar essas "pontas" quando necessário. Pode mesmo ser capaz até de representar o papel de um indivíduo hipnotizado[103] ou cometer um crime[104] "compulsório", baseado em modelos de tais atividades, com os quais já está familiarizado.

Uma representação teatral ou um conto do vigário encenado requerem um texto completo da parte falada do papel; mas uma grande parte referente à "expressão emitida" é frequentemente determinada apenas por escassas instruções de cena. Espera-se que o executante de ilusões já saiba bem como usar a voz, o rosto e o corpo, embora ele – bem como quem quer que o dirija – possa achar realmente difícil fornecer uma descrição verbal detalhada deste tipo de conhecimento. E nisto, naturalmente, aproximamo-nos da situação do homem comum nas ruas. A socialização pode não envolver tanto uma aprendizagem dos múltiplos detalhes específicos de um único papel concreto; frequentemente não haveria tempo ou energia suficiente para isto. O que parece ser exigido do indivíduo é que aprenda um número suficiente de formas de expressão para ser capaz de "preencher" e dirigir mais ou menos qualquer papel que provavelmente lhe seja dado. As encenações legítimas do cotidiano não são "representadas" ou "assumidas" no sentido de que o ator sabe de antemão exatamente o que vai fazer e o faz exclusivamente em razão do efeito que provavelmente venham a ter. As expressões que se julga que ele emite serão especialmente "inacessíveis"

103. Esta concepção da hipnose é apresentada perfeitamente por SARBIN, T.R. "Contributions to Role-Taking Theory, I: Hypnotic Behavior". *Psychological Review*, 57, p. 255-270.

104. Cf. CRESSEY, D.R. "The Differential Association Theory and Compulsive Crimes". *Journal of Criminal Law, Criminology and Police Science*, 45, p. 29-40.

para ele[105]. Mas, tal como no caso de atores menos legítimos, a incapacidade do indivíduo comum de formular de antemão os movimentos dos olhos e do corpo não significa que não se expressará por meio desses recursos de um modo dramatizado e preestabelecido no seu repertório de ações. Em resumo, todos nós representamos melhor do que sabemos como fazê-lo.

Quando vemos na televisão um lutador trapaceando, injuriando e rosnando para seu adversário, estamos preparados de antemão para perceber que, a despeito da barulhada, ele está, e sabe que está, apenas fingindo que é o "tal", e que em outra luta pode receber o outro papel, o do lutador correto, e desempenhá-lo com o mesmo entusiasmo e proficiência. Temos porém facilidade para ver que embora haja detalhes, como o número e a forma das quedas, que podem ser fixadas antecipadamente, outros, como expressões e movimentos empregados, não provêm do *script*, mas de ordens verbais dadas de momento a momento, praticamente sem cálculo ou premeditação.

Quando lemos a respeito de pessoas das Antilhas que se tornaram o "cavalo" ou o ser possuído por um espírito vodu[106], é esclarecedor saber-se que o indivíduo possuído será capaz de fornecer uma imagem correta do deus que nele entrou, por causa do "conhecimento e das lembranças acumulados em uma vida passada visitando reuniões do culto"[107]; que o possuído estará precisamente na relação social correta com os observadores; que a possessão ocorre num momento justo do cerimonial, levando o possuído suas obrigações rituais ao ponto de participar de uma espécie de paródia com pessoas possuídas, ao mesmo tempo, por outros espíritos. Mas, sabendo disto, é importante verificar que esta estrutura contextual do papel de "cavalo" ainda assim permite que os participantes do culto acreditem que a possessão é algo real e que as pessoas são possuídas ao acaso por deuses que não podem escolher.

---

105. Este conceito deriva de SARBIN, T.R. "Role Theory". In: LINDZEY, G. *Handbook of Social Psychology*. Cambridge: Addison-Wesley, 1954, p. 235-236.

106. Cf., p. ex., MÉTRAUX, A. "Dramatic Elements in Ritual Possesion". *Diogenes*, 11, p. 18-36.

107. Id., p. 24.

E quando observamos uma jovem norte-americana de classe média fazendo-se de tola em favor do namorado, mostramos imediatamente os elementos de disfarce e artifício no seu comportamento. Mas, tal como ela e seu namorado, aceitamos como fato verdadeiro que esta atriz é uma jovem norte-americana de classe média. Mas aqui, com certeza, negligenciamos a parte mais importante da representação. É um lugar-comum dizer-se que diferentes grupos sociais expressam de maneiras diversas atributos tais como idade, sexo, jurisdição, posição de classe e que em cada caso esses simples atributos são elaborados por meio de uma configuração cultural complexa distintiva de meios convenientes de conduta. Ser uma determinada espécie de pessoa por conseguinte não consiste meramente em possuir os atributos necessários, mas também em manter os padrões de conduta e aparência que o grupo social do indivíduo associa a ela. O irrefletido desembaraço com que os atores desempenham estas práticas habituais conservadoras dos padrões não nega que tenha havido representação, mas apenas que os participantes tenham tido consciência dela.

Uma condição, uma posição ou um lugar social não são coisas materiais que são possuídas e, em seguida, exibidas; são um modelo de conduta apropriada, coerente, adequada e bem-articulada. Representado com facilidade ou falta de jeito, com consciência ou não, com malícia ou boa-fé, nem por isso deixa de ser algo que deva ser encenado e retratado e que precise ser realizado. Sartre, aqui, dá um bom exemplo:

> Consideremos este garçom de café. Seu movimento é rápido e desenvolto, um pouco preciso demais, um tanto apressado demais. Dirige-se aos patrões com passos um pouco ágeis demais. Inclina-se para a frente um tanto impaciente; sua voz e seus olhos mostram um interesse um pouco solícito demais para o pedido do cliente. Finalmente ei-lo de volta, tentando imitar no andar a rigidez inflexível de um tipo autômato, enquanto carrega a bandeja com a indiferença de um acrobata que anda na corda bamba, equilibrando-a de modo constantemente instável e perpetuamente restabelecendo-lhe o equilíbrio com um ligeiro movimento leve do braço e da mão. Todo

seu comportamento nos parece um jogo. Dedica-se a concatenar seus movimentos como se fossem mecanismos, cada um regulando o seguinte; seus gestos e até sua voz parecem ser mecanismos; dá a si mesmo a agilidade e a impiedosa rapidez das coisas. Está representando, está se divertindo. Mas representando o quê? Não é preciso esperar muito tempo para poder explicá-lo: ele está representando o papel de um garçom de café. Nada há nisso de surpreendente. O jogo é uma espécie de demarcação e investigação. A criança brinca com o corpo a fim de explorá-lo, fazer o inventário dele; o garçom do café brinca com sua condição a fim de *compreendê-la*. Esta obrigação não é diferente da que se impõe a todos os comerciantes. Sua condição é inteiramente um cerimonial. O público exige deles que a realizem como uma cerimônia. Há a dança do merceeiro, do alfaiate, do leiloeiro, por meio das quais se esforçam para convencer a clientela de que são apenas um merceeiro, um alfaiate e um leiloeiro. Um merceeiro que sonha ofende o comprador, porque esse merceeiro não é inteiramente um merceeiro. A sociedade exige que se limite à sua função de merceeiro, assim como o soldado em posição de sentido torna-se um soldado-coisa, com um olhar reto que não vê absolutamente nada, que não se destina mais a ver, pois é o regulamento e não o interesse do momento que determina o ponto onde deve fixar o olhar (o olhar "fixado a dez passos"). Há realmente muitas precauções para aprisionar um homem naquilo que ele é, como se vivêssemos com o perpétuo receio de que possa escapar do que é, possa fugir e de repente ver-se livre da própria condição[108].

108. SARTRE. Op. cit., p. 59.

Capítulo II
Equipes

Ao pensar numa representação é fácil supor que o conteúdo da encenação é somente uma extensão expressiva do caráter do ator e ver a função da representação nesses termos pessoais. Esta é uma concepção limitada e pode obscurecer diferenças importantes na função da representação para a interação como um todo.

Em primeiro lugar, acontece frequentemente que a representação sirva principalmente para expressar as características da tarefa que é representada e não as do ator. Assim, verifica-se que o pessoal de serviço, numa profissão liberal, na burocracia, num negócio ou arte, anima sua conduta com movimentos que expressam proficiência e integridade, mas, não importa o que esta conduta transmita a respeito de tais pessoas, frequentemente seu principal propósito é estabelecer uma definição favorável de seu serviço ou produto. Além disso, vemos muitas vezes que a fachada pessoal do ator é empregada não tanto porque lhe permite apresentar-se como gostaria de aparecer, mas porque sua aparência e maneiras podem contribuir para uma encenação de maior alcance. À luz deste fato é que podemos entender como a triagem e a seleção da vida urbana levam jovens de boa educação e linguagem correta a empregos de recepcionistas, onde podem apresentar uma fachada para uma organização, assim como para si próprias.

O mais importante de tudo, porém, é que comumente verificamos que a definição da situação projetada por um determinado participante é parte integral de uma projeção alimentada e mantida pela íntima cooperação de mais de um participante. Por exemplo, num hospital, os dois clínicos da equipe podem exigir de um acadêmico, como parte de seu treinamento, que examine a papeleta de um doente, opinando a respeito de cada item registrado. Pode não perceber que sua demonstração de relativa ignorância se deve em parte ao fato de a equipe ter estudado a papeleta na noite anterior; é bem pouco provável que compreenda que esta impressão é duplamente assegurada pelo acordo tácito da equipe local, atribuindo o exame da metade da papeleta a um dos médicos e a outra metade ao segundo[109]. Este trabalho de equipe assegura uma boa demonstração do pessoal desde que, naturalmente, o clínico adequado seja capaz de tomar conta do questionário no momento devido.

Além disso, frequentemente acontece que pode ser exigido de cada membro de tais grupos ou equipes que se apresentem sob um aspecto diferente, para que o efeito total seja satisfatório. Assim, se uma família quiser encenar um jantar de cerimônia, será necessário alguém de uniforme ou libré como parte da equipe de trabalho. O indivíduo que representa este papel tem de dar a si próprio a definição social de criado. Ao mesmo tempo, quem representar o papel de anfitriã deve dar a si, confirmada por sua aparência e conduta, a definição social de alguém que naturalmente deve ser servido por criados.

Isto foi brilhantemente demonstrado no hotel turístico na ilha, estudado pelo autor (daqui em diante chamado Hotel Shetland). Aí uma impressão geral de serviço de classe média foi alcançada pelos diretores que distribuíram a si próprios os papéis de anfitrião e anfitriã da classe média e deram aos empregados o de domésticos, embora em termos da estrutura de classes local as jovens que serviam de criadas fossem de condição social ligeiramente inferior à dos proprietários do hotel, que lhes davam emprego. Quando os hóspedes estavam ausentes, as moças não permitiam muitos absurdos no que diz respeito à diferença de *status* entre empregada e patroa. Outro exemplo pode ser tirado da vida de uma família de classe média. Em nossa sociedade, quando o marido e a mulher aparecem diante de novos amigos para uma noite social, a esposa costuma demonstrar uma submissão mais respeitosa

109. Estudo inédito do autor a respeito do serviço médico.

aos desejos e opiniões do marido do que a que se preocupa em mostrar quando sozinha com ele ou em companhia de velhos amigos. Quando ela assume um papel respeitoso, ele pode assumir um papel dominante, e quando cada membro da equipe do casamento representa seu papel especial, a unidade conjugal, enquanto unidade, pode manter a impressão que as novas plateias esperam dela. A etiqueta racial no sul dos Estados Unidos fornece outro exemplo. Charles Johnson sugere que, quando poucos outros brancos estão nas redondezas, um operário negro pode chamar seu companheiro branco pelo primeiro nome, mas, quando outros brancos se aproximam, é de regra que o tratamento por "mister" seja restabelecido[110]. A etiqueta comercial oferece exemplo semelhante:

> Quando pessoas de fora estão presentes, o toque de formalismo comercial é ainda mais importante. O senhor pode chamar sua secretária de "Maria" ou seu sócio de "João" todo dia, mas, quando um estranho vem ao seu escritório, o senhor deveria tratar seus auxiliares do mesmo modo como gostaria que os estranhos se dirigissem a eles, senhorita e senhor. O senhor pode fazer uma brincadeira com a telefonista, mas não o fará quando estiver fazendo uma chamada para uma pessoa de fora[111]. Ela (sua secretária) quer ser chamada de senhorita ou senhora diante de estranhos; no mínimo, ela não se sentirá elogiada se seu modo de chamá-la simplesmente de "Maria" fizer com que alguma outra pessoa a trate com familiaridade[112].

Usarei o termo "equipe de representação" ou, abreviadamente, "equipe", para me referir a qualquer grupo de indivíduos que cooperem na encenação de uma rotina particular.

Até aqui, neste trabalho, tomamos a representação do indivíduo como ponto de referência e nos ocupamos de dois níveis

---

110. JOHNSON, C.S. Op. cit., p. 137-138.

111. *Esquire Etiquette*. Filadélfia: Lippincott, 1953, p. 6.

112. Id., p. 15.

de fato, de um lado o indivíduo e sua representação, e, de outro lado, o conjunto inteiro de participantes e a interação como um todo. Para o estudo de certas formas e aspectos da interação esta perspectiva parece suficiente; se alguma coisa não se coadunar com esta estrutura poderá ser tratada como uma complicação dela, de possível solução. Assim, a cooperação entre dois atores, cada um dos quais ostensivamente decidido a apresentar sua própria representação especial, poderá ser analisada como um tipo de conluio ou "entendimento", sem alterar o quadro de referência fundamental. Entretanto, no estudo de casos de determinadas instituições sociais, a atividade cooperativa de alguns dos participantes parece importante demais para ser tratada meramente como variação de um tema anterior. Quer os membros de uma equipe encenem representações individuais ou encenem representações diferentes que se ajustam num todo, surge a impressão de uma equipe emergente que pode ser convenientemente tratada enquanto tal como um terceiro nível do fato localizado entre a atuação individual, de um modo, e a interação total dos participantes, de outro. Poderíamos mesmo dizer que se nosso interesse especial é o assunto do manejo das impressões, das contingências que surgem na promoção de uma impressão, e das técnicas para satisfazer tais contingências, então a equipe e sua representação podem ser as melhores para se tomar como ponto fundamental de referência[113]. Dado este ponto de referência, é possível assimilar tais situações na estrutura como interação entre duas pessoas descrevendo-as como interação entre duas equipes, cada uma formada de um só membro. (Falando logicamente, poder-se-ia mesmo dizer que uma plateia que fosse devidamente impressionada por um cenário social particular onde não estivessem presentes outras pessoas seria uma plateia assistindo a uma representação de equipe na qual esta seria uma equipe sem membros.)

O conceito de equipe permite-nos conceber representações levadas a efeito por um ou mais de um ator. Isto também engloba

---

113. O uso da equipe (por oposição ao ator) como unidade fundamental, eu tomei de Von Neumann, na obra citada, especialmente à p. 53, onde o *bridge* é analisado como um jogo entre dois participantes, cada um dos quais, sob certos aspectos, tem dois indivíduos distintos para fazer a jogada.

outro caso. Dissemos anteriormente que um ator pode investir-se de seu próprio papel, ficando convencido de momento que a impressão de realidade que cria é a verdadeira e única realidade. Em tais casos o ator torna-se sua própria plateia; ele vem a ser ator e assistente do mesmo espetáculo. Presumivelmente ele interioriza ou incorpora os padrões que procura manter em presença de outros, de tal modo que sua consciência exige que proceda de maneira socialmente adequada. Terá sido necessário que o indivíduo, em seu papel de ator, esconda de si mesmo, em seu papel de espectador, os fatos capazes de desacreditá-lo, que teve de aprender com relação à representação. Em termos do cotidiano, haverá coisas que sabe, ou soube, que não será capaz de dizer a si próprio. Esta intrincada manobra de autoiludir-se acontece constantemente. Os psicanalistas nos forneceram belos dados de campo deste gênero, sob os títulos de repressão e dissociação[114]. Talvez tenhamos aqui uma fonte do que tem sido chamado de "autoafastamento", a saber, o processo pelo qual uma pessoa chega a sentir-se estranha a si mesma[115].

Quando um ator dirige sua atividade privada de acordo com os padrões morais estabelecidos, pode associá-los a um grupo de referência de alguma espécie, criando desse modo uma plateia não presente para sua atividade. Esta possibilidade leva-nos a considerar uma outra. O indivíduo pode manter privadamente padrões de comportamento nos quais pessoalmente não acredita, mantendo-os por uma viva crença de que uma plateia invisível

---

114. Os modos individualistas de pensar tendem a tratar processos tais como o autoengano e a insinceridade como fraquezas de caráter gerados nos recessos profundos da personalidade do indivíduo. Seria melhor começar de fora do indivíduo e trabalhar para dentro do que começar de dentro e trabalhar para fora. Podemos dizer que o ponto de partida para tudo quanto diremos depois consiste na manutenção, por um ator individual, de uma definição da situação diante de uma plateia. Automaticamente esse se torna insincero quando aceita a obrigação de manter um consenso operacional e participa de diferentes práticas, ou representa um dado papel, diante de plateias diferentes. O autoengano pode ser considerado como um fenômeno que ocorre quando dois papéis diferentes, o de ator e o de plateia, são condensados no mesmo indivíduo.

115. Cf. MANNHEIM, K. *Essays on the Sociology of Culture*. Londres: Routledge & Kegan Paul, 1956, p. 209.

está presente, a qual punirá os desvios desses padrões. Em outras palavras, um indivíduo pode ser sua própria plateia ou imaginar um público presente. (Em tudo isto vemos a diferença analítica entre o conceito de equipe e o de ator individual.) Isto poderia levar-nos a prosseguir e ver que a própria equipe é capaz de representar uma atuação para uma plateia que não esteja presente em carne e osso para assistir ao espetáculo. Assim, em alguns hospitais de doentes mentais nos Estados Unidos os doentes falecidos e não reclamados podem ter um enterro relativamente esmerado no cemitério do hospital. Sem dúvida isto ajuda a garantir a manutenção de padrões mínimos de civilidade em um cenário onde condições adversas e o desinteresse geral da sociedade seriam capazes de ameaçar estes padrões. Em todo o caso, nas ocasiões em que os parentes não aparecem, o capelão, bem como o diretor de seção funerária do hospital e um ou dois outros funcionários podem desempenhar todos os papéis fúnebres e, com o paciente morto preparado para o enterro, dar uma demonstração de civilizado respeito ao morto, sem haver espectadores.

É evidente que os indivíduos membros de uma mesma equipe se encontrarão, em virtude deste fato, em importante relacionamento uns com os outros. Mencionemos dois componentes básicos deste relacionamento.

Em primeiro lugar, pareceria que, durante uma representação de equipe em andamento, qualquer participante tem o poder de abandoná-la ou interrompê-la por uma conduta não apropriada. Cada um é obrigado a confiar na boa conduta e no comportamento de seus companheiros, e vice-versa. Há, por conseguinte, um vínculo de dependência recíproca unindo os membros da mesma equipe aos outros. Quando estes membros têm posições e categorias formais diferentes numa instituição social, como frequentemente acontece, vemos que a dependência mútua criada pelo fato de que eles pertencem à mesma equipe provavelmente atravessará as clivagens sociais e estruturais na instituição, fornecendo desse modo uma fonte de coesão para esta. Onde as condições sociais dos funcionários e sua linha de conduta tendem a dividir uma organização as equipes de representação tendem a unificar as divisões.

Em segundo lugar, é evidente que, se os membros de uma equipe devem cooperar para manter uma dada definição da situação diante da plateia, dificilmente estarão em condições de manter aquela impressão particular diante dos outros. Acumpliciados na manutenção de uma aparência particular das coisas, são forçados a se definir uns aos outros como pessoas "a par dos fatos", diante das quais não pode ser mantida uma fachada particular. Os companheiros de equipe, então, proporcionalmente à frequência com que agem como equipe e ao número de assuntos incluídos na proteção delineadora, tendem a ser ligados por direitos do que se poderia chamar de "familiaridade". Entre eles, o privilégio da familiaridade – que pode se constituir numa espécie de intimidade sem calor – não precisa ser algo de natureza orgânica, que se desenvolve vagarosamente com o passar do tempo em comum, mas é antes um relacionamento formal, automaticamente ampliado e recebido, tão logo o indivíduo tome lugar na equipe.

Ao indicar que os companheiros de equipe tendem a se relacionar uns com os outros por liames de dependência recíproca e recíproca familiaridade, não devemos confundir o tipo de grupo assim formado com outros, tais como um grupo informal ou "panelinha". Um membro de equipe é alguém de cuja cooperação dramatúrgica um indivíduo depende para promover uma dada definição da situação; se tal pessoal vem a se situar fora do âmbito das sanções informais e insiste em desligar-se da representação ou forçá-la a tomar um determinado rumo, não deixa de ser, por isso, parte da equipe. De fato, justamente porque faz parte da equipe, pode causar esta espécie de embaraços. Assim, numa fábrica, aquele que se isola e que se torna um sujeito importante nem por isso deixa de fazer parte da equipe, mesmo se sua produtividade perturbar a impressão que os outros operários procuram criar do que seja um estafante dia de trabalho. Como objeto de amizade, ele pode ser cuidadosamente ignorado, mas como ameaça à definição da situação da equipe não pode ser desprezado. Igualmente, numa festa, uma jovem flagrantemente acessível pode ser evitada pelas outras moças presentes, mas em certos assuntos faz parte da equipe e não pode deixar de ameaçar a definição que as moças estão coletivamente mantendo, de serem presas sexuais difíceis. Assim, embora os companheiros de equipe sejam, frequentemente, pessoas que concordam informalmente em dirigir os esforços de uma certa forma, como meio de autoproteção, e constituindo, com este procedimento, um grupo informal, este acordo informal não é um critério para definir o conceito de equipe.

Os membros de uma "panelinha" informal, usando este termo no sentido de um número pequeno de pessoas que se encontram para divertimentos informais, podem também constituir uma equipe, pois é provável que tenham de cooperar para esconder com muito tato seu afastamento, diante de indivíduos não membros, enquanto o exibem com esnobismo diante de outros. Há entretanto um significativo contraste entre os conceitos de equipe e "panelinha". Nas grandes instituições sociais, os indivíduos de uma mesma condição são reunidos, em virtude do fato de terem de cooperar para manter uma definição da situação em relação aos que estão acima e aos que estão abaixo deles. Assim, um grupo de indivíduos, que poderiam ser desiguais sob importantes aspectos e, por isso, desejosos de manter distâncias sociais uns dos outros, descobrem que estão numa relação de familiaridade forçada, característica dos companheiros de equipe empenhados em encenar uma representação. Frequentemente parece que se formam pequenas camarilhas não para favorecer os interesses daqueles com os quais o indivíduo encena um espetáculo, mas, antes, para protegê-lo de uma indesejada identificação com os membros daquele espetáculo. As "panelinhas" portanto funcionam muitas vezes para proteger o indivíduo não de pessoas de outra categoria, mas das de seu nível. Desse modo, embora todos os membros da "panelinha" do indivíduo possam pertencer ao mesmo nível social, será essencial que nem todas as pessoas do mesmo nível social dele sejam admitidas na "clique"[116].

---

116. Há certamente muitas bases para a formação de uma clique. Edward Gross, no seu trabalho *Informal Relations and the Social Organization of Work in an Industrial Office*. University of Chicago, 1949 [Tese inédita de doutorado], diz que as cliques podem atravessar os limites usuais de idade e etnia, a fim de reunir indivíduos cuja atividade de trabalho não seja considerada como um reflexo competitivo de uns sobre os outros.

Um comentário final deve ser acrescentado a respeito daquilo que uma equipe não é. Os indivíduos podem reunir-se formal ou informalmente num grupo de ação a fim de favorecer objetivos semelhantes ou coletivos por todos os meios que lhes sejam acessíveis. Na medida em que cooperem para manter uma dada impressão, usando este esquema como meio para atingir seus objetivos, constituem o que aqui chamamos equipe. Mas deveria ter ficado bem claro que há muitos meios pelos quais um grupo de ação pode alcançar objetivos, além de cooperação dramatúrgica. Os outros meios para as finalidades, tais como a força ou o poder de barganha, podem ser intensificados ou enfraquecidos pela manipulação estratégica das impressões, mas o exercício da força ou do poder de barganha dá a um grupo de indivíduos uma fonte de formação de grupos sem ligação com o fato de, em certas ocasiões, o grupo assim formado ter a probabilidade de agir, dramaticamente falando, como uma equipe. (Da mesma forma, um indivíduo que esteja em posição de poder ou de liderança pode aumentar ou debilitar sua força em um nível ao qual sua aparência e maneiras sejam apropriadas e convincentes, mas não está dito que as qualidades dramáticas da ação que pratica, necessária, ou mesmo comumente, constituam a base fundamental de sua posição.)

Se quisermos empregar o conceito de equipe como ponto fundamental de referência, será conveniente remontar etapas anteriores e redefinir nosso quadro de referência dos termos de modo a ajustá-lo para uso de equipes e não de atores individuais, como a unidade básica.

Foi dito que o objetivo de um ator é sustentar uma particular definição da situação, representando isto, por assim dizer, sua afirmação do que seja a realidade. Como uma equipe de um só elemento, sem outros companheiros para informar sua decisão, pode decidir rapidamente qual das atitudes disponíveis tomará em determinado assunto, e em seguida agir sinceramente como se sua escolha fosse a única que poderia ter feito. E sua escolha da posição talvez seja admiravelmente ajustada à sua especial situação e interesses.

Quando nos voltamos para uma equipe maior, o caráter da realidade esposado pela equipe muda. Em lugar de uma rica definição da situação, a realidade pode se ver reduzida a uma delgada linha de ação, pois é possível esperar que a linha seja desigualmente simpática aos membros da equipe. Pode-se esperar observações irônicas, pelas quais um membro da equipe por pilhéria rejeita a linha enquanto a aceita seriamente. Por outro lado, haverá o novo fator da lealdade para com a equipe e os companheiros, que dará apoio à linha de ação da equipe.

Parece ser opinião geral que o desacordo público entre os membros da equipe não somente os incapacita para uma ação conjunta, mas também perturba a realidade patrocinada por eles. Para proteger esta impressão de realidade, pode-se exigir dos membros da equipe que adiem a tomada pública de atitudes, até que a posição da equipe tenha sido estabelecida; e, uma vez tomada a posição da equipe, todos os membros estão obrigados a segui-la. (A questão da extensão da "autocracia soviética" permitida, e de quem a permite, antes que a posição da equipe seja anunciada, não está em jogo aqui.) Tomemos um exemplo tirado do serviço público:

> Em tais comitês (reuniões do Comitê Ministerial), os funcionários públicos participam das discussões e expressam seus pontos de vista livremente, sujeitos a uma restrição: não podem se opor diretamente a seu próprio ministro. A possibilidade de tal discordância aberta surge muito raramente e não deveria surgir nunca: em 90% dos casos, o ministro e o funcionário que participa com ele da reunião acertam previamente a linha de ação que será tomada, e nos 10% de casos restantes em que o funcionário discorda da opinião do ministro sobre determinada questão ficará afastado da reunião onde este será discutido[117].

Citemos outro exemplo, tomado de um estudo recente da estrutura de poder de uma cidade pequena:

> Se um indivíduo se empenhou num trabalho da comunidade, em qualquer escala, repetidas vezes é infundido nele o que se chamaria de "princípio de

117. DALE. Op. cit., p. 141.

> unanimidade". Quando uma diretriz é finalmente formulada pelos líderes da comunidade, há imediata exigência por parte deles de estrita conformidade de opinião. Em geral não se chega às decisões de maneira precipitada. Há bastante tempo, particularmente entre os líderes supremos para a discussão da maior parte dos projetos, antes que uma linha de ação seja estabelecida. Isto é verdade com relação a projetos da comunidade. Quando se encerrou o período de discussão e uma linha de ação é estabelecida, então é exigida unanimidade. Os dissidentes são pressionados e o projeto é posto em prática[118].

Uma discordância declarada diante do público produz, como se diz, uma nota dissonante. Poder-se-ia dizer que as notas dissonantes literais são evitadas exatamente pelas mesmas razões que são evitadas as notas dissonantes figuradas; em ambos os casos trata-se de manter uma definição da situação. Isto pode ser ilustrado com o exemplo tirado de um pequeno livro a respeito dos problemas de trabalho do acompanhamento profissional de um artista de concerto:

> O mais próximo de uma execução ideal, a que o cantor e o pianista podem chegar, é fazer exatamente o que o compositor deseja. Contudo algumas vezes o cantor exigirá de seu acompanhante que faça algo que está em flagrante contradição com as indicações do compositor. Desejará um acento onde não deveria haver; fará uma "fermata" onde não é necessária; um "rallentando" quando deveria ser "a tempo", "forte" quando deveria ser "piano"; interpretará com sentimentalismo quando a atitude deveria ser "nobilmente".
> Esta lista não está de modo algum esgotada. O cantor jurará com a mão no coração e lágrimas nos olhos que faz, e sempre procura fazer, exatamente o que o compositor escreveu. É muito aborrecido. Se ele canta de um modo e o pianista toca de outro, o resultado é caótico. Discutir é inútil. Mas que deve fazer o acompanhante?

118. HUNTER, F. *Community Power Structure*. Chapel Hill: University of North Carolina Press, 1953, p. 181 [cf. tb. p. 118 e 212].

> No recital deve *ficar com o cantor*, mas depois da apresentação deixe-o apagar a lembrança disso de seu espírito [...][119].

Entretanto, a unanimidade muitas vezes não é a única exigência da projeção da equipe. Parece haver o sentimento geral de que a maioria das coisas reais e concretas da vida são aquelas a respeito de cuja descrição os indivíduos independentemente concordam. Inclinamo-nos a julgar que se dois participantes de um acontecimento decidem ser tão honestos quanto possível ao contá-lo, então as atitudes que tomarem serão razoavelmente semelhantes, ainda que não consultem um com o outro antes de apresentá-las. A intenção de dizer a verdade presumivelmente torna tal consulta prévia desnecessária. E também achamos que se os dois indivíduos desejam dizer uma mentira ou distorcer a versão do acontecimento que oferecem, então não somente será preciso que se consultem a fim de, como se diz, "arrumarem direitinho a história", mas será também necessário ocultar o fato de terem tido oportunidade para tal consulta prévia. Em outras palavras, ao encenar uma definição da situação, pode ser necessário que os vários membros da equipe sejam unânimes na posição que tomam e mantenham em segredo o fato de que essas posições não foram alcançadas independentemente. (Diga-se de passagem, que se os membros da equipe estão também comprometidos em manter uma demonstração de autorrespeito uns diante dos outros, será necessário que eles próprios saibam qual será a linha de ação, e a tomem, sem admitir para si mesmos, e de uns para os outros, até que ponto sua posição não foi alcançada independentemente. Mas estes problemas nos levam um pouco além da representação de equipe como ponto básico de referência.)

Deve-se notar que, assim como um membro de equipe tem de aguardar a palavra oficial antes de tomar sua posição, do mesmo modo a palavra oficial deve ser acessível a ele, a fim de que desempenhe sua parte na equipe e se sinta participante dela. Por exemplo, comentando o fato de alguns comerciantes chineses

119. MOORE, G. *The Unashamed Accompanist*. Nova York: MacMillan, 1944, p. 60.

determinarem o preço das mercadorias de acordo com a aparência do freguês, um autor diz:

> Um resultado particular deste estudo de um freguês encontra-se no fato de que, se uma pessoa entra em uma loja na China, e, depois de examinar vários artigos, pergunta o preço de qualquer um deles, a menos que seja positivamente sabido que só falou com um vendedor, nenhuma resposta lhe será dada por aquele a quem foi feita a pergunta sem que se consulte outro vendedor, para saber se declarou ao cavalheiro o preço do artigo em questão. Se, como muito raramente acontece, esta importante precaução é negligenciada, os preços anunciados por diferentes vendedores serão, quase invariavelmente, diferentes, mostrando assim que os vendedores discordaram nas estimativas a respeito do freguês[120].

Recusar informação a um companheiro da equipe a respeito da posição que o grupo toma é, de fato, recusar dar informação sobre o caráter desta, pois, sem saber que posição tomar, o executante não é capaz de afirmar-se como personagem diante do público. Assim, se um cirurgião tem de operar um paciente que lhe foi recomendado por outro médico, a cortesia obriga o cirurgião a dizer ao que fez a indicação quando será a operação e, se este não comparecer, a telefonar-lhe para comunicar o resultado. Mostrando-se assim informado, o médico que fez a indicação pode, mais efetivamente do que de outro modo, apresentar-se aos parentes do doente como alguém que participa da ação médica[121].

Gostaria de acrescentar um outro fato geral a respeito da manutenção da linha de ação durante a representação. Quando um membro da equipe comete um erro em presença da plateia, os outros membros da equipe devem muitas vezes dominar seu desejo imediato de punir e instruir o ofensor, até que o público não esteja mais presente. No fim de contas, a sanção corretiva imediata, com frequência, só perturbaria

---

120. HOLCOMBE, C. *The Real Chinaman*. Nova York: Dodd, Mead, 1895, p. 293.

121. SOLOMON. Op. cit., p. 75.

ainda mais a interação e, como foi dito antes, faria o público inteirar-se de uma opinião que deve ser reservada aos membros da equipe. Assim, em organizações autoritárias, onde um grupo de superiores sempre dão mostras de ter razão e de que mantêm uma fachada unida, há geralmente uma regra severa, ou seja, que qualquer um deles não deve mostrar hostilidade ou desrespeito com relação a qualquer outro superior na presença de um membro da equipe subordinada. Os oficiais do Exército mostram unanimidade de opinião diante dos recrutas, ou pais diante dos filhos[122], os patrões diante dos empregados, as enfermeiras diante dos pacientes[123], e assim por diante. Certamente, quando os subordinados estão ausentes, uma crítica franca e violenta pode ocorrer, e realmente ocorre. Por exemplo, num recente estudo da profissão de professor, descobriu-se que os professores acham que, se pretendem manter uma impressão de competência profissional e autoridade institucional, devem ter a certeza de que, quando pais zangados vêm à escola com queixas, o diretor apoiará a posição dos professores, pelo menos até que os pais saiam[124]. Do mesmo modo, os professores estão convencidos de que seus colegas não devem discordar deles ou contradizê-los diante dos alunos. "Basta que outro professor franza a testa zombeteiramente, logo eles (os alunos) percebem, não deixam passar a oportunidade, e o respeito por você desaparece"[125]. Da mesma forma, sabemos que a profissão de médico tem um estrito código de etiqueta, pelo qual um médico consultado, na presença do doente e seu médico, tem o cuidado

---

122. Uma interessante dificuldade dramatúrgica na família é que a solidariedade de sexo e de descendência, que corta transversalmente a solidariedade conjugal, torna difícil para marido e mulher "ajudarem-se um ao outro", numa demonstração de autoridade diante dos filhos, ou numa demonstração de distância ou familiaridade com um parente distante. Como foi dito anteriormente, estas linhas de corte de filiação impedem o alargamento das clivagens estruturais.

123. TAXEL. Op. cit., p. 53-54.

124. BECKER, H.S. "The Teacher in the Authority System of the Public School". *Journal of Educational Sociology*, XXVII, p. 134.

125. Id., tirado de uma entrevista, p. 139.

de nunca dizer qualquer coisa que possa comprometer a impressão de competência que o colega procura manter. Como diz Hughes, "A etiqueta (profissional) é um conjunto de ritos que cresce informalmente para preservar diante dos clientes a frente comum da profissão"[126]. E naturalmente esta espécie de solidariedade na presença dos subordinados também ocorre quando os atores estão diante dos superiores. Por exemplo, num recente estudo a respeito da polícia, vemos que uma equipe de patrulha composta de dois policiais que assistem a atos ilegais e semi-ilegais praticados por um ou pelo outro, e que estão em excelente posição para desacreditar a mútua demonstração de legalidade diante de um juiz, estão imbuídos de solidariedade heroica e cada um se apegará à história do outro, pouco importando as atrocidades que encubra ou por menor que seja a probabilidade de alguém acreditar nela[127].

É evidente que se os atores estão interessados em manter uma linha de ação escolherão como companheiros aqueles em cuja representação correta possam confiar. Assim, as crianças da casa são geralmente excluídas das representações feitas para as visitas, porque frequentemente não se pode confiar em que elas se "comportem", isto é, se abstenham de agir de um modo incompatível com a impressão que está sendo promovida[128]. Igualmente, os indivíduos que se sabe ficarem embriagados quando há bebida disponível e que se tornam falastrões ou "difíceis" quando isso ocorre constituem uma representação arriscada do mesmo modo que os que se mantêm sóbrios, mas são imprudentemente indiscretos, e os que se recusam a "se compenetrar" da ocasião e a ajudar a sustentar a impressão que as visitas tacitamente procurem dar ao dono da casa.

---

126. HUGHES, E.C. "Institutions". *New Outline of the Principles of Sociology*. Nova York: Barnes e Noble, 1946, p. 273 [LEE, A.M. org.].

127. WESTLEY, W. *The Police*. University of Chicago, 1952, p. 187-196 [Tese inédita de doutorado].

128. Na medida em que as crianças são definidas como "não pessoas" têm certa liberdade de cometer gafes sem necessidade de o público levar muito a sério as implicações expressivas de tais atos. Entretanto, quer sejam tratadas como "não pessoas" quer não, as crianças têm condições de revelar segredos decisivos.

Indiquei que em muitos ambientes de interação alguns dos participantes cooperam com uma equipe ou ficam numa posição em que se tornam dependentes dessa cooperação para manter uma particular definição da situação. Ora, quando estudarmos instituições sociais concretas, vamos ver, com frequência, que todos os outros participantes, nas suas diversas representações em resposta ao espetáculo da equipe efetuado diante deles, vão se constituir, eles próprios, num sentido significativo, numa equipe. Desde que cada equipe estará representando sua prática para a outra, podemos falar em interação dramática, e não em ação dramática, e considerar essa interação não como uma mistura de tantas vozes quantos sejam os participantes, mas, antes, como uma espécie de diálogo e inter-representação de duas equipes. Não conheço qualquer razão especial pela qual a interação em cenários naturais geralmente tome a forma de inter-representação de duas equipes, ou seja, redutível a esta forma, em lugar de envolver um número maior, mas empiricamente isto parece ser o que acontece. Assim, nas grandes instituições sociais, onde prevalecem níveis de condições sociais diferentes, verificamos que, para alguma interação durar, espera-se tipicamente que os participantes das diferentes condições se alinhem temporariamente em duas equipes. Por exemplo, um tenente do Exército ficará ao lado dos oficiais e em oposição aos recrutas em uma situação; outras vezes, ele se encontrará ao lado dos oficiais mais jovens, apresentando com eles uma representação para benefício dos oficiais mais graduados presentes. Há, sem dúvida, aspectos de certas interações para os quais este modelo de duas equipes aparentemente não serve. Elementos importantes, por exemplo, das audiências de arbitragem, parecem ajustar-se a um modelo de três equipes, e certos aspectos de algumas situações competitivas e "sociais" sugerem um modelo de equipes múltiplas. Deveria ficar claro também que, seja qual for o número de equipes, haverá um sentido no qual a interação pode ser analisada em termos do esforço cooperativo de todos os participantes para manter uma uniformidade funcional de opinião.

Se tratarmos uma interação como um diálogo entre duas equipes, às vezes será conveniente chamar uma delas de atores e a outra de plateia ou observadores, deixando de lado, momentaneamente, o fato de que a plateia também estará apresentando uma representação de equipe. Em alguns casos, como acontece quando duas equipes compostas de uma só pessoa interagem em uma instituição pública ou em casa de um amigo comum, pode-se escolher arbitrariamente qual das equipes deve chamar-se a equipe de atores e qual chamar-se plateia. Em muitas situações sociais importantes, porém, o ambiente social no qual a interação se realiza é montado e conduzido por uma das equipes somente, o que contribui de modo mais íntimo para o espetáculo que esta equipe exibe do que para o da outra, em resposta ao da primeira. Um freguês numa loja, um cliente num escritório, um grupo de visitas numa casa, são pessoas que se revestem de uma representação e mantêm uma fachada, mas o cenário no qual fazem isso está fora de seu controle imediato, sendo parte integrante da apresentação organizada por aqueles a cuja presença compareceram. Em tais casos, será conveniente chamar a equipe que controla o cenário de equipe de atores e chamar a outra equipe de plateia. Da mesma forma, também, muitas vezes será conveniente rotular de atores a equipe que contribui mais ativamente para a interação, desempenha nela a parte dramaticamente mais importante, ou estabelece o ritmo e a direção que ambas seguirão em seu diálogo interatuante.

É importante analisar que se a equipe quiser manter a impressão que está causando deve, então, estar segura de que nenhum indivíduo terá permissão para pertencer, ao mesmo tempo, a ela e à plateia. Assim, por exemplo, se o proprietário de uma pequena loja de *prêt à porter* puser à venda um vestido e disser à freguesa que foi remarcado por estar manchado, por ser fim de estação ou final de estoque etc., mas esconder dela que realmente foi remarcado porque não seria vendido ou tem uma cor ou estilo que não agrada, e se deseja impressioná-la falando-lhe de um escritório de compras em Nova York, que ele não possui, ou de um diretor de vendas, que na verdade é uma simples vendedora, então deve estar certo de que, caso seja necessário contratar uma empregada extra para trabalhar parte do sábado, não deverá contratar nenhuma moça da vizinhança que tenha sido freguesa ou que voltará a ser[129].

Julga-se muitas vezes que o controle do cenário é uma vantagem durante a interação. Em sentido estrito, este controle permite à equipe introduzir dispositivos estratégicos para determinar a informação que o público é capaz de adquirir. Assim, se os médicos quiserem evitar que os doentes de câncer descubram a natureza de sua doença, será útil espalhá-los pelo hospital, de modo a não poderem saber, pela identificação da sua enfermaria, qual a doença de que são portadores. (O corpo de funcionários do hospital, diga-se de passagem, será forçado a despender mais tempo do que o necessário movimentando-se nos corredores e transportando equipamentos por causa desta estratégia de encenação.) Da mesma forma, o barbeiro que regula o fluxo de fregueses por meio de uma agenda aberta ao público tem condições de assegurar sua hora de lanche preenchendo o período de tempo adequado com um nome fictício. Um possível freguês verá então, por si mesmo, que não lhe será possível ser atendido naquela hora. Outro uso interessante dos cenários e acessórios do palco é contado num artigo sobre grêmios estudantis femininos norte-americanos, onde é feita a descrição do modo como as sócias do clube que oferecem chá a associadas em perspectiva são capazes de dividi-las em duas classes, as boas e as más, sem dar a impressão de que as visitantes estão sendo tratadas de maneiras diferentes:

> "Mesmo com recomendações, é difícil lembrar-se de 967 moças somente por encontrá-las por uns poucos minutos numa recepção", admitiu Carol. "Assim, imaginamos este ardil para separar as agradáveis das chatas. Temos três bandejas para os cartões de visita das moças aliciadas para o grêmio; uma para as excelentes, outra para as que convém examinar duas vezes, e outra para as desinteressantes".

---

129. Tais exemplos são tomados de ROSENBAUM, G. *An Analysis of Personalization in Neighborhood Apparel Retailing*. University of Chicago, 1953, p. 86-87 [Tese inédita].

> "A encarregada de conversar com a aliciada na festa deve acompanhá-la sutilmente para a bandeja apropriada, quando for deixar seu cartão", continuou Carol. "As aliciadas nunca percebem o que estamos fazendo"[130].

Pode-se citar outra ilustração tomada dos métodos de dirigir hotéis. Se algum membro do corpo de funcionários de um hotel suspeita das intenções ou do caráter de um casal de hóspedes, um sinal secreto é dado ao mensageiro para "virar o trinco".

> Isto é simplesmente um ardil que facilita aos empregados ficarem de olho em pessoas suspeitas.
> Depois de acomodar o casal, o mensageiro, ao fechar a porta atrás de si, empurra um pequeno botão no lado de dentro da maçaneta. Este faz girar uma lingueta dentro da fechadura e aparece uma listra negra no centro circular do trinco, pelo lado de fora. É suficientemente imperceptível para não ser notado pelo hóspede, mas as camareiras, os vigias, garçons e mensageiros são todos treinados para observá-los [...] e informar qualquer conversação em voz alta ou acontecimentos insólitos que ali se passem[131].

Mais amplamente, o controle do cenário pode dar à equipe controladora um sentimento de segurança. Como disse um estudioso a respeito da relação farmacêutico-médico:

> A farmácia é outro fator. O médico constantemente vai ao farmacêutico em busca de medicamentos, informação, conversa. Nestas conversas, o homem atrás do balcão tem aproximadamente a mesma vantagem que um locutor de pé sobre um auditório sentado[132].
> Uma coisa que contribui para este sentimento de independência da prática médica do farmacêutico é sua farmácia. Esta é, de certo modo, parte do farmacêuti-

---

130. BECK, J. "What's Wrong With Sorority Rushing?". *Chicago Tribune Magazine*, 10/01/1954, p. 20-21.

131. COLLANS, D. & STERLING, S. *I Was a House Detective*. Nova York: Dutton, 1954, p. 56 [As reticências são dos autores].

132. WEINLEIN. Op. cit., p. 105.

> co. Da mesma forma que Netuno é representado elevando-se do mar, ao mesmo tempo em que é o mar, assim também há o sentimento ético do farmacêutico erguendo-se acima de prateleiras e balcões de vidros e equipamentos, sendo ao mesmo tempo parte da essência deles[133].

Um belo exemplo literário dos efeitos da privação do controle sobre o cenário do indivíduo é dado por Franz Kafka em *O processo* onde é descrito o encontro de K. com as autoridades, na sua pensão:

> Quando estava completamente vestido, tinha de andar com Willem nos seus calcanhares, atravessando o aposento vizinho, que estava agora vazio, até o quarto contíguo, cujas portas duplas estavam inteiramente abertas. Este quarto, como K. sabia muito bem, tinha sido recentemente ocupado por uma certa senhorita Bürstner, uma datilógrafa, que saía muito cedo para o trabalho, voltava tarde para casa, e com a qual trocava apenas algumas palavras de passagem. Agora, a mesinha de cabeceira, que ficava ao lado da cama, tinha sido puxada para o meio da peça, a fim de servir de escrivaninha, e atrás dela estava o inspetor sentado. Tinha cruzado as pernas e um braço repousava no espaldar da cadeira. [...] "Joseph K.?", perguntou o inspetor, talvez somente para atrair sobre si o olhar distraído de K.K. assentiu com a cabeça. "O senhor provavelmente está muito surpreendido com os acontecimentos desta manhã, não?", inquiriu o inspetor, com ambas as mãos arrumando as poucas coisas que havia sobre a mesa de cabeceira, uma vela e uma caixa de fósforos, um livro e uma almofadinha de alfinetes, como se fossem objetos necessários ao interrogatório. "Sem dúvida", disse K., cheio de satisfação por ter enfim encontrado um homem sensato, com quem poderia discutir o assunto. "Certamente estou surpreso, mas de nenhum modo muito surpreso". "Não está muito surpreso?", perguntou o inspetor, colocando a vela no centro da mesa e em seguida

---

133. Id., p. 105-106.

agrupando os outros objetos em redor dela. "Talvez o senhor não me compreenda bem", apressou-se K. em acrescentar. "Eu quero dizer..." – aqui K. se interrompeu e olhou em torno, buscando uma cadeira. "Suponho que posso sentar-me, não?", perguntou. "Isso não é comum", respondeu o inspetor[134].

Certamente é preciso pagar um preço pelo privilégio de realizar uma representação na própria casa; a pessoa tem a oportunidade de transmitir informações a seu próprio respeito por meios cênicos, mas nenhuma oportunidade de esconder as espécies de fatos transmitidos pelo cenário. É de esperar, portanto, que um ator em potencial evite seu próprio palco e os controles dele, a fim de impedir uma representação não lisonjeira, e isto pode implicar mais do que o adiamento de uma festa porque a nova mobília ainda não chegou. Assim, dizem-nos a respeito de uma área de favelas em Londres:

> [...] as mães nesta área, mais do que em qualquer outro lugar, preferem que seus filhos nasçam num hospital. A principal razão desta preferência parece que são as despesas de um nascimento em casa, pois é preciso comprar o equipamento como por exemplo toalhas, bacias, de modo que tudo esteja à altura dos padrões exigidos pela parteira. Significa também a presença na casa de uma mulher estranha, o que, por sua vez, significa uma limpeza especial[135].

Quando se examina uma representação de equipe, descobre-se geralmente que a alguém é dado o direito de dirigir e controlar o desenrolar da ação dramática. O intendente das cavalariças, na corte, é um exemplo. Às vezes, o indivíduo que assim domina o espetáculo é em certo sentido o diretor dela, representa um papel verdadeiro no espetáculo que dirige. Isto é ilustrado para nós pela imagem, dada por um romancista das funções de ministro numa cerimônia de casamento:

---

134. KAFKA, F. *The Trial*. Nova York: Knopf, 1948, p. 14-15.

135. SPINLEY, B.M. *The deprived and the Privileged*. Londres: Routledge & Kegan Paul, 1953, p. 45.

> O ministro deixou a porta aberta, de modo que eles (Robert, o noivo, e Lionel, o padrinho) pudessem ouvir o sinal e entrar sem demora. Ficaram de pé, à porta, escutando. Lionel tocou no bolso, sentiu o contorno da aliança e em seguida colocou a mão no cotovelo de Robert. Como estava se aproximando a palavra indicadora, Lionel abriu a porta e, ao ouvir o sinal, impeliu Robert para diante.
>
> A cerimônia prosseguiu sem qualquer dificuldade, sob o comando firme e experiente do ministro, que terminou diligentemente suas funções e usou as sobrancelhas para ameaçar os atores. Os convidados não notaram que Robert levou muito tempo para colocar a aliança no dedo da noiva; notaram, porém, que o pai da moça chorou muito e a mãe nem um pouco. Mas estes eram pequenos detalhes, logo esquecidos[136].

De modo geral, os membros da equipe diferem nas maneiras e no grau em que lhes é permitido dirigir a representação. Diga-se de passagem, que as semelhanças estruturais de rotinas aparentemente diversas se refletem muito bem na igualdade de pensamento dos diretores em todo lugar. Quer se trate de um enterro, um casamento, uma partida de bridge, um leilão, um enforcamento, ou um piquenique, o diretor tende a ver a representação pelo ângulo de saber se correu "calmamente", "eficientemente" e "sem atropelos", ou não, e se todas as possíveis contingências perturbadoras foram ou não previstas.

Em muitas encenações, duas importantes funções devem ser executadas, e se a equipe tem um diretor a ele caberá frequentemente o dever de desempenhá-las.

Em primeiro lugar, o diretor pode ter a obrigação específica de trazer de volta à linha adotada qualquer membro da equipe cuja representação se torne inconveniente. Os processos corretivos comumente empregados são o apaziguamento e a sanção. O papel do árbitro de beisebol de manter uma forma particular de realidade para os torcedores pode ser tomado como exemplo.

---

136. MILLER, W. *The Sleep of Reason*. Boston: Little, Brow and Company, 1958, p. 254.

> Todos os árbitros insistem em que jogadores se mantenham sob controle e se abstenham de gestos que reflitam desacato a suas decisões[137].
> Certamente tinha desabafado minha cota como jogador e sabia que devia haver uma válvula de escape para aliviar a terrível tensão. Como árbitro, poderia simpatizar com os jogadores, mas também como árbitro tinha de decidir até onde poderia deixar ir um jogador sem atrasar o jogo e sem permitir que ele me insultasse, agredisse ou ridicularizasse, depreciando o jogo. Lidar com desordens e homens no campo era tão importante como chamá-los à ordem – e mais difícil.
> É fácil para qualquer árbitro expulsar de campo um jogador. Em geral é um trabalho muito mais difícil mantê-lo no jogo, compreender e prevenir suas queixas de modo que não saia uma briga desagradável[138].
> Não tolero fazer palhaçadas no campo, e nenhum outro árbitro também admitiria isso. Os comediantes pertencem ao palco ou à televisão, não ao beisebol. Uma paródia ou comédia do jogo pode apenas desvirtuá-lo, e faz com que o árbitro seja escarnecido por permitir que tais "números" aconteça. Eis por que se vê os engraçadinhos e os espertos expulsos logo que iniciam a sua prática[139].

Muitas vezes, por certo, o diretor não só terá de apaziguar estados de ânimo inconvenientes, como terá de estimular uma demonstração de envolvimento afetivo adequado. A frase muitas vezes empregada para esta tarefa nos círculos rotarianos é "botar fogo no espetáculo".

Em segundo lugar, pode ser dada ao diretor a obrigação específica de distribuir os papéis na representação e a fachada pessoal empregada em cada papel, pois cada estabelecimento pode ser considerado um lugar com um certo número de personagens a serem distribuídos a possíveis atores, e como uma reunião de equipamentos de sinais ou acessórios cerimoniais para serem conferidos a pessoas.

---

137. PINELLI. Op. cit., p. 141.

138. Id., p. 131.

139. Id., p. 139.

É evidente que se o diretor corrige as aparências inadequadas e atribui maiores e menores prerrogativas, então os outros membros da equipe (que provavelmente estão interessados no papel que podem representar um com relação ao outro, bem como no papel que coletivamente encenam para a plateia) terão uma atitude para com o diretor diferente da que terão para com os companheiros. Além disso, se a plateia aprecia que a representação tenha um diretor, provavelmente o considerarão mais responsável que os outros atores pelo sucesso da representação. Ele provavelmente responderá a esta responsabilidade fazendo exigências dramatúrgicas a respeito da representação, que os atores não fariam a si mesmos. Isto pode aumentar a separação que podem já sentir em relação a ele. Um diretor, por conseguinte, começando como membro da equipe, pode encontrar-se aos poucos empurrado para uma posição marginal, entre a plateia e os atores, metade dentro e metade fora de ambos os campos, uma espécie de intermediário, sem a proteção que os intermediários geralmente têm. O chefe de secção numa gráfica foi um exemplo recentemente estudado[140].

Quando estudamos uma prática que requer uma equipe de vários atores para sua apresentação, verificamos às vezes que um dos membros se torna o protagonista ou o centro das atenções. Temos um exemplo extremo disto na vida tradicional da corte, onde uma sala, cheia de cortesãos, será arrumada à maneira de um quadro vivo, de tal forma que a vista, partindo de qualquer ponto da sala, seja dirigida para o centro de atenção, a figura real. A estrela real da representação pode estar vestida mais espetacularmente e sentada em plano mais alto que qualquer dos presentes. Uma centralização da atenção ainda mais espetacular encontra-se na coreografia das grandes comédias musicais, nas quais quarenta ou cinquenta dançarinos se curvam em torno da heroína.

As extravagâncias das encenações verificadas no aparecimento dos reis não nos devem impedir de ver a utilidade do

---

140. Cf., p. ex., WRAY, D.E. "Marginal Men of Industry: The Foreman". *American Journal of Sociology*, LVI, p. 298-301. • ROETHLISBERGER, F. "The Foreman: Master and Victim of Double Talk". *Harvard Business Review*, XXIII, p. 285-294 [O papel de mensageiro será considerado adiante].

conceito de uma corte. De fato, encontram-se comumente cortes fora dos palácios, sendo exemplo disso os comissários dos estúdios de produção de Hollywood. Conquanto pareça verdadeiro que os indivíduos sejam socialmente endógamos, tendendo a restringir os laços informais aos de sua própria condição social, ainda assim, quando se examina de perto uma classe social, descobre-se que é formada de grupos sociais separados, cada qual contendo um, e somente um, complemento de atores diferentemente colocados. E, frequentemente, o grupo se organizará em torno de uma figura dominante, que é constantemente mantida como foco de atenção no centro do palco. Evelyn Waugh trata deste tema num estudo a respeito da classe alta britânica:

> Retrocedamos a vinte anos atrás, a época em que ainda existia uma estrutura aristocrática sólida, e o país ainda era dividido em esferas de influência entre os magnatas hereditários. Minha lembrança é que estes se evitavam uns aos outros, a menos que fossem intimamente aparentados. Encontravam-se em cerimônias oficiais e no hipódromo. Não frequentavam as casas uns dos outros. Poder-se-ia encontrar quase todo mundo num castelo ducal – primos convalescentes ou na penúria, peritos conselheiros, sicofantas, gigolôs e puros chantagistas. A única coisa que se poderia ter a certeza de não encontrar era uma reunião de outros duques. A sociedade inglesa, parecia-me, era um complexo de tribos, cada uma com seu chefe, anciãos, curandeiros e bravos, com seu dialeto e divindade, cada qual extremamente xenófoba[141].

A vida social informal, conduzida pela equipe dirigente de nossas universidades e outras burocracias intelectuais, parece dividir-se de forma semelhante. Os grupos e facções que formam as partes menores da política administrativa constituem as cortes de vida conjunta, e é aqui que os heróis locais podem manter a salvo a importância de sua inteligência, competência e profundidade.

---

141. WAUGH, E. "An Open Letter". In: MITFORD, N. (org.). *Noblesse-oblige*. Londres: Hamish, Hamilton, 1956, p. 78.

De um modo geral, por conseguinte, verifica-se que aqueles que ajudam a apresentar uma encenação de equipe diferem no grau de dominância dramática atribuída a cada um, e que uma rotina de equipe difere de outra na medida em que são atribuídas diferenças de dominância a seus membros.

Os conceitos de dominância dramática e diretiva, como tipos contrastantes de poder numa representação, podem ser aplicados, *mutatis mutandis*, a uma interação como um todo, onde será possível indicar qual das duas equipes possui maior quantidade desses tipos de poder, e que atores, tomando em conjunto os participantes de ambas as equipes, sobressaem sob estes dois aspectos.

Com frequência, sem dúvida, o ator ou equipe que possui uma forma de dominância terá a outra, mas isto não é regra geral. Por exemplo, enquanto o corpo fica exposto durante um funeral, geralmente o ambiente social e todos os participantes, incluindo a equipe enlutada e a equipe da funerária, serão dispostos de tal modo que expressem seus sentimentos para com o falecido e suas ligações com ele; ele será o centro do espetáculo e o principal participante, dramaticamente falando. Entretanto, uma vez que os enlutados são inexperientes e estão tomados pelo pesar, e que a estrela do espetáculo deve permanecer, na representação, como alguém que está num sono profundo, o próprio agente funerário dirigirá o espetáculo, embora possa durante todo o tempo manter-se apagado em presença do cadáver ou permanecer em outro cômodo do estabelecimento, preparando outra representação.

Deveria ficar claro que dominância dramática e diretiva são termos dramatúrgicos, e que os atores que as desempenham podem não ter outro tipo de poder e autoridade. É coisa sabida que os atores com posição de visível liderança são muitas vezes figuras decorativas, escolhidas por um acordo ou como meio de neutralizar uma posição potencialmente ameaçadora, ou como meio de disfarçar estrategicamente o poder situado por trás da fachada e, por conseguinte, o poder situado por trás deste poder. Assim também, sempre que pessoas inexperientes ou que ali estejam temporariamente recebem autoridade formal sobre subordinados mais experientes, verificamos com frequência que a pessoa formalmente dotada de poder é subordinada com um papel que tem dominância dramática, embora os subordinados tendam a dirigir o espetáculo[142]. Assim tem-se dito com frequência a respeito da infantaria britânica na Primeira Guerra Mundial, que os experientes sargentos pertencentes à classe operária estavam incumbidos da delicada tarefa de ensinar secretamente seus novos tenentes a representarem um papel dramaticamente expressivo à frente do pelotão e morrer rapidamente numa eminente posição dramática como convém a homens que frequentaram cursos universitários. Os sargentos tomavam seu modesto lugar à retaguarda do pelotão e viviam para treinar ainda outros tenentes.

A dominância dramática e a diretiva têm sido mencionadas como duas dimensões, ao longo das quais cada lugar dentro de uma equipe pode variar. Mudando um pouco o ponto de referência, percebemos um terceiro tipo da variação.

Em geral aqueles que participam da atividade de uma instituição social tornam-se membros de uma equipe quando cooperam para apresentar sua atividade sob um aspecto particular. Contudo, ao revestir-se do papel de um ator, o indivíduo não deixa de devotar parte dos seus esforços a interesses não dramatúrgicos, isto é, à própria atividade da qual a representação oferece uma dramatização aceitável. Podemos esperar, portanto, que os indivíduos que atuam numa determinada equipe se diferenciarão entre si na maneira pela qual dividem seu tempo entre a simples atividade e a simples representação. Numa extremidade haverá indivíduos que raramente aparecem diante da plateia e estão pouco interessados nas aparências. Na outra extremidade estão aqueles que são chamados muitas vezes de "papéis puramente cerimoniais", cujos atores estarão interessados nas aparências que exibem e em quase nada mais. Por exemplo, tanto o presidente quanto o diretor de pesquisas de um sindicato nacional podem passar seu tempo no escritório

142. Cf. RIESMAN, D., "The Avocational Counselors". *The Lonely Crowd*. New Haven: Yale University Press, p. 363-367 [Em colaboração com DENNY, R. e GLAZER, N.].

principal da sede central do sindicato, aparecendo impecavelmente vestidos e falando condignamente, para dar à associação uma fachada de respeitabilidade. Entretanto, pode-se verificar que o presidente também está empenhado em tomar decisões importantes, ao passo que o diretor de pesquisas pode ter pouco a fazer, exceto estar presente em pessoa como parte da comitiva do presidente. Os funcionários do sindicato interpretam estes papéis puramente cerimoniais como "decoração da fachada"[143]. A mesma divisão de trabalho pode ser encontrada na economia doméstica, onde é preciso mostrar algo mais geral do que qualidades de trabalho. O tema familiar do consumo conspícuo designa o modo como os maridos na sociedade moderna têm a tarefa de adquirir uma posição socioeconômica e as esposas a de ostentar essa aquisição. Em épocas um pouco mais antigas, o lacaio oferecia um exemplo ainda mais claro dessa especificação:

> Mas o principal valor do lacaio está diretamente ligado a um destes serviços (domésticos). Era a eficiência com que alardeava a extensão das riquezas do patrão. Todos os criados serviam a este fim, pois sua presença numa residência demonstrava a capacidade do patrão de pagar a eles e mantê-los, em troca de pouco, ou nenhum trabalho produtivo. Mas nem todos eram igualmente eficientes a este respeito. Aqueles cujas habilidades incomuns e treinamento especializado obrigavam a uma alta remuneração faziam recair maior crédito sobre seus patrões do que os empregados que recebiam pequenos ordenados; aqueles cujos deveres os colocavam indiscretamente mais em evidência indicavam com maior eficiência a riqueza dos seus patrões do que os outros, cujo trabalho os mantinha constantemente fora da vista. Os criados de libré, do cocheiro ao lacaio, contavam-se entre os mais eficientes do conjunto. Seus papéis dotavam-nos da máxima visibilidade. Além disso, a libré, por si mes-

---

143. WILENSKY, H.L. *The Staff "Expert"*: A Study of the Intelligence Function in American Trade Unions. University of Chicago, 1953, capítulo IV [Tese inédita de doutorado. – Além desse material da tese, estou grato ao Sr. Wilensky por muitas sugestões].

> ma, acentuava a distância em que se mantinham do trabalho produtivo. Sua eficácia alcançava o ponto máximo no lacaio, pois seu papel o expunha a ser visto mais a miúdo do que o papel de qualquer um dos outros permitia. Por isso era uma das peças mais vistas da ostentação do patrão[144].

Pode-se observar que um indivíduo com um papel puramente cerimonial não precisa ter outro, dramaticamente dominante.

Uma equipe, por conseguinte, pode ser definida como um conjunto de indivíduos cuja íntima cooperação é necessária, para ser mantida uma determinada definição projetada da situação. Uma equipe é um grupo, mas não um grupo em relação a uma estrutura ou organização social, e sim em relação a uma interação, ou série de interações, na qual é mantida a definição apropriada da situação.

Vimos, e veremos mais adiante, que, para uma representação ser eficaz, provavelmente a extensão e o caráter da cooperação que tornam isso possível deverão ser dissimulados e mantidos em segredo. Uma equipe portanto tem algo do caráter de uma sociedade secreta. A plateia apreciará certamente que todos os membros da equipe sejam mantidos unidos por um vínculo do qual nenhum membro do público compartilha. Assim, por exemplo, quando os clientes entram num estabelecimento de prestação de serviços, claramente apreciam que todos os empregados sejam diferentes deles, em virtude de seu papel oficial. Contudo, os indivíduos que fazem parte do grupo dirigente do estabelecimento não são membros de uma equipe em virtude de sua posição de dirigentes, mas somente em virtude da cooperação que dão, a fim de manter uma dada definição da situação. Em muitos casos, nenhum esforço será feito para dissimular quem faz parte do grupo dirigente. Mas este forma uma sociedade secreta, uma equipe na medida em que fica em segredo o modo como cooperam para manter a particular definição da situação. Podem ser criadas equipes de indivíduos para ajudar

---

144. HECHT, J.J. *The Domestic Servant Class in Eighteenth-Century England*. Londres, Routledge & Kegan Paul, 1956, p. 53-54.

o grupo a que pertencem, mas, ao se ajudarem a si mesmos e ao seu grupo deste modo dramatúrgico, estão agindo como uma equipe e não como um grupo. Desta forma, uma equipe, como é usado aqui o termo, é o tipo de sociedade secreta, cujos membros e os não membros sabem que constituem uma sociedade e até uma sociedade fechada, mas a sociedade que estes indivíduos constituem não é a mesma que formam em virtude de atuarem como uma equipe.

Uma vez que todos nós participamos de equipes, devemos carregar no nosso íntimo algo da doce culpa dos conspiradores. E desde que cada equipe está empenhada em manter a estabilidade de algumas definições da situação, escondendo ou depreciando certos fatos a fim de consegui-lo, pode-se esperar que o ator continue vivendo sua carreira de conspirador com certa dissimulação.

Capítulo III
Regiões e comportamento regional

Uma região pode ser definida como qualquer lugar que seja limitado de algum modo por barreiras à percepção. As regiões variam, evidentemente, no grau em que são limitadas e de acordo com os meios de comunicação em que se realizam as barreiras à percepção. Assim as placas de vidro espesso, que se encontram nas salas de controle das estações de rádio, podem isolar uma região auditivamente, mas não visualmente, enquanto um escritório cercado por tabiques de fibra de madeira está fechado de maneira inversa.

Em nossa sociedade anglo-norte-americana – que é relativamente fechada – quando uma representação é feita, usualmente ocorre numa região extremamente limitada, à qual são muitas vezes acrescentados limites relativos ao tempo. A impressão e compreensão criadas pela representação tenderão a saturar a região e a duração do tempo de modo que qualquer indivíduo colocado nesta multiplicidade espaçotemporal estará em condições de observar a representação e ser guiado pela definição da situação que a encenação alimenta[145].

Geralmente uma representação implicará somente um único foco de atenção visual por parte do ator e da plateia, como por exemplo, quando um discurso político é pronunciado num salão, ou quando um doente está conversando com um médico no consultório. Contudo, muitas representações abrangem

145. Sob o termo "cenário comportamental" (*Behavioral Setting*), Wright e Barker, num trabalho metodológico de pesquisa, fornecem um enunciado muito claro a respeito dos sentidos em que as expectativas a respeito da conduta chegam a se associar a lugares específicos. Cf. WRIGHT, H.F. & BARKER, R.O. *Methods in Psychological Ecology*. Topeka, Kansas: Ray's Printing Service, 1950.

como partes constituintes círculos ou aglomerados separados de interação verbal. Assim, um coquetel implica tipicamente vários subgrupos de conversação, que constantemente se alteram em tamanho e nos seus elementos. Igualmente, o espetáculo que se passa no andar térreo de uma loja tipicamente envolve vários focos de interação verbal, cada um formado pela dupla freguês-vendedor.

Dada uma representação particular como ponto de referência, será conveniente muitas vezes usar o termo "região de fachada" para se referir ao lugar onde a representação é executada. O equipamento fixo de sinais desse lugar já foi mencionado como constituindo a parte da fachada chamada "cenário". Veremos que alguns aspectos de uma representação parecem ser executados não para a plateia, mas para a região de fachada.

A representação de um indivíduo numa região de fachada pode ser vista como um esforço para dar a aparência de que sua atividade nessa região mantém e incorpora certos padrões. Estes parecem dividir-se em dois grandes grupos. Um grupo refere-se à maneira pela qual o ator trata a plateia, enquanto está empenhado em falar com ela ou num intercâmbio de gestos que são substitutos para a fala. Estes padrões são chamados às vezes de questão de polidez. O outro grupo de padrões diz respeito ao modo como o ator se comporta enquanto está ao alcance visual ou auditivo da plateia, mas não necessariamente empenhado em conversar com ela. Usarei o termo "decoro" para me referir a este segundo grupo de padrões, embora algumas desculpas e restrições tenham de ser acrescentadas para justificar este uso.

Quando examinamos as exigências que o decoro requer numa região, exigências de uma espécie não relacionada com o trato dos outros na conversação, tendemos a dividi-las novamente em dois subgrupos, moral e instrumental. Os requisitos morais são fins em si mesmos e presumivelmente se referem a regras que dizem respeito à não ingerência nos assuntos dos outros, e à tranquilidade destes, regras concernentes a propriedade sexual, o respeito pelos lugares sagrados etc. Os requisitos instrumentais não são fins em si mesmos e presume-se que se referem a deveres tais como os que o empregador poderia exigir de seus empregados, a saber, zelo pela propriedade, manutenção dos níveis de trabalho etc. Poder-se-ia julgar que o termo "decoro" deveria abranger os padrões morais e que um outro deveria ser empregado para os instrumentais. Quando, porém, examinamos a ordem mantida em uma dada região, verificamos que essas duas modalidades de exigência, moral e instrumental, parecem afetar de maneira muito semelhante o indivíduo que deve responder a elas e que ambos os motivos ou racionalizações são apresentados como justificativas para muitos padrões que devem ser conservados. Desde que o padrão seja mantido por sanções e por alguém que as exerça, será geralmente de pouca importância para o ator saber se o padrão se justifica principalmente por motivos instrumentais ou morais, ou se lhe pedem, ou não, que incorpore o padrão.

Note-se que a parte da fachada pessoal a que chamei de "maneiras" será importante em relação à polidez e que a parte chamada "aparência" será importante em relação ao decoro. Pode-se também notar que embora o comportamento decoroso possa tomar a forma de demonstração de respeito pela região e pelo cenário em que alguém se encontra, tal demonstração pode, sem dúvida, ser motivada pelo desejo de impressionar favoravelmente a plateia, evitar sanções etc. Finalmente, dever-se-ia notar que os requisitos do decoro são ecologicamente mais penetrantes que os da polidez. Uma plateia pode submeter toda uma região de fachada a uma inspeção contínua, no que diz respeito ao decoro, mas, enquanto está empenhada nisso, nenhum ator, ou somente uns poucos poderão estar obrigados a falar com a plateia, e, por conseguinte, a demonstrar polidez. Os atores podem deixar de se expressar, mas não conseguirão evitar a emissão de expressões.

No estudo das instituições sociais é importante descrever os padrões de decoro que prevalecem. É difícil fazê-lo, porque os informantes e os estudiosos tendem a considerar naturais esses padrões, não percebendo que procederam assim até que ocorra um acidente, uma crise ou circunstância peculiar. É sabido, por exemplo, que diferentes escritórios comerciais têm padrões diferentes no que concerne às conversas informais entre os funcionários, mas não é somente quando acontece fazermos o estudo de um escritório onde haja apreciável número de empregados estrangeiros refugiados que subitamente percebemos que a permissão para manter uma conversa informal pode não significar permissão para manter uma conversa informal numa língua estrangeira[146].

Estamos acostumados a supor que as regras de decoro que prevalecem em recintos sagrados, como igrejas, serão muito diferentes das encontradas em lugares de trabalho cotidiano. Isso não nos deve levar a pensar que nos lugares sagrados os padrões sejam mais numerosos e mais rígidos que os encontrados em ambientes de trabalho. Enquanto está numa igreja, uma mulher tem permissão de se sentar, sonhar acordada e mesmo cochilar. Entretanto, como vendedora no andar térreo de uma loja de vestidos pode-se exigir que ela permaneça de pé, vigilante, abstenha-se de mascar chicletes, mantenha um sorriso fixo no rosto mesmo quando não está conversando com alguém e use roupas que mal pode pagar.

Uma forma de decoro que tem sido estudada em estabelecimentos sociais é a que se pode chamar de "simular trabalho". É compreensível que em muitos estabelecimentos se exija não somente que os empregados produzam uma certa quantidade dentro de determinado espaço de tempo, mas também que se achem preparados, quando solicitados, para dar a impressão de estarem trabalhando duramente naquele momento. A respeito de um estaleiro, soubemos o seguinte:

> Era divertido observar a súbita transformação sempre que corria a notícia de que o chefe estava no casco do navio ou na oficina, ou que um superintendente do escritório administrativo estava a caminho. Contramestres e capatazes corriam rapidamente para seus grupos de trabalhadores e os instigavam a uma visível atividade. "Não deixe que ele o pegue sentado", era o aviso geral, e onde não havia o que fazer, um tubo era trabalhosamente recurvado e abria-se nele uma rosca, ou um parafuso que já estava firmemente colocado era

146. Cf. GROSS. Op. cit., p. 186.

> submetido a novo e desnecessário aperto. Este era o tributo formal invariavelmente pago a uma visita do patrão e suas convenções eram tão familiares a ambos os lados quanto aquelas que envolvem uma inspeção de um general de cinco estrelas. Negligenciar qualquer detalhe da falsa e vazia encenação seria interpretado como sinal de singular desrespeito[147].

Igualmente, quanto a uma enfermeira de hospital, eis o que nos dizem:

> Outras enfermeiras recomendavam muito explicitamente à observadora, no seu primeiro dia de trabalho nas enfermarias, que não "se deixasse apanhar" caindo nas boas graças de um doente, aparentasse estar ocupada quando a supervisora fizesse suas rondas, e não lhe falasse a não ser quando primeiramente solicitada. Observou-se que algumas enfermeiras vigiavam a aproximação dela e avisavam as outras, de tal forma que nenhuma delas fosse apanhada praticando atos indesejáveis. Algumas delas deixavam suas tarefas para quando a supervisora estivesse presente, de modo a estarem ocupadas sem terem de fazer mais trabalho. Em muitas delas a mudança não era tão visível, dependendo muito da maneira de ser de cada uma, da supervisora e da situação da enfermeira. Contudo, em quase todas as enfermeiras havia uma mudança de comportamento quando um funcionário, como, por exemplo, uma supervisora, estava presente. Não havia desrespeito aberto a regras e regulamentos [...][148].

Da consideração do "trabalho simulado" há apenas um passo para a consideração de outros padrões de atividade de trabalho nos quais as aparências devem ser mantidas, tais como ritmo, interesse pessoal, economia, precisão etc.[149] E da consi-

147. ARCHIBALD, K. *Wartime Shipyard*. Berkeley e Los Angeles: University of California Press, 1947, p. 159.

148. WILLOUGHBY. Op. cit., p. 43.

149. Uma análise de alguns dos principais padrões de trabalho pode ser encontrada em GROSS, op. cit., da qual os exemplos acima a respeito de tais padrões foram tirados.

deração dos padrões de trabalho em geral há apenas um passo até a consideração de outros importantes aspectos do decoro, instrumental e moral, em locais de trabalho, compreendendo a maneira de vestir, níveis de barulho permitido, diversões proibidas, concessões e expressões cordiais.

A simulação de trabalho, juntamente com outros aspectos de decoro em locais de trabalho, é geralmente considerada uma responsabilidade particular dos empregados de condição humilde. O enfoque dramatúrgico, entretanto, exige que consideremos, ao lado da simulação do trabalho, o problema da encenação de simulação da ociosidade. Assim, numa narrativa a respeito da vida no início do século XIX entre os pobres com pretensões a ricaços, vemos que:

> As pessoas eram extremamente meticulosas na questão de convites – lembremo-nos do convite no *Mill on the Floss.* O convite era obrigatório em intervalos regulares, de tal modo que quase se podia saber o dia em que seria feita ou retribuída uma breve visita. Era um cerimonial que tinha muita etiqueta e fingimento. Ninguém, por exemplo, deveria ser surpreendido fazendo qualquer espécie de trabalho. Havia a ficção nessas famílias de elegantes pobretões, de que as senhoras da casa nunca faziam coisa alguma importante ou útil depois do jantar. Admitia-se que a tarde devia ser devotada a passeios, visitas ou a elegantes ocupações frívolas em casa. Portanto, se as moças estivessem no momento ocupadas em qualquer trabalho útil, empurravam-no para baixo do sofá e faziam de conta que estavam lendo um livro, pintando, fazendo tricô ou empenhadas numa conversa tranquila e elegante. Não tenho a menor ideia do motivo pelo qual insistiam nessa pretensão, pois todo mundo sabia que toda jovem do lugar estava sempre fazendo alguma coisa, consertando, cortando, alinhavando, remendando, enfeitando, reformando e inventando. Como se poderia pensar que as filhas do procurador se apresentassem tão admiravelmente aos domingos, se não fossem suficientemente hábeis para fazer as coisas elas mesmas? Todos com certeza sabiam, e não

> se pode agora compreender, por que as jovens não o admitiam logo. Talvez fosse uma espécie de suspeita, uma tímida esperança ou um sonho fantástico de que a reputação de inutilidade igual à das grandes damas pudesse torná-las capazes de atravessar o limite no baile do condado e misturar-se com seu povo[150].

Deve estar claro que, embora as pessoas que são obrigadas a simular trabalho e demonstrar ociosidade provavelmente estejam nas extremidades opostas do caminho, devem acomodar-se do mesmo lado da ribalta.

Foi dito antes que, quando a atividade de alguém se passa na presença de outras pessoas, alguns aspectos da atividade são expressivamente acentuados e outros, que poderiam desacreditar a impressão incentivada, são suprimidos. É claro que os fatos acentuados aparecem naquilo que chamei de região de fachada; deveria ser igualmente claro que pode haver outra região – uma "região de fundo" ou "dos bastidores" – onde os fatos suprimidos aparecem.

Uma região de fundo ou dos bastidores pode ser definida como o lugar, relativo a uma dada representação, onde a impressão incentivada pela encenação é sabidamente contradita como coisa natural. Há, sem dúvida, muitas funções características de tais lugares. É aqui onde se fabrica laboriosamente a capacidade de uma representação expressar algo além de si mesma. Aqui é onde as ilusões e impressões são abertamente construídas. Aqui os apoios do palco e os elementos da fachada pessoal podem ser guardados, numa espécie de aglomerado de repertórios inteiros de ações e personagens[151]. Aqui os tipos de equipamento cerimonial, tais como as diferentes espécies de bebidas e rou-

---

150. BESANT, W. "Fifty Years Ago". *The Graphyc Jubilee Number*, 1887, apud por LAVER, J., *Victoriam Vista*. Boston: Houghton Mifflin, 1955, p. 147.

151. Como indica MÉTRAUX, op. cit., p. 24, mesmo a prática do vodu exige estas habilidades: Todo caso de possessão tem seu lado teatral, como se vê nos disfarces. Os aposentos do santuário não são diferentes dos bastidores de um teatro, onde os possuídos encontram os acessórios necessários. Ao contrário do histérico, que revela sua angústia e seus desejos por meio de sintomas – um meio pessoal de expressão – o ritual de possessão deve estar de acordo com a imagem clássica de um personagem mítico.

pas, podem ser escondidos, de tal modo que a plateia não seja capaz de perceber o tratamento concedido a eles, em comparação com o que lhes poderia ser dado. Aqui aparelhos tais como o telefone são guardados, de modo a que possam ser usados "particularmente". Aqui os trajes e outras partes da fachada pessoal podem ser regulados e revistados, a fim de se descobrir as imperfeições. Aqui a equipe pode rever sua representação, reprimindo as expressões ofensivas, quando nenhum observador está presente, para ser ofendido por elas. Aqui os membros menos capazes da equipe, os que são expressivamente ineptos, podem ser treinados ou excluídos da representação. Aqui o ator pode descontrair-se, abandonar a sua fachada, abster-se de representar e sair do personagem. Simone de Beauvoir fornece um quadro bem vivido desta atividade de bastidores, ao descrever situações das quais a plateia masculina está ausente:

> O que dá valor a estas relações entre as mulheres é a veracidade que elas envolvem. Defrontando-se com o homem, a mulher está sempre representando um papel de atriz. Mente quando finge aceitar sua condição como a que não é essencial, mente quando apresenta ao homem um personagem imaginário, mediante gestos, trajes e frases estudadas. Tais qualidades histriônicas requerem uma tensão constante: quando está com o marido ou o amante, toda mulher tem mais ou menos consciência da ideia "não estou sendo eu mesma". O mundo masculino é severo, tem margens definidas, suas vozes são por demais ressonantes, as luzes muito cruas, os contatos rudes. Com as outras mulheres, uma mulher está atrás do palco, está polindo seu equipamento, mas não em batalha, está se vestindo, preparando a maquilagem, expondo suas táticas, deixa-se ficar de camisola e chinelos nos bastidores, antes de fazer sua entrada em cena. Aprecia esta atmosfera quente, tranquila, relaxada [...]. Para algumas mulheres esta intimidade quente e frívola é mais prezada que a séria pompa das relações com os homens[152].

---

152. DE BEAUVOIR. Op. cit., p. 543.

Muito comumente a região de fundo de uma representação fica localizada numa extremidade onde ela está sendo apresentada, ficando separada por uma divisão e passagens protegidas. Sendo as regiões da fachada e do fundo adjacentes desta maneira, um ator colocado na fachada pode receber ajuda da retaguarda enquanto a representação está em curso e interrompê-la momentaneamente para pequenos períodos de descanso. Geralmente, sem dúvida, a região de fundo será o lugar onde o ator pode confiantemente esperar que nenhum membro do público penetre.

Como os segredos vitais de um espetáculo são visíveis nos bastidores, e como os atores se comportam libertando-se de seus personagens enquanto estão lá, é natural esperar que a passagem da região da fachada para a dos fundos seja conservada fechada aos membros do público ou que toda a região do fundo se mantenha escondida deles. Esta é uma técnica de manuseio da impressão largamente praticada e requer um exame mais detalhado.

Obviamente, o controle dos bastidores desempenha papel significativo no processo de "controle de trabalho", pelo qual os indivíduos tentam se premunir contra as exigências deterministas que os cercam. Se o operário de uma fábrica quiser aparentar com sucesso que trabalha duro o dia todo, deve ter um expediente seguro que o faça capaz de vencer um dia de trabalho com menos esforço do que o exigido por um dia completo[153]. Para dar à família enlutada a ilusão de que o morto está realmente num sono profundo e tranquilo, o agente funerário deve ser capaz de mantê-la longe da sala onde os cadáveres são tratados, embalsamados e recompostos, em preparação para a sua última representação[154]. Se o corpo de funcionários de um sanatório de

153. Cf. de COLLINS, O.; DALTON, M. & ROY, D. "Restriction of Output and Social Cleavage in Industry". *Applied Anthropology* (atualmente *Human Organization*), IV, p. 1-14, esp. p. 9.

154. O Sr. Habenstein disse num seminário que, em alguns Estados, o agente funerário tem o direito legal de impedir os parentes do morto de entrar na sala onde o cadáver está sendo preparado. Presumivelmente, a visão do que precisa ser feito com o defunto para que fique com boa aparência seria um choque demasiado grande para os não profissionais, especialmente para a família do morto. O Sr. Habenstein afirma também que a família pode querer manter-se afastada da sala por temer sua própria curiosidade mórbida.

doentes mentais pretender dar uma boa impressão do estabelecimento àqueles que vêm visitar seus parentes, será importante impedir os visitantes de percorrer as enfermarias, principalmente as de doentes crônicos, restringindo-os às salas de visitas especiais onde seja possível ter instalações relativamente boas e assegurar que todos os pacientes presentes estejam bem-vestidos, limpos, dóceis e razoavelmente bem-comportados. Assim também, em muitos negócios de prestação de serviços, pede-se ao freguês que deixe o objeto que necessita de reparo e vá embora, de modo que o negociante possa trabalhar privadamente. Quando o freguês volta para apanhar seu automóvel – ou relógio, as calças ou o rádio – o objeto lhe é apresentado em boa ordem que incidentalmente esconde a quantidade e espécie de trabalho que teve de ser feito, o número de erros que foram primeiro cometidos antes de aprontá-lo, e outros detalhes, que o cliente teria de conhecer antes de ser capaz de julgar se é razoável o preço que lhe pedem.

O pessoal que presta serviço está tão habituado a considerar natural o direito de manter o público longe da região dos fundos que a atenção é atraída mais para os casos nos quais esta estratégia comum não pode ser aplicada do que para aqueles em que pode. Por exemplo, o gerente norte-americano de um posto de gasolina tem muitas dificuldades a este respeito[155]. Se um reparo é necessário, os fregueses quase sempre se recusam a deixar o automóvel durante a noite ou todo o dia sob a custódia do estabelecimento, como fariam se tivessem levado o carro a uma garagem. Além disso, quando o mecânico faz reparos e ajustes, os fregueses em geral se sentem no direito de vigiá-lo enquanto trabalha. Se um falso serviço tiver de ser prestado e posto na conta, é preciso, portanto, que seja feito diante da própria pessoa que será fraudada. Os fregueses, na verdade, não somente negam o direito do pessoal do posto à sua própria região dos fundos, mas muitas vezes também caracterizam o posto inteiro como uma espécie de cidade aberta aos homens, um lugar onde o indivíduo corre o risco de sujar a roupa e, portanto, tem o

---

155. As proposições que se seguem foram tomadas de um estudo feito pela Social Research, Inc., relativo a duzentos administradores de pequenos negócios.

direito de exigir completo privilégio de acesso aos bastidores. Os motoristas perambularão por aí, inclinarão o chapéu para trás, cuspirão, dirão palavrões e pedirão serviço grátis ou conselho grátis para a viagem. Entrarão rudemente para fazer uso do toalete, das ferramentas do posto, do telefone do escritório ou procurarão no depósito seus próprios acessórios[156].

A fim de evitar os sinais de tráfego, os motoristas atravessarão diretamente pela pista do posto, esquecendo os direitos de propriedade do gerente.

O Hotel Shetland fornece-nos outro exemplo dos problemas que os trabalhadores enfrentam quando controlam insuficientemente os bastidores. Na cozinha do hotel, onde a comida dos hóspedes era preparada e onde os empregados comiam e passavam o dia, a cultura dos agricultores tendia a prevalecer. Será útil dar alguns detalhes a respeito desta cultura:

Na cozinha prevaleciam as relações de agricultores entre patrão e empregado. Chamavam-se pelo primeiro nome, embora o rapaz da copa tivesse quatorze anos e o proprietário mais de trinta. O casal de donos e os empregados comiam juntos, participando com relativa igualdade na tagarelice das refeições. Quando os proprietários organizavam festinhas na cozinha para os amigos ou parentes, os empregados do hotel participavam. Este padrão de intimidade e igualdade entre direção e empregados não condizia com a aparência que ambos os elementos do

---

156. A cena seguinte me foi contada pelo gerente de uma garagem de carros esporte a respeito de um freguês que entrou na loja para comprar uma gaxeta, mostrando-a ao gerente estando atrás do balcão:
Freguês: Quanto custa?
Gerente: Por onde o senhor entrou e o que aconteceria se fosse para trás de um balcão de um banco, apanhasse um pacote de níqueis e o apresentasse ao caixa-pagador?
Freguês: Mas isto não é um banco.
Gerente: Bem, estes são os meus níqueis. Agora, o que deseja?
Freguês: Se o senhor pensa assim, muito bem. Está no seu direito. Quero uma gaxeta para um Anglia "51".
Gerente: Esta é para um "54".
Conquanto a anedota do gerente possa não ser uma reprodução fiel das palavras e ações que foram efetivamente trocadas, conta-nos algo verídico sobre sua situação e seus sentimentos no caso.

pessoal tomavam quando os hóspedes estavam presentes, pois eram incompatíveis com as noções de distância social que os hóspedes achavam que devia existir entre o funcionário com quem tratavam de sua estada e os porteiros e camareiras, que carregavam a bagagem, engraxavam os sapatos dos hóspedes toda noite e esvaziavam os urinóis.

Igualmente, na cozinha do hotel eram empregados os padrões de alimentação da ilha. A carne, quando disponível, costumava ser cozida. O peixe, comido com frequência, era cozido ou salgado. As batatas, parte inevitável de uma das principais refeições do dia, eram quase sempre cozidas com casca e comida à moda da ilha: cada pessoa tira com a mão uma batata da tigela central, espeta-a com o garfo e descasca-a com a faca, deixando as cascas numa pilha bem-arrumada ao lado do prato, para serem apanhadas com a faca quando acabada a refeição. Um oleado era usado como toalha para a mesa. Quase todas as refeições eram precedidas por uma tigela de sopa, e esta, em lugar de pratos, costumava ser usada para o conjunto de comidas que fossem servidas depois. (Desde que muitas das comidas eram, de qualquer forma, cozidas, este era um uso prático.) Os garfos e as facas eram, às vezes, agarrados com a mão fechada em punho e o chá era servido em xícaras sem pires. Embora a dieta da ilha sob vários aspectos parecesse adequada, e os modos de os ilhéus se comportarem à mesa pudessem ser executados com grande delicadeza e seriedade – e geralmente eram – toda esta complexa operação de comer era compreendida pelos habitantes da ilha não somente como diferente dos padrões da classe média britânica, mas de certa forma como uma violação deles. Talvez esta diferença de padrão fosse mais evidente nas ocasiões em que a comida dada aos hóspedes era também servida na cozinha. (Isso não era incomum e não acontecia com mais frequência porque os empregados, em geral, preferiam a comida da ilha à que era oferecida aos hóspedes.) Nestas ocasiões a porção de comida da cozinha era preparada e servida à moda da ilha, dando-se pouca importância às porções que cabiam a cada um, e maior destaque a uma fonte comum de serviços. Muitas vezes, as sobras de um peso de carne ou os restos quebrados de uma fornada de tortas de frutas eram servidos, a mesma comida que era apresentada na sala de jantar dos hóspedes, mas em condições ligeiramente diferentes, de maneira não ofensiva de acordo com os padrões culinários da ilha. E se um pudim feito de pão dormido e bolo não fosse do agrado dos hóspedes, era comido na cozinha.

As roupas dos lavradores e os padrões de atitudes costumavam também aparecer na cozinha do hotel. Assim, o gerente seguia às vezes o costume local e ficava com o boné na cabeça; os copeiros usavam o balde de carvão como alvo para uma bem acertada cusparada; e as mulheres do pessoal descansavam sentadas com as pernas para o alto, em posição nada própria de senhoras.

Além dessas diferenças devidas à cultura, havia outras fontes de discrepância entre as maneiras na cozinha e as empregadas na sala de visitas do hotel, pois alguns dos padrões de serviço hoteleiro apresentados nos locais frequentados pelos hóspedes não eram inteiramente cumpridos na cozinha. Na parte da cozinha que constituía a copa, formava muitas vezes bolor em cima da sopa que ia ser usada. Em cima do fogão, as meias molhadas secavam no vapor da chaleira, uma prática padronizada na ilha. Quando os hóspedes pediam que lhes servissem um chá fresquinho, este era fervido numa vasilha que continha, no fundo, folhas velhas já de muitas semanas. Limpava-se os arenques frescos cortando-os e, então, raspando as vísceras com um pedaço de jornal. As rodelas de manteiga, amolecidas, deformadas e parcialmente usadas durante a estadia na sala de jantar, eram enroladas de novo, a fim de parecerem frescas e enviadas de volta para cumprir sua tarefa outra vez. Os belos pudins, bons demais para serem comidos na cozinha, eram agressivamente provados com o dedo antes da distribuição aos hóspedes. Durante a movimentada hora de refeição, os copos já usados frequentemente seriam apenas esvaziados e enxutos, em vez de serem lavados outra vez e, desse modo, colocados rapidamente em circulação de novo[157].

---

157. Estas ilustrações sobre a discrepância entre a realidade e aparência dos padrões não deveriam ser consideradas extremas. A atenta observação dos bastidores de qualquer casa de classe média em cidades ocidentais provavelmente revelaria discrepâncias entre a realidade e a aparência igualmente grandes. E

Dadas, então, as várias formas pelas quais a atividade na cozinha contradizia a impressão criada na região do hotel usada pelos hóspedes, pode-se perceber por que as portas de comunicação da cozinha com as outras partes do hotel eram um constante ponto nevrálgico na organização do trabalho. As garçonetes queriam mantê-las abertas para facilitar o transporte das bandejas de cá para lá, informarem-se se os hóspedes estavam prontos, ou não, para o serviço que estava para lhes ser apresentado e conservar, tanto quanto possível, o contato com as pessoas com quem tinham de trabalhar. Desde que as moças representavam um papel de criadas diante dos hóspedes, achavam que não tinham muito a perder pelo fato de serem observadas por eles em seu próprio meio, quando davam uma olhada à cozinha, ao vê-las passar pelas portas abertas. Os gerentes, por outro lado, queriam manter a porta fechada, de modo que o papel de classe média que lhes era atribuído pelos hóspedes não ficasse desacreditado pela revelação de seus hábitos na cozinha. Dificilmente se passava um dia sem que essas portas fossem fechadas raivosamente e raivosamente empurradas. Uma porta de vaivém, do tipo das usadas nos modernos restaurantes, teria fornecido uma solução parcial para este problema de encenação. Uma pequena vidraça nas portas que funcionasse como visor – um dispositivo cênico usado em muitos locais pequenos de negócio – também teria sido útil.

Outro exemplo interessante das dificuldades de bastidores encontra-se no trabalho em emissoras de rádio e televisão. Nessas situações, a região de fundo costuma ser definida como formada por todos os lugares que a câmera não focaliza no momento, ou por todos os lugares fora de alcance dos microfones "ligados". Assim, um anunciador pode segurar com braço estendido o produto do patrocinador diante da câmera, enquanto aperta o nariz com a outra mão, o rosto ficando fora da imagem, como uma brincadeira com os colegas. Os profissionais certamente contam muitas histórias de pessoas que julgavam não estar sendo focalizadas quando estavam de fato no ar e como esta

---

sempre que há alguma comercialização, as discrepâncias, sem dúvida, são, às vezes, maiores.

conduta de bastidores desacreditou a caracterização da situação que se procura manter na imagem. Por motivos técnicos, portanto, as "paredes", atrás das quais os atores têm de se ocultar, podem ser muito traiçoeiras, tendendo a cair com a pancada do interruptor ou uma volta da câmera. Os artistas de televisão têm de viver nesta contingência da encenação.

Um caso de algum modo afim à dificuldade especial de bastidores se encontra na arquitetura de alguns modernos projetos de residências. As paredes, que realmente são divisões finas, podem separar visualmente os cômodos, mas permitir que a atividade da região de fachada e da região de fundos de uma unidade seja ouvida no domicílio vizinho. Assim, os pesquisadores britânicos empregam o termo "parede e meia" e descrevem suas consequências deste modo:

> Os moradores percebem muitos ruídos "da vizinhança", do barulho usual das festas de aniversário e até o som da rotina diária. Os informantes mencionam o rádio, o choro do bebê à noite, a tosse, os sapatos atirados na hora de dormir, as crianças correndo para cima e para baixo nas escadas ou no quarto, batuque no piano e risos ou conversação em voz alta. No quarto do casal, os sinais provenientes do vizinho podem ser chocantes: "Pode-se até ouvi-los usar o urinol; imagine como é desagradável. É terrível"; ou inquietantes: "Eu os ouvi brigando na cama. Um queria ler e o outro queria dormir. É incômodo ouvir barulhos na cama, e por isso tive de mudar minha cama para o outro lado [...]" "Gosto de ler na cama e tenho um ouvido muito sensível e por isso ouvi-los conversar me perturba"; ou um pouco constrangedores: "Às vezes, escuta-se eles dizerem coisas íntimas, como, por exemplo, um homem falando à sua esposa que os pés dela estão frios. Isto nos leva a pensar que se deve dizer coisas particulares num sussurro"; e, "Isto nos faz ficar um pouco coibidos, se devemos caminhar na ponta dos pés em nosso quarto de dormir, à noite"[158].

158. KUPER, L. "Blueprint for Living Together", In: KUPER, L. et al. *Living in Towns*. Londres: The Cresset Press, 1953, p. 14-15.

Neste caso vizinhos que podem conhecer-se muito pouco encontram-se na embaraçosa posição de saber que cada um conhece demasiadas coisas a respeito do outro.

Um exemplo final das dificuldades de bastidores pode ser citado, referente às contingências de ser uma pessoa exaltada pelos outros. Há pessoas que podem se tornar de tal modo veneradas, que a única aparência condizente com elas é estar no meio de uma comitiva ou de uma cerimônia. Seria julgado impróprio aparecerem diante de outras pessoas em qualquer outro contexto, pois estes aparecimentos informais poderiam desacreditar os atributos mágicos que lhes são conferidos. Portanto, os membros da plateia ficam proibidos de penetrar em todos os lugares onde possivelmente o indivíduo exaltado repousa, e se o lugar para o relaxamento é grande, como no caso do imperador chinês do século XIX, ou se há incerteza sobre o lugar onde o venerando está, tornam-se consideráveis os problemas de violação. Assim, a Rainha Vitória fez reforçar a regra de que qualquer pessoa, ao vê-la aproximar-se quando estava dirigindo seu carro puxado por um pônei nos jardins do palácio, devia voltar a cabeça ou caminhar em outra direção; por conseguinte, importantes estadistas muitas vezes eram obrigados a sacrificar sua própria dignidade e pular para trás de uma moita quando a rainha inesperadamente se aproximava[159].

Embora alguns destes exemplos de dificuldades da região dos fundos sejam extremos, parece que nenhuma instituição social pode ser estudada sem que surjam problemas relativos ao controle dos bastidores.

As regiões de trabalho e de recreação representam duas áreas de controle dos bastidores. Outra área é constituída pela tendência, largamente difundida em nossa sociedade, de dar aos atores o controle sobre o lugar onde eles praticam aquilo que chamamos de necessidades biológicas. Em nossa sociedade, o ato de defecar envolve o indivíduo numa atividade caracterizada como incompatível com os padrões de limpeza e pureza expressos em muitas de nossas representações. Tal atividade obriga

---

159. PONSONBY. Op. cit., p. 32.

também o indivíduo a desarranjar as roupas e "sair da peça", isto é, deixar cair do rosto a máscara expressiva que emprega na interação face a face. Ao mesmo tempo torna-se difícil para ele reorganizar sua fachada pessoal, se houver necessidade de entrar subitamente em interação. Talvez seja esta a razão pela qual as portas dos toaletes, em nossa sociedade, tenham fechadura. Quando dormindo na cama, o indivíduo está também imobilizado, expressivamente falando, e não é capaz de se colocar numa posição apropriada para a interação ou de manifestar no rosto uma expressão sociável, até que passem alguns momentos depois de ter acordado, dando assim uma possível explicação da tendência a afastar o quarto de dormir da parte ativa da casa. A utilidade dessa separação é reforçada pelo fato de a atividade sexual ocorrer quase sempre no quarto de dormir, forma de interação que também torna os executantes incapazes de entrarem imediatamente em outra interação.

Uma das ocasiões mais interessantes para observar o controle da impressão é o momento em que um ator deixa a região dos fundos e entra no local em que o público se encontra, ou quando volta daí, pois nesses momentos pode-se apreender perfeitamente o vestir e o despir do personagem. George Orwell, falando de garçons e dos lavadores de pratos do ponto de vista dos bastidores, fornece-nos um exemplo:

> É uma visão instrutiva olhar um garçom entrando no salão de refeições de um hotel. Ao atravessar a porta, sofre uma súbita mudança. O conjunto de seus ombros se altera; toda baixeza, pressa e irritação desaparecem num instante. Desliza sobre o tapete com um solene ar sacerdotal. Lembro-me de nosso *maitre d'hôtel* assistente, um italiano impetuoso, parando na porta do salão de refeições para se dirigir a um aprendiz que tinha quebrado uma garrafa de vinho. Sacudindo os punhos acima da cabeça, vociferava (felizmente a porta era mais ou menos à prova de som). "*Tu me fais* – e você se intitula garçom, seu filho da mãe? Você, um garçom? Você não presta nem para esfregar o chão do bordel de onde sua mãe veio. *Maquereau*!"
>
> Faltando-lhe as palavras, voltou-se para a porta; e quando a abriu soltou um insulto final à moda do Cavaleiro Oeste em *Tom Jones*.

> Em seguida entrou na sala de refeições e deslizou por ela de prato na mão, gracioso como um cisne. Dez segundos mais tarde cumprimentava reverentemente um freguês. E não se podia deixar de pensar, vendo-o inclinar-se e sorrir com aquele sorriso benigno de garçom experiente, que o freguês devia estar envergonhado por ter um tal aristocrata a servi-lo[160].

Mais um exemplo é fornecido por outro observador participante de nível mais baixo inglês:

> A dita empregada – seu nome era Addie, descobri – e as duas garçonetes comportavam-se como pessoas representando uma peça. Deslizavam para a cozinha, como se saíssem do palco para os bastidores, as bandejas no alto e uma tensa expressão de altivez ainda no rosto; descontraíam-se por um momento no frenesi de apanhar novos pratos cheios e deslizavam outra vez com o rosto preparado para fazer a próxima entrada. O cozinheiro e eu éramos deixados como carpinteiros de teatro entre os destroços, como se tivéssemos tido uma visão de outro mundo, e quase ouvíamos o aplauso da plateia invisível[161].

O declínio do serviço doméstico obrigou a rápidas mudanças do tipo mencionado por Orwell entre as donas de casa da classe média. Ao oferecer um jantar a amigos, deve dirigir o trabalho pesado da cozinha de tal modo que seja capaz de passar do papel de doméstica ao de anfitriã, e vice-versa, alterando sua atividade, maneiras e temperamento, ao entrar na sala de jantar e ao sair. Os livros de etiqueta dão instruções úteis para facilitar tais mudanças, sugerindo que se a anfitriã deve se retirar para uma região de fundo por um grande período de tempo, como quando vai fazer as camas, então um modo de resguardar as aparências será o dono da casa levar as visitas para um pequeno passeio no jardim.

---

160. ORWELL, G. *Down and Out in Paris and London*. Londres: Secker and Warburg, 1951, p. 68-69.

161. DICKENS, M. *One Pair of Hands*. Londres: Michael Joseph, Mermald Books, 1952, p. 13.

A linha que divide as regiões de fachada e de fundo é exemplificada por toda parte em nossa sociedade. Como foi dito, o banheiro e o quarto de dormir, em quase todas as casas, exceto as da classe baixa, são lugares dos quais o público do andar térreo pode ser excluído. Os corpos que são lavados, vestidos e maquilados nestes cômodos podem ser apresentados aos amigos em outros. Na cozinha, evidentemente, faz-se à comida o que no banheiro e no quarto de dormir é feito ao corpo humano. Na realidade, é a presença desses recursos cênicos que distingue a maneira de viver da classe média da que a classe baixa leva. Mas em todas as classes de nossa sociedade há a tendência a fazer uma divisão entre as partes fronteiras e de fundo na exterioridade das residências. A parte fronteira costuma ser relativamente bem-decorada, em bom estado e arrumada; a retaguarda costuma ser relativamente pouco atraente. Correspondendo a isso, os amigos adultos entram pela parte fronteira e em geral as pessoas socialmente incompletas – criados, entregadores e crianças – entram pelos fundos.

Embora estejamos familiarizados com os arranjos cênicos dentro e em torno de uma residência, costumamos ter menos conhecimentos de outros arranjos. Nos arredores das residências norte-americanas, os meninos de oito a quatorze anos e outras pessoas estranhas gostam que as entradas para os becos e vielas levem a alguma parte e sejam usadas; veem estas aberturas de uma forma vivida, que estará perdida para eles quando crescerem. Igualmente, porteiros e faxineiros percebem claramente as pequenas portas que levam às partes dos fundos dos edifícios comerciais e estão intimamente familiarizados com o sistema irreverente de transportar secretamente equipamentos de limpeza, grandes esteios do palco e eles próprios. Há um arranjo semelhante nas lojas, onde os lugares "atrás do balcão" e o depósito servem como regiões de fundos.

Dados os valores de uma determinada sociedade, é evidente que o caráter de bastidor de certos lugares é introduzido neles de modo material, e que, em relação às áreas adjacentes, tais lugares são inevitavelmente regiões de fundo. Em nossa sociedade a arte dos decoradores geralmente faz isso para nós, reservando cores escuras e alvenaria de tijolos às partes de serviço dos edifícios, e reboco branco para as partes da frente. Peças do equipamento fixo dão permanência a esta divisão. Os empregadores completam a harmonia contratando pessoas com atributos visuais pouco atraentes para o trabalho na região do fundo e colocando pessoas que "dão boa impressão" nas regiões da fachada. Podem ser usadas reservas de trabalho que não impressionam bem não somente numa atividade que deve ser oculta do público, mas também na que pode ser escondida, mas não precisa ser. Como disse Everett Hughes[162], os empregados negros podem mais facilmente do que de outra forma ser admitidos em fábricas norte-americanas se, como no caso dos químicos, forem mantidos afastados das áreas principais de operação da fábrica. (Tudo isso implica uma espécie de seleção ecológica, que é bem conhecida, mas pouco estudada.) Frequentemente espera-se dos que trabalham nos bastidores a realização de padrões técnicos, enquanto os que trabalham na região da fachada realizarão padrões expressivos.

A decoração e os acessórios de um lugar onde uma representação particular é comumente feita, bem como os atores e o espetáculo geralmente ali encontrados, contribuem para fixar uma espécie de encantamento sobre ele. Mesmo quando a representação costumeira não está sendo executada, o lugar continua a guardar alguma coisa de seu caráter de região de fachada. Assim, uma catedral e uma sala de aula retêm algo de sua atmosfera, mesmo quando somente estão presentes trabalhadores em consertos. Ainda que esses homens não se comportem reverentemente durante o trabalho, sua irreverência tende para um tipo estruturado, especificamente orientado para aquilo que em certo sentido deveriam estar sentindo, mas não estão. Assim, também, um dado lugar pode tornar-se tão identificado com um esconderijo onde certos padrões não precisam ser mantidos que se fixa com a identificação de uma região de fundo. As cabanas de caça e os alojamentos em estabelecimentos sociais de atle-

162. Em seminário, na Universidade de Chicago.

tismo podem servir de exemplo. Refúgios de verão, também, parecem fixar concessões em relação à fachada, admitindo que pessoas que de outra forma seriam convencionais apareçam, na via pública, em trajes que comumente não usariam em presença de estranhos. Assim também serão encontrados pontos de reunião de criminosos e mesmo bairros de criminosos onde o ato de ser "legal" não precisa ser mantido. Diz-se que existiu em Paris um interessante exemplo deste fato:

> No século XVII, portanto, a fim de tornar-se um completo Argotier, era necessário não somente pedir esmolas, como qualquer mendigo, mas também possuir a destreza do batedor de carteiras e do ladrão. Estas artes podiam ser aprendidas nos lugares que serviam de ponto de encontro habitual da escória da sociedade e que eram geralmente conhecidos como *Cours des Miracles*. Tais casas, ou melhor, covis, foram assim chamadas, a darmos crédito a um escritor do século XVII, "porque patifes... e outros, que durante todo o dia tinham sido aleijados, mutilados, hidróficos e acometidos de toda a sorte de misérias físicas, à noite voltavam para a casa carregando debaixo do braço um lombo de vaca, uma junta de vitela ou uma perna de carneiro, não esquecendo de pendurar na cintura uma garrafa de vinho e, ao entrar no pátio, jogavam para o lado suas muletas, reassumiam sua aparência saudável e robusta e, numa imitação das orgias das antigas bacanais, dançavam todas as formas de danças com seus troféus nas mãos, enquanto o dono da casa preparava o jantar. Pode haver *miracle* maior do que se vê neste pátio, onde os mutilados andavam aprumados?"[163]

Em regiões de fundo como estas, o próprio fato de um efeito importante não ser disputado contribui para estabelecer o tom da interação, levando aqueles que aí se encontram a agir como se estivessem em relações amistosas uns com os outros em todos os assuntos.

---

163. LACROIX, P. *Manners, Custom and Dress during the Middle Ages and during the Renaissance Period*. Londres: Chapman e Hall, 1876, p. 471.

Entretanto, embora exista a tendência de uma região ser identificada como de fachada ou de fundo de uma representação com a qual esteja regularmente ligada, há ainda muitas regiões que funcionam numa ocasião e em certo sentido como região de fachada, e em outra ocasião e em outro sentido como região de fundo. Assim, o escritório particular de um diretor de empresa é certamente a região de fachada, onde sua posição social na organização é intensamente expressa por meio da qualidade da mobília de seu escritório. E no entanto é aqui onde ele pode tirar o paletó, desapertar a gravata, ter à mão uma garrafa de bebida e agir com intimidade e mesmo de modo turbulento com outros diretores de sua própria categoria[164]. Assim também uma organização comercial que empregue um papel de cartas timbrado caprichosamente apresentado para correspondência com pessoas que não pertencem à firma pode seguir este conselho:

> O papel para correspondência interna está mais sujeito à economia do que à etiqueta. O papel barato, colorido, mimeografado ou impresso, qualquer coisa serve quando "fica tudo em família"[165].

E no entanto a mesma fonte de conselhos indicará alguns limites para esta caracterização da situação dos bastidores:

> O papel para memorandos com o nome impresso, geralmente usado para notas rabiscadas de uso interno, pode também ser prático e sem restrições. Uma precaução: os empregados mais novos não devem encomendar estes blocos de memorandos, por mais convenientes que sejam, enquanto tais. Tal como um

---

164. O fato de um pequeno escritório particular poder transformar-se numa região de fundo pelo método exequível de ser o único nessa região explica-nos por que as estenógrafas muitas vezes preferem trabalhar em um escritório particular do que em um de um andar grande. Em um escritório grande, que ocupa todo um andar, sempre há probabilidade de estar presente uma pessoa diante da qual deva ser mantida a impressão de eficiência. Em um pequeno escritório, todo fingimento de trabalho e bom comportamento podem ser abandonados quando o chefe está ausente. Cf. RENCKE, R. *The Status Characteristics of Jobs in a Factory*. University of Chicago, 1953, p. 53 [Tese inédita de mestrado].

165. *Esquire Etiquette*. Op. cit., p. 65.

> tapete no chão e um nome na porta, o bloco para memorando com nome impresso é um símbolo de posição social em alguns escritórios[166].

Da mesma forma, numa manhã de domingo, uma família inteira pode usar o muro que cerca sua residência para ocultar um desmazelo no vestir-se e no comportamento que permite ficar à vontade, estendendo a todos os cômodos a ausência de formalismo que geralmente se limita à cozinha e aos quartos de dormir. Assim também nos bairros de classe média norte-americana, à tarde, a linha divisória entre o lugar onde as crianças brincam e a casa pode ser caracterizada como bastidores pelas mães, que por aí passam usando jeans, blusões e um mínimo de maquilagem, com um cigarro pendendo dos lábios quando empurram os carrinhos dos bebês e conversam livremente sobre as compras com suas amigas. O mesmo acontece nos quarteirões operários em Paris de manhã cedo, quando as mulheres acham que têm o direito de estender seus bastidores ao círculo das lojas da vizinhança e descem para apanhar o leite e o pão fresco usando chinelos, roupão de banho, rede no cabelo e sem qualquer maquilagem. Sabe-se que nas principais cidades norte-americanas os modelos, usando os vestidos com os quais serão fotografados, podem correr cuidadosamente através das ruas mais elegantes, em parte esquecidos daqueles que os cercam, com a caixa do chapéu na mão, uma rede protegendo o penteado, podem conduzir-se não para criar efeito, mas para evitar que se desarrumem enquanto em trânsito para o edifício-pano de fundo, diante do qual começará sua verdadeira representação, que será fotografada. E naturalmente uma região que é de todo instituída como região de fachada para a representação regular de uma dada prática funciona muitas vezes como região de fundo, antes e depois de cada representação, pois nestes momentos os acessórios permanentes podem exigir reparos, restauração e rearrumação, ou os atores podem experimentar seus trajes. Para ver isto, basta-nos apenas dar uma olhada num restaurante, armazém ou residência poucos minutos antes de esses estabelecimentos se abrirem para nós no movimento do dia. Em geral, por

166. Id., p. 65.

conseguinte, devemos ter em mente que ao falar de regiões de fachada e de fundo, falamos tomando como ponto de referência uma dada representação e a função para a qual aquele lugar é usado no momento.

Foi dito que as pessoas que cooperam na encenação da mesma representação de equipe inclinam-se a manter um relacionamento íntimo umas com as outras. Esta familiaridade costuma ser expressa somente quando o público não está presente, pois transmite uma impressão do indivíduo e do companheiro de equipe em geral incompatível com a impressão do indivíduo e do companheiro que se deseja manter diante da plateia. Como as regiões do fundo estão ordinariamente fora do alcance dos membros do público, é aí que se pode esperar que a familiaridade recíproca determine o tom do intercâmbio social. Igualmente, é na região da fachada que podemos esperar a predominância do tom de formalidade.

Em toda a sociedade ocidental tende a haver uma linguagem de comportamento informal ou de bastidores e outra linguagem de comportamento para ocasiões em que uma representação está sendo exibida. A linguagem dos bastidores consiste no emprego recíproco do primeiro nome, nas decisões tomadas em comum, na irreverência, francas observações de ordem sexual, queixas minuciosas, fumar, trajes comuns grosseiros, postura "desleixada" no sentar e estar de pé, uso de linguagem dialetal ou abaixo do padrão, resmungos e gritos, agressividade e "caçoadas" jocosas, desconsideração pelos outros em atos de pouca importância, mas potencialmente simbólicos, atitudes físicas menos importantes como zumbidos, assobios, mascar goma, dentadas, arrotos e flatulência. A linguagem do comportamento na região da fachada pode ser considerada como a ausência (e, de certa forma, o oposto) disto. Em geral, portanto, a conduta dos bastidores é aquela que admite pequenos atos, que podem facilmente ser tomados como símbolos de intimidade e desrespeito pelos outros e pela região enquanto a conduta da região da fachada é aquela que não admite tais comportamentos eventualmente ofensivos. Observe-se que o comportamento dos bastidores tem aquilo que os psicólogos chamam de caráter "regressivo". A questão evidentemente consiste em saber se os bastidores dão aos indivíduos a oportunidade de regredir ou se a regressão, no sentido clínico, é a conduta dos bastidores, utilizada em ocasiões inadequadas, por motivos que não são socialmente aprovados.

Ao usar um estilo de bastidores, os indivíduos podem transformar qualquer região numa região de fundo. Assim, verificamos que em muitos estabelecimentos sociais os atores reservarão para si uma seção da região da fachada e, agindo aí de forma familiar, a separam, simbolicamente, do resto da região. Por exemplo, em alguns restaurantes nos Estados Unidos, especialmente os de tipo barato chamados *one-arm joints*, os empregados se apropriarão da parte mais afastada da porta ou mais próxima da cozinha e se comportarão aí, pelo menos sob certos aspectos, como se estivessem nos bastidores. Do mesmo modo, nos voos de aviões em noites de pouco movimento, depois de terem desempenhado suas obrigações iniciais, as aeromoças podem sentar-se nos últimos lugares, trocar os sapatos, acender um cigarro e criar aí um círculo silencioso de relaxamento e descanso, às vezes estendendo-o de modo a incluir um ou dois passageiros mais próximos.

Mais importante, não se deve esperar que as situações concretas forneçam exemplos puros de conduta formal ou informal, embora haja em geral a tendência para deslocar a caracterização da situação em uma dessas duas direções. Não encontraremos estes casos puros, porque os companheiros de equipe em relação a um espetáculo serão, até certo ponto, atores e público em relação a outro espetáculo, e os atores e a plateia de um espetáculo serão, de alguma forma, embora ligeiramente, companheiros de equipe em relação a outro espetáculo. Assim, numa situação concreta podemos esperar a predominância de um estilo ou de outro, com alguns sentimentos de culpa ou dúvida referentes à combinação ou equilíbrio real que é alcançado entre os dois estilos.

Gostaria de acentuar o fato de que a atividade, numa situação concreta, é sempre um meio-termo entre os estilos formal e informal. Citemos, portanto, três limitações comuns à falta de formalismo nos bastidores. Em primeiro lugar, quando o público não está presente, cada membro de equipe vai querer provavelmente manter a impressão de que merece confiança quanto aos segredos da equipe, e que provavelmente não vai representar mal seu papel quando estiver diante da plateia. Conquanto cada membro queira que a plateia pense que ele é uma pessoa respeitável, provavelmente desejará que seus companheiros o considerem um ator leal e bem-disciplinado. Em segundo lugar, muitas vezes, nos bastidores, os atores terão de sustentar o ânimo uns dos outros, e dar a impressão de que o espetáculo que está para ser apresentado vai correr bem ou que o que acabou de ser apresentado realmente não foi tão mal assim. Em terceiro lugar, se a equipe contém representantes de divisões sociais fundamentais, tais como pessoas de idades diferentes, de diversos grupos étnicos etc., então alguns limites discricionários terão de prevalecer sobre a liberdade da atividade dos bastidores. Aqui, sem dúvida, a divisão mais importante é a sexual, pois parece não haver sociedade na qual os membros dos dois sexos, por mais intimamente relacionados que sejam, não assumam algumas aparências uns diante dos outros. Nos Estados Unidos, por exemplo, dizem-nos o seguinte a respeito dos estaleiros da costa oeste:

> Em suas relações quotidianas com as operárias, a maioria dos homens eram corteses e mesmo galantes. à medida que as mulheres se infiltraram nos navios e nos barracões mais distantes dos estaleiros, os homens retiraram amavelmente suas galerias de nus e a pornografia das paredes, transferindo-as para a escuridão da caixa de ferramentas. Por deferência devida à presença de "senhoras", as maneiras melhoraram, os rostos foram barbeados mais frequentemente e a linguagem baixou de tom. O tabu contra as impropriedades de linguagem, dentro dos limites em que podiam ser ouvidas pelas mulheres, era tão extremo que chegava a ser divertido, principalmente porque elas próprias davam provas audíveis de que as palavras proibidas nem lhes eram desconhecidas nem as perturbavam. No entanto, muitas vezes vi homens que queriam usar uma linguagem grosseira, e com boas razões para tal, corar subitamente embaraçados e baixar o tom de voz até o murmúrio, ao notarem a presença de um público feminino.

> No companheirismo da hora do almoço de operários e operárias, na conversa casual de qualquer momento de folga, em tudo que dizia respeito aos contatos sociais familiares, mesmo nas redondezas pouco familiares dos estaleiros, os homens conservavam quase intactos os padrões de comportamento que usavam em casa: o respeito pela esposa honesta e pela boa mãe, a circunspecta amizade pela irmã e mesmo o sentimento de proteção pela inexperiente filha de família[167].

Chesterfield faz uma afirmação semelhante a respeito de outra sociedade:

> Em companhias mistas, com seus iguais (pois em tais companhias todas as pessoas são até certo ponto iguais), admitem-se maior naturalidade e liberdade. Mas estas também têm seus limites marcados pela *bienséance*. Há um necessário respeito social. Você pode iniciar seu próprio assunto de conversação com modéstia, tomando muito cuidado entretanto de *ne jamais parler de cordes dans la maison d'un pendu*. Suas palavras, gestos e atitudes têm grande amplitude, embora de nenhum modo ilimitada. Pode-se ficar com as mãos no bolso, tomar uma pitada de rapé, sentar-se, levantar-se e ocasionalmente andar, se quiser. Mas penso que não julgaria muito *bienséant* assobiar, pôr o chapéu na cabeça, afrouxar ligas ou fivelas, deitar-se num sofá ou se estirar, espojando-se numa poltrona. Estas são negligências e liberdades que só podemos tomar quando estamos sozinhos. São injuriosas para os superiores, chocantes e ofensivas para os iguais, brutais e insultuosas para os inferiores[168].

Os dados de Kinsey sobre a extensão do tabu da nudez entre marido e mulher, especialmente na geração mais velha da classe operária norte-americana, documentam este mesmo ponto[169]. A modéstia, certamente, não é a única força que atua neste caso.

---

167. ARCHIBALD. Op. cit., p. 16-17.

168. *Letters of Lord Chesterfield to his Son*. Nova York: Dutton, 1929, p. 239.

169. KINSEY, A.C.; POMEROY, W.B. & MARTIN, C.E. *Sexual Behavior in the Human Mate*. Filadélfia: Saunders, 1948, p. 366-367.

Assim, duas informantes na Ilha Shethand disseram que sempre usariam uma camisola para dormir, depois de seu próximo casamento, não apenas por modéstia, mas porque suas figuras estavam muito distantes do que consideravam o moderno ideal urbano. Poderiam indicar uma ou duas amigas jovens que, julgavam elas, não precisariam desta sutileza. Talvez uma súbita perda de peso diminuísse também sua própria modéstia.

Ao dizer que os atores agem de maneira relativamente informal, familiar e descontraída quando estão nos bastidores em atitude vigilante durante a representação, não se deve pensar que as coisas agradáveis e interpessoais da vida – a cortesia, o calor humano, a generosidade e o prazer com a companhia dos outros – estão sempre reservadas aos bastidores, enquanto a suspeita, a pretensão e a demonstração de autoridade são próprias das atividades da região da fachada. Frequentemente parece que, seja qual for o entusiasmo e o vivo interesse que nos anima, nós os reservamos para aqueles diante dos quais estamos representando, e que o sinal mais claro de solidariedade de bastidores é sentir a segurança de cair num estado de espírito insociável de mal-humorada e silenciosa irritabilidade.

É interessante observar que, embora cada equipe esteja em condições de perceber os aspectos pouco atraentes e "não representados" de seu próprio comportamento nos bastidores, provavelmente não estará em condições de tirar conclusão semelhante a respeito das equipes com as quais interage. Quando os alunos deixam a sala de aula e são mandados para um recanto por intimidades e mau procedimento, geralmente não percebem que os professores se retiraram para uma "sala comum" a fim de praguejar e fumar, num recanto semelhante do comportamento de bastidores. Sabemos, com certeza, que uma equipe de um só membro pode ter uma opinião sombria de si mesma e que não poucos psicoterapeutas têm por ocupação aliviar esta culpa, ganhando a vida contando aos indivíduos os fatos das vidas de outras pessoas. Por trás desta compreensão a respeito de si mesmo e das ilusões sobre os outros estão uma importante dinâmica e as decepções da mobilidade social, seja ela vertical ou horizontal. Tentando escapar de um mundo de duas caras, com um comportamento na região da fachada e outro na dos bastidores, os indivíduos podem sentir que na nova posição que estão tentando adquirir serão os personagens projetados por eles nessa posição, e não, ao mesmo tempo, atores. Quando a atingem, naturalmente, descobrem que sua nova situação tem semelhanças não previstas com a antiga; ambas implicam uma apresentação de fachada para a plateia e envolvem o apresentador na atividade imunda e bisbilhoteira de encenar um espetáculo.

Pensa-se muitas vezes que a familiaridade grosseira é somente um fato cultural, uma característica, por assim dizer, das classes operárias, e que as pessoas de condição elevada não se conduzem dessa forma. A questão, evidentemente, é que as pessoas de alta categoria costumam agir em pequenas equipes e passam grande parte do dia empenhadas em representações faladas, enquanto os homens da classe operária costumam fazer parte de grandes equipes e passam grande parte do dia nos bastidores ou em representações não faladas. Portanto, quanto mais alta for a posição do indivíduo na pirâmide de *status*, menor será o número de pessoas com quem pode manter familiaridade, menos tempo passará nos bastidores e maior será a probabilidade de que sejam exigidas polidez e decência de sua parte. Contudo, quando a ocasião e a companhia são próprias, atores inteiramente sagrados agirão, ou serão solicitados a agir, de modo completamente vulgar. Por motivos numéricos e estratégicos, porém, é provável que venhamos a saber que os trabalhadores usam maneiras de bastidores e improvável que tenhamos conhecimento de que os lordes também as usam. Há um interessante caso-limite dessa situação com relação aos chefes de Estado, que não têm companheiros de equipe. Às vezes tais indivíduos podem usar um grupo de amigos íntimos, a quem por cortesia dão a categoria de companheiros de equipe, quando precisam de momentos de descanso descontraído, constituindo isto um exemplo da função de "companheiros" previamente considerada. Os palafreneiros das cortes às vezes preenchem esta função, conforme Ponsonby exemplificou na sua descrição da visita do Rei Eduardo à Dinamarca, em 1904:

> O jantar consistia de várias iguarias e muitos vinhos e geralmente durava uma hora e meia. Saíamos todos então de braços dados para a sala de estar, onde novamente o rei da Dinamarca e toda a família real ficava em torno da sala. Às oito, retiramo-nos para nossos quartos para fumar, mas, como a comitiva dinamarquesa nos acompanhou, a conversa limitou-se a perguntas corteses a respeito dos costumes dos dois países. Às nove, voltamos à sala, onde nos distraímos jogando cartas, geralmente Loo, sem apostas.
> Às dez, fomos misericordiosamente libertados e nos permitiram ir para nossos quartos. Estas noites constituíam duras provas para todos, mas o rei se comportava como um anjo, jogando *whist*, que estava então muito fora de moda com pontos muito baixos. Depois de uma semana disto, entretanto, ele resolveu jogar *bridge*, mas só depois que o rei da Dinamarca se retirava para o leito. Praticávamos essa rotina habitual até dez horas e então o Príncipe Demidoff, da legação russa, vinha aos aposentos do rei e jogava *bridge* com ele, Seymour Fortescue e eu, com pontos bastante altos. Continuamos assim até o final da visita, e foi um prazer para nós descansar da rigidez da corte dinamarquesa[170].

Um último ponto deve ser dito a respeito do relacionamento nos bastidores. Quando dizemos que as pessoas que cooperam ao executar uma representação podem mostrar familiaridade umas com as outras quando na ausência do público, deve-se admitir que um indivíduo se torne tão habituado com a atividade da sua região de fachada (e o caráter desta região), que pode ser necessário tratar o relaxamento dele dessa atividade como se fosse uma representação. A pessoa pode sentir-se obrigada, quando nos bastidores, a agir fora do seu personagem de uma forma familiar e isto pode chegar a ser uma pose maior do que a representação à qual se destinava a trazer um relaxamento.

Neste capítulo falei da utilidade de controlar os bastidores e das dificuldades dramatúrgicas que surgem quando este contro-

---

170. PONSONBY. Op. cit., p. 269.

le não pode ser exercido. Gostaria agora de considerar o problema de controlar o acesso à região da fachada, mas para isso será necessário estender um pouco o esquema original de referência.

Foram consideradas duas espécies de regiões limitadas: as regiões de fachada, onde uma dada encenação está ou pode estar em curso, e as regiões de fundo, onde se passa uma ação relacionada com a representação, mas incompatível com a aparência alimentada por ela. Pareceria razoável acrescentar uma terceira região, residual, a saber, todos os lugares que não sejam os dois já identificados. Tal região poderia ser chamada de "o lado de fora". A noção de uma região exterior que não seja nem de fachada nem de fundo, com relação a uma representação particular, ajusta-se à nossa noção de bom-senso sobre os estabelecimentos sociais, pois quando examinamos a maioria dos edifícios encontramos neles recintos usados regular ou temporariamente como regiões de fundo e regiões de fachada, e verificamos que as paredes externas do edifício separam ambos os tipos de aposentos do mundo exterior. Os indivíduos que estão do lado de fora do estabelecimento podem ser chamados de "estranhos".

Embora a noção de exterior seja óbvia, pode desonrientar--nos e confundir-nos, a menos que a tratemos com cuidado, pois, quando transferimos nossa atenção das regiões de fachada ou de fundo para o exterior, deslocamos também nosso ponto de referência de uma representação para outra. Dada uma representação particular em curso como ponto de referência, aqueles que estão de fora serão pessoas para quem os atores, real ou potencialmente, executam um espetáculo, mas um espetáculo (como veremos) diferente daquele que está em andamento, ou muito semelhante. Quando os estranhos inesperadamente penetram na região de fachada ou de fundo de uma dada representação em curso, a consequência de sua presença inoportuna pode frequentemente ser melhor estudada não em termos dos efeitos sobre a referida representação, mas antes em termos dos efeitos sobre uma representação diferente, a saber, aquela que os atores ou a plateia comumente apresentariam diante de estranhos, numa ocasião e lugar em que estes fossem o público previsto.

Outras espécies de cuidados em relação aos conceitos são também exigidas. A parede que separa as regiões de fachada e de fundo do exterior têm obviamente uma função a desempenhar na representação encenada nessas regiões, mas as decorações exteriores do edifício devem ser consideradas, em parte, como um aspecto de outro espetáculo. Às vezes, a última contribuição pode ser mais importante. Assim, contam-nos a respeito das casas de uma aldeia inglesa:

> O tipo de material empregado nas cortinas das janelas da maior parte das casas da aldeia variava em proporção direta com a visibilidade geral de cada janela. As "melhores" cortinas eram encontradas onde pudessem mais claramente ser vistas, sendo muito superiores às das janelas que ficavam escondidas do público. Além disso, era comum que esta espécie de fazenda estampada só de um lado fosse usada de modo tal que a face estampada ficasse voltada para fora. Este uso do material mais elegante e mais caro de modo que pudesse ser visto dando a melhor impressão é um recurso típico para adquirir prestígio[171].

No primeiro capítulo deste ensaio dissemos que os atores tendem a dar a impressão, ou a não contradizer a impressão, de que o papel desempenhado no momento é seu papel mais importante, e que os atributos pretendidos por eles ou a eles imputados são seus atributos mais essenciais e característicos. Quando os indivíduos assistem a um espetáculo que não lhes foi destinado, podem, portanto, ficar desiludidos com esse *show*, assim como com outro que lhes fosse destinado. O ator também pode ficar confuso como diz Kenneth Burke:

> Todos nós, em nossas respostas compartimentadas, somos como o homem que é um tirano no escritório e um fraco no meio de família, ou como o músico que é afirmativo em sua parte e se anula em suas relações pessoais. Tal dissociação torna-se uma dificuldade, quando tentamos unir estes comportamentos (se o homem que é tirano no escritório e um fraco em casa subitamente resolvesse empregar a mulher e os filhos

---

171. WILLIAMS, W.M. *The Sociology of an English Village*. Londres: Routledge & Kegan Paul, 1956, p. 112.

achária seus recursos dissociativos inadequados e poderia ficar desnorteado e atormentado)[172].

Estes problemas podem tornar-se especialmente agudos quando uma das representações do indivíduo depende de uma complexa montagem do cenário. Daí a desilusão contida na descrição feita por Herman Melville, do modo como o capitão de seu navio o "via", sempre que se encontravam a bordo, mas foi amável com ele quando, depois do período de serviço de Melville, encontrou-o socialmente numa festa em Washington:

> E, embora quando estávamos a bordo da fragata o comodoro jamais se dirigisse a mim de uma maneira pessoal – nem eu a ele – entretanto, na reunião social oferecida ao ministro, aí nos tornamos excessivamente loquazes. Não deixei de observar, no meio daquela multidão de dignitários estrangeiros e magnatas de todas as partes dos Estados Unidos, que meu respeitável amigo não parecia tão exaltado como quando se acharia debruçado solitariamente na amurada de metal do convés do Neversink. Como muitos outros cavalheiros, ele aparecia de maneira mais favorável e era tratado com a maior deferência no seio de sua casa, a fragata[173].

A resposta para este problema consiste, para o ator, em dividir seu público, de tal modo que os indivíduos que o assistem em um de seus papéis não sejam os mesmos que o observam em outro. Assim, alguns padres franco-canadenses não desejam levar uma vida tão austera que não possam ir nadar na praia com os amigos, mas julgam mais conveniente nadar com pessoas que não sejam seus paroquianos, pois a familiaridade exigida na praia é incompatível com a distância e o respeito exigidos na paróquia. O controle da região da fachada é uma medida de divisão do público. A incapacidade de manter esse controle deixa o ator numa posição em que não sabe qual o personagem que deverá projetar de um momento para outro, tornando difícil para ele

172. BURKE, K. *Permanence and Change*. Nova York: New Republic, Inc., 1953, p. 309.

173. MELVILLE, H. *White Jacket*. Nova York: Grove Press, s.d., p. 277.

efetuar um sucesso dramatúrgico em qualquer um desses momentos. Não é difícil simpatizar com o farmacêutico que age como um vendedor ou como um encardido almoxarife com um freguês que se apresenta com uma receita na mão, enquanto no momento seguinte projeta sua pose digna, desinteressada, médica, profissionalmente imaculada a alguém que deseja comprar um selo de três centavos ou um bombom de chocolate[174].

Deveria estar claro que, da mesma forma como é útil para o ator excluir da plateia pessoas que o veem em outra apresentação que não condiz com aquela, também é útil excluir do público aquelas diante das quais representou no passado um espetáculo incompatível com o de agora. As pessoas que se movimentam muito para cima e para baixo executam isto de maneira grandiosa, ao tomarem a precaução de abandonar seu lugar de origem. E assim como é conveniente executar os diversos papéis do indivíduo diante de diferentes pessoas, também é conveniente separar as diferentes plateias que alguém tenha para o mesmo papel, pois esta é a única maneira pela qual cada assistência julgará que, conquanto possam existir outras plateias para o mesmo papel, nenhuma está tendo uma apresentação tão atraente. Mais uma vez, neste caso, o controle da região de fachada é importante.

Pela adequada programação das representações do indivíduo é possível não somente conservar suas plateias separadas umas das outras (aparecendo diante delas em diferentes regiões de fachada ou, em sequência, na mesma região), mas também ganhar alguns poucos momentos entre as representações, de maneira a livrar-se psicológica e fisicamente de uma fachada pessoal, enquanto se reveste de outra. Às vezes, porém, surgem problemas naqueles estabelecimentos sociais onde os mesmos membros, ou membros diferentes, da equipe devem atender a diversas plateias ao mesmo tempo. Se as diversas plateias estiverem a uma distância que ouçam umas às outras, será difícil manter a impressão de que cada uma está recebendo serviços especiais e únicos. Assim, se uma dona de casa deseja dar a cada um de seus visitantes uma calorosa recepção ou despedida es-

174. Cf. WEINLEIN. Op. cit., p. 147-148.

pecial – na verdade, uma encenação especial – terá de arranjar as coisas de modo a fazê-lo em uma antessala, separada daquela onde estão os outros convidados. Igualmente, nos casos em que uma firma de agentes funerários seja encarregada de realizar dois serviços no mesmo dia, será necessário encaminhar os dois públicos dentro do estabelecimento, de modo que seus caminhos não se cruzem, para que o sentimento de que a casa funerária é distante do lar não seja destruído. Da mesma forma também nas lojas de móveis, um empregado que esteja "desviando" um freguês de uma mobília para outra de preço mais elevado deve ter o cuidado de manter sua plateia fora do alcance da voz de outro vendedor, que pode estar desviando outro freguês de uma mobília ainda mais barata para aquela da qual o primeiro empregado está procurando desviar seu freguês, pois nessas ocasiões a mobília que um empregado está depreciando pode ser a que outro está elogiando[175]. Evidentemente, se há paredes separando as duas plateias, o ator pode sustentar as impressões que está causando, correndo, rapidamente, de uma região para outra. Este dispositivo cênico, possível quando se dispõe de duas salas de exame, está se tornando cada vez mais popular entre os dentistas e médicos norte-americanos.

Quando não se consegue a divisão da plateia e um estranho chega a assistir a uma representação que não lhe era destinada, surgem problemas difíceis na direção das impressões. Podem ser mencionadas duas técnicas de acomodação para tratar destes problemas. Em primeiro lugar, todos aqueles que já estão na plateia podem, de repente, concordar e aceitar a situação temporária de bastidores e fazer um pacto com o ator para se transferirem abruptamente para uma atuação adequada à observação pelo intruso. Assim, marido e mulher em meio a suas brigas diárias, quando subitamente se defrontam com uma visita que conhecem há pouco, deixarão de lado suas desavenças íntimas e representarão entre si uma relação que é quase tão distante e amistosa quanto a que é representada para o súbito visitante. As relações, bem como tipos de conversa, de que os três não possam participar, serão postas de lado. Geralmente, portanto, se o

175. Cf. CONANT, L. "The Borax House". *The American Mercury*, XVII, p. 172.

recém-chegado tiver de ser tratado da maneira a que está acostumado, o ator deve desligar-se rapidamente da representação que estava executando e passar a outra que o recém-chegado ache apropriada. Raramente isto pode ser feito de modo suficientemente suave para preservar a ilusão do recém-chegado de que a representação subitamente armada seja o espetáculo natural do ator. E mesmo se isto for conseguido, o público já presente provavelmente sentirá que aquilo que tomava como a personalidade essencial do ator não era tão essencial.

Foi dito que uma intromissão pode ser manipulada fazendo os presentes mudarem para uma caracterização da situação na qual o intruso se incorpore. Uma segunda maneira de conduzir o problema consiste em conceder ao intruso uma recepção cordial como a feita a alguém que deveria ter estado presente na região há muito tempo. Mais ou menos a mesma demonstração continua, então, a ser levada a efeito, mas com a inclusão do recém-chegado. Assim, quando um indivíduo faz inesperadamente uma visita a seus amigos e os encontra dando uma festa, em geral será saudado ruidosamente e intimado a permanecer. Se não houver a recepção entusiástica o fato de o visitante descobrir sua exclusão poderá desacreditar a fachada de amizade e afeição que predomina entre o intruso e seus anfitriões em outras ocasiões.

Comumente, entretanto, nenhuma dessas técnicas parece ser muito eficiente. Geralmente quando intrusos entram na região de fachada, os atores dispõem-se a iniciar a representação que encenam para os intrusos em outra ocasião ou lugar, e esta súbita prontidão em agir de uma determinada forma traz, no mínimo, uma confusão momentânea à linha de ação na qual os atores já estão empenhados. Ficarão temporariamente divididos entre duas realidades possíveis e, até que sejam dados e recebidos sinais, os membros da equipe podem não ter ideia da linha de ação que devem seguir. É quase certo haver embaraço. Nestas circunstâncias compreende-se que não se conceda ao intruso nenhum dos tratamentos de acomodação mencionados, mas, ao contrário, que seja tratado como se absolutamente não estivesse aí ou, sem qualquer cerimônia, convidado a se retirar.

Capítulo IV
Papéis discrepantes

Um objetivo geral de qualquer equipe é manter a definição da situação que sua representação alimenta. Isto implicará que se acentue a comunicação de alguns fatos e se diminua a comunicação de outros. Dada a fragilidade e a necessária coerência expressiva da realidade que é dramatizada por uma representação, há geralmente fatos que, caso expostos à atenção durante a representação, poderão desacreditar, romper ou tornar inútil a impressão que ela estimula. Diz-se que estes fatos fornecem "informação destrutiva". Um problema básico de muitas representações, portanto, é o do controle da informação. O público não deve adquirir informações destrutivas a respeito da situação que está sendo definida para ele. Em outras palavras, uma equipe deve ser capaz de guardar seus segredos e fazer com que eles sejam guardados.

Antes de prosseguir, será conveniente acrescentar alguns esclarecimentos sobre os tipos de segredo, porque a revelação dos diferentes tipos de segredo pode ameaçar uma representação de diversas maneiras. Os tipos indicados baseiam-se na função que o segredo desempenha na relação entre este e o conceito que os outros formam a respeito de quem o possui. Admitirei que qualquer segredo particular pode representar mais do que um destes tipos.

Em primeiro lugar, há aqueles que são muitas vezes chamados segredos "indevassáveis". Consistem em fatos relativos à equipe que esta conhece e esconde, sendo incompatíveis com a imagem de si mesma que procura manter diante de seu público. Estes segredos tenebrosos são, evidentemente, duplos: um é o fato decisivo que é escondido e outro consiste no fato de os fatos decisivos não terem sido abertamente admitidos. Os segredos tenebrosos foram considerados no capítulo primeiro, na parte que trata da falsa representação.

Em segundo lugar, há o que se poderia chamar segredos "estratégicos". Estes fazem parte das intenções e capacidades de uma equipe que está oculta da plateia a fim de evitar que o público se adapte efetivamente à situação que a equipe planeja executar. Os segredos estratégicos são os que as casas de negócio e o exército empregam ao planejarem ações futuras contra os opositores. Se uma equipe não tem a pretensão de ser uma equipe que não tem segredos estratégicos, não é preciso necessariamente que seus segredos estratégicos sejam indevassáveis. Contudo, deve-se observar que mesmo quando os segredos estratégicos de uma equipe não são indevassáveis, ainda assim a revelação ou descoberta de tais segredos quebram a representação da equipe, pois súbita e inesperadamente se descobre ser inútil e tolo manter o cuidado, a reticência e a ambiguidade da ação que eram exigidos antes da quebra de seus segredos. Acrescente-se que os segredos meramente estratégicos tendem a ser aqueles que a equipe finalmente revela obrigatoriamente quando a ação baseada em preparativos secretos se consuma, ao passo que pode ser feito um esforço para manter indefinidamente secretos os segredos indevassáveis. Acrescente-se também que a informação é muitas vezes guardada não por sua importância estratégica conhecida, mas porque se julga que pode algum dia adquirir tal importância.

Em terceiro lugar, há os que podem ser chamados segredos "íntimos". São aqueles cuja posse marca o indivíduo como membro de um grupo e contribui para que este se sinta separado e diferente dos indivíduos que não "estão por dentro"[176]. Os segredos íntimos dão conteúdo intelectual objetivo à distância social subjetivamente sentida. Quase toda informação num estabelecimento social participa desta função de exclusão e pode ser considerada como não sendo atribuição de ninguém.

Segredos íntimos podem ter pouca importância estratégica e não ser de todo impenetráveis. Quando isto acontece, tais se-

---

176. Cf. o estudo de Riesman a respeito dos "palpiteiros íntimos" em assuntos de política ou esportes. Op. cit., p. 199-209.

gredos podem ser descobertos ou acidentalmente revelados sem romper radicalmente a representação da equipe. Os atores precisam apenas deslocar seu prazer secreto para outro assunto. Naturalmente, os segredos que sejam estratégicos e indevassáveis servem muitíssimo bem como segredos íntimos. Verificamos, de fato, que o caráter estratégico e indevassável dos segredos é frequentemente exagerado por esta razão. É interessante notar que os líderes de um grupo social se defrontam muitas vezes com um dilema a respeito de importantes segredos estratégicos. Os elementos do grupo que não participam do segredo se sentirão excluídos e insultados quando finalmente o segredo vier à luz. Por outro lado, quanto maior for o número de pessoas que o conheçam, maior será a probabilidade de revelação, intencional ou não.

O conhecimento que uma equipe pode ter dos segredos de outra, fornece-nos outros dois tipos de segredos. Em primeiro lugar, há o que se poderia chamar de segredos "depositados em confiança". Este é o tipo de segredo que o possuidor é obrigado a guardar por causa de sua relação com a equipe à qual o segredo se refere. Se um indivíduo a quem é confiado um segredo quiser parecer a pessoa que pretende ser, deve guardá-lo, mesmo não se tratando de um segredo a respeito dele. Assim, por exemplo, quando um advogado revela as incorreções de seus clientes, duas representações inteiramente distintas acham-se ameaçadas: o espetáculo da inocência do cliente no tribunal e o espetáculo da confiança que o advogado manifesta em seu cliente. Notemos também que os segredos estratégicos de uma equipe, quer sejam indevassáveis ou não, provavelmente são os segredos confiados a cada membro individual da equipe, pois provavelmente se apresentará a seus companheiros como pessoa leal à equipe.

O segundo tipo de informação sobre os segredos de outrem pode ser chamado de "livre". Este é o segredo de outra pessoa conhecido por alguém, o qual poderia revelá-lo sem desacreditar a imagem que apresenta de si próprio. Uma pessoa pode ficar a par destes segredos livres por descoberta, revelação involuntária, admissões indiscretas, retransmissão etc. Geralmente devemos ver que os segredos livres ou depositados em confiança de uma equipe podem ser os segredos indevassáveis ou estratégicos de outra.

Desta forma uma equipe cujos segredos vitais sejam possuídos por outra se esforçará para obrigar os possuidores a tratar estes segredos como segredos que lhes são confiados e não como livres.

Este capítulo refere-se às espécies de pessoas que conhecem os segredos de uma equipe e às bases e ameaças de sua posição privilegiada. Antes de prosseguir, entretanto, gostaria de esclarecer que nem toda informação destrutiva se encontra nos segredos e que o controle da informação implica mais do que a guarda de segredos. Por exemplo, parece que existem fatos a respeito de quase toda representação que são incompatíveis com a impressão incentivada por ela, mas não foram reunidos e organizados de forma utilizável por alguém. Assim, o jornal de um sindicato pode ter tão poucos leitores que o diretor, preocupado com seu trabalho, talvez não permita um levantamento profissional do público leitor, assegurando por esse meio que nem ele nem ninguém mais terá provas da suspeita da ineficiência de seu trabalho[177]. Estes são segredos latentes e os problemas da guarda de segredos são muito diferentes dos problemas de manter latentes os segredos desse tipo. Outro exemplo de informação destrutiva não corporificada em segredos encontra-se em acontecimentos tais como gestos involuntários, a que anteriormente nos referimos. Estes acontecimentos introduzem informação – uma definição da situação – incompatível com as pretensões projetadas dos atores, mas não constituem segredos. O cuidado de evitar estes acontecimentos expressamente inapropriados é também uma espécie de controle da comunicação, mas não será considerado neste capítulo.

Tomando como ponto de referência uma determinada representação distinguimos três papéis decisivos com base na função: aqueles que representam; aqueles para quem se representa; e os estranhos, que nem participam do espetáculo nem o observam. Podemos também distinguir estes papéis decisivos tomando por base a informação comumente acessível àqueles que os representam. Os atores têm consciência da impressão que criam e geralmente também possuem informação destruidora a respeito do espetáculo. A plateia sabe o que lhe é permitido

177. Narrado por WILENSKY. Op. cit., capítulo VII.

perceber, capacitada por aquilo que pode captar, de maneira não oficial, por uma observação mais apurada. Resumindo, conhece a definição da situação alimentada pela representação, mas não possui informação destruidora a respeito dela. Os estranhos nem conhecem os segredos da representação, nem a aparência de realidade que ela cria. Finalmente, os três papéis decisivos mencionados poderiam ser caracterizados baseando-se nas regiões a que o executante tem acesso: os atores apresentam-se nas regiões de fachada e de fundo; a plateia, somente na região de fachada; e os estranhos estão excluídos de ambas. Convém observar, então, que durante a representação podemos esperar encontrar uma correlação entre função, informação disponível e regiões de acesso de modo que, por exemplo, se conhecêssemos as regiões às quais um indivíduo teve acesso, conheceríamos o papel que desempenhou e a informação que possuía a respeito da representação.

Na realidade, contudo, a compatibilidade entre função, informação possuída e regiões acessíveis raramente é completa. Aparecem novos pontos de observação relativos à representação que complicam a simples relação entre função, informação e lugar. Algumas dessas perspectivas peculiares são tomadas com tanta frequência e seu significado para a representação vem a ser tão claramente compreendido, que podemos nos referir a elas como papéis, embora, em relação aos três principais, pudessem ser melhor chamados de papéis discrepantes. Alguns dos mais evidentes serão considerados aqui.

Talvez os papéis mais espetacularmente discrepantes sejam os que introduzem uma pessoa e um estabelecimento social sob uma falsa aparência. Algumas variedades podem ser mencionadas.

Em primeiro lugar, há o papel de "delator". Esta é uma pessoa que finge, para os atores, ser um membro de sua equipe, tem acesso aos bastidores e a informações destruidoras, e, então, aberta ou secretamente, trai o espetáculo à plateia. As variantes políticas, militares, industriais e criminais deste papel são famosas. Quando se verifica que o indivíduo se uniu à equipe inicialmente de forma sincera e não com o objetivo premeditado de revelar seus segredos, nós o chamamos, às vezes, de traidor, "vira-casaca", especialmente se for o tipo de pessoa que deveria ter sido um companheiro leal. O indivíduo que sempre teve a intenção de dar informações a respeito da equipe e a ela se uniu somente com este propósito é, às vezes, chamado de espião. Reiteradas vezes tem-se observado naturalmente que os delatores, sejam eles traidores ou espiões, acham-se geralmente numa excelente posição para fazer um jogo duplo, traindo os segredos daqueles que lhes compram segredos a respeito de outrem. É claro que os delatores podem ser classificados de outras maneiras. Conforme indica Hans Speier, alguns são profissionalmente treinados para este trabalho, outros são amadores; alguns são de alta condição, outros humildes; alguns trabalham por dinheiro e outros por convicção[178].

Em segundo lugar, há o papel de "cúmplice do ator". É alguém que age como se fosse um membro qualquer da plateia, mas de fato está mancomunado com os atores. Tipicamente, fornece um modelo visível para a plateia da espécie de resposta que os atores procuram, ou oferece o tipo de resposta do público que naquele momento é necessária ao desenrolar da representação. As denominações de "cúmplice", "claque", empregadas nas casas de diversão, são de uso generalizado. Nossa apreciação deste papel, sem dúvida, origina-se do ambiente de férias ou exposições. As definições seguintes indicam as origens do conceito:

> *Farol*, n. Um indivíduo – às vezes um roceiro local – contratado pelo explorador de uma barraca "estabelecida" de jogo para ganhar prêmios vistosos, de modo a induzir a multidão a jogar. Quando os "vivos" (os do lugar) começam a apostar, os faróis são retirados e entregam seus ganhos a um homem estranho que aparentemente não tem ligação com o grupo[179].
> *Membro da claque*. Um empregado do circo que se precipita para a bilheteria de um espetáculo para crianças no momento psicológico em que o camelô conclui seu discurso. Ele e seus companheiros de

178. SPEIER, H. *Social Order and the Risks of War*. Glencoe: The Free Press 1952, p. 264.

179. MAURER, D. "Carnival Cant". *American Speech*, VI, p. 336.

claque adquirem bilhetes e entram e a multidão de cidadãos diante do estrado do camelô não demora a fazer o mesmo[180].

Não devemos pensar que os "faróis" se encontram apenas em espetáculos pouco respeitáveis (embora sejam somente os "faróis" não respeitáveis, talvez, que desempenhem sistematicamente seu papel e sem ilusão pessoal). Por exemplo, em reuniões de conversa informal é comum a esposa parecer interessada quando o marido conta uma anedota e o ajude com deixas e sugestões apropriadas, embora de fato já a tenha ouvido muitas vezes, e saiba que o espetáculo que o marido está dando ao dizer uma coisa como se fosse pela primeira vez é somente um espetáculo. Um "farol", portanto, é alguém que parece ser um outro membro genuíno da plateia e que usa sua sofisticação não aparente em favor da equipe que está representando.

Consideremos, agora, outro impostor na plateia, mas desta vez um que use sua sofisticação não aparente no interesse da plateia e não dos atores. Este tipo pode ser exemplificado pela pessoa que é paga para verificar os padrões que os atores mantêm, a fim de assegurar que, sob certos aspectos, as aparências criadas não fiquem distantes da realidade. Oficial, ou não, atua como agente protetor do público, que de nada suspeita, desempenhando o papel de observador com mais perspicácia e rigor ético do que o empregado, talvez, por assistentes comuns.

Muitas vezes esses agentes fazem sua intervenção abertamente, avisando antecipadamente os atores que a próxima apresentação vai ser examinada. Dessa forma, atores estreantes e as pessoas que são presas recebem o aviso de que tudo quanto disserem será levado em conta no julgamento a que se submetem. Um observador participante, que desde o início declara seus objetivos, dá aos atores que observa uma oportunidade semelhante.

Às vezes, porém, o agente trabalha em segredo e, comportando-se como qualquer membro crédulo da plateia, dá aos atores a corda com que eles próprios se enforcam. Nas profissões quotidianas, os agentes que não se identificam são muitas vezes

---

180. WHITE, P.W. "A Circus List". *American Speech*, I, p. 283.

chamados de "olheiros", como o serão aqui, e compreensivelmente não são bem-vistos. Uma vendedora pode descobrir que foi mal-humorada e indelicada com um freguês que na realidade é um agente da companhia que está investigando o tratamento autêntico que os fregueses recebem. Um merceeiro pode verificar que vendeu mercadorias a preços ilegais a fregueses que são peritos em preços e autoridades em relação a estes. Empregados de estrada de ferro têm o mesmo problema:

> Outrora um chefe de trem podia exigir respeito dos passageiros; agora, um "olheiro" pode "virá-lo do avesso" se deixar de tirar o boné quando entra num carro onde senhoras estejam presentes, ou não transpirar aquela subserviência untuosa que a crescente consciência de classe, a difusão dos padrões do mundo europeu e dos frequentadores de hotéis, e a competição com outras formas de transporte o forçaram a ter[181].

Igualmente, uma mulher da rua pode verificar que, em certas ocasiões, o encorajamento do público que recebe nas fases iniciais de sua prática deriva de um freguês de prostitutas que, na realidade, era um "tira"[182]. Esta possibilidade, sempre presente, faz com que fique um pouco cautelosa diante de um público estranho, o que pelo menos em parte estraga sua atuação.

Consequentemente, devemos ter o cuidado de distinguir os olheiros verdadeiros daqueles que se intitulam como tais, frequentemente chamados de "detratores" ou "informados", que não possuem o conhecimento das operações de bastidores que afirmam possuir e não estão credenciados pela lei ou pelos costumes para representar o público.

Atualmente estamos habituados a pensar em agentes que investigam os padrões de uma representação e os atores (quer isto seja feito abertamente ou sem aviso) como parte da estrutura do

---

181. COTTRELL, W.F. *The Railroader*. Stanford: Stanford University Press 1940, p. 87.

182. MURTAGH, J.M. & HARRIS, S. *Cast the First Stone*. Nova York: Pocket Books/Cardinal Edition, 1958, p. 100, 225-230.

trabalho, especialmente como parte do controle social que as organizações do governo exercem em favor dos consumidores e contribuintes. Frequentemente, contudo, esta espécie de trabalho tem sido feita num campo social mais amplo. Repartições de heráldica e de protocolo fornecem exemplos conhecidos, pois tais agências servem para conservar a nobreza e os altos funcionários do governo e aqueles que falsamente se atribuem estas condições em seus verdadeiros lugares.

Há ainda outro personagem interessante na plateia. É aquele que nela ocupa um lugar despercebido, modesto, e que sai, quando o espetáculo acaba, à procura de seu patrão, um competidor da equipe, a cuja representação esteve assistindo, para contar o que viu. É o comprador profissional, o homem da loja Gimbel na loja Macy e o da Macy na Gimbel. É o espião das modas e o estrangeiro no "National Air Meets". O comprador é uma pessoa que tem o direito técnico de ver o espetáculo, mas deveria ter a decência, conforme às vezes se pensa, de permanecer na sua própria região de fundo, pois seu interesse no espetáculo parte de uma perspectiva errônea, ao mesmo tempo mais vivida e mais aborrecida do que a de um espectador inteiramente legítimo.

Outro papel discrepante é aquele que é frequentemente chamado de "intermediário" ou "mediador". O intermediário aprende os segredos de cada lado e dá a cada um a verdadeira impressão de que os guardará; mas procura dar a cada lado a falsa impressão de que é mais leal a esse lado do que ao outro. Às vezes, como no caso do árbitro em alguns conflitos trabalhistas, o intermediário pode atuar como um meio pelo qual duas equipes obrigatoriamente hostis chegam a um acordo mutuamente vantajoso. Às vezes, como no caso dos agentes teatrais, o intermediário pode atuar como o meio pelo qual cada lado recebe uma versão distorcida a respeito do outro, calculada de modo a criar uma relação mais estreita possível entre os dois lados. Às vezes, como no caso dos agentes de casamento, o intermediário pode servir como meio de transmitir tentativas de propostas de um lado ao outro, as quais, caso abertamente apresentadas, poderiam conduzir a uma aceitação ou rejeição embaraçosas.

Quando um intermediário opera na presença real das duas equipes das quais é membro, assistimos a uma maravilhosa exibição, não diferente da que seria dada por um homem que tentasse desesperadamente jogar tênis consigo mesmo. Ainda uma vez somos obrigados a ver que não é o indivíduo a unidade natural que devemos considerar, mas a equipe e seus membros. Enquanto indivíduo, a atividade do intermediário é estranha, insustentável e indigna, vacilando, como de fato acontece, de um conjunto de aparências e lealdades para outro. Como parte constituinte de duas equipes, a vacilação do intermediário é muito compreensível. O intermediário pode ser considerado simplesmente um duplo "farol".

Um exemplo do papel do intermediário aparece em recentes estudos sobre a função de mestre de fábrica. Não somente deve ele aceitar as obrigações de diretor, dirigindo o espetáculo no andar térreo da fábrica em nome da plateia administrativa, mas deve também traduzir o que sabe e o que a plateia vê em um curso verbal que sua consciência e a plateia estejam dispostas a aceitar[183]. Outro exemplo do papel do intermediário é encontrado no presidente de uma assembleia formalmente dirigida. Assim que pede a atenção do grupo e apresenta o convidado que vai falar, espera-se que daí em diante sirva de modelo inteiramente visível para os outros ouvintes, ao demonstrar, por expressões exageradas, o interesse e a apreciação que devem exibir, fornecendo-lhes de antemão indicações para que saibam se uma observação particular deve ser acolhida com seriedade, risadas ou risos reprimidos. Os conferencistas costumam aceitar convites para falar na suposição de que o presidente "lhes dará cobertura", o que ele faz sendo um verdadeiro modelo de espectador, confirmando inteiramente a noção de que a conferência tem real significação. O desempenho do presidente é eficaz em parte porque os ouvintes têm uma obrigação para com ele, a obrigação de confirmar qualquer caracterização da situação que ele patrocine, a obrigação, em suma, de seguir a linha de atenção tomada por ele. A tarefa dramatúrgica de assegurar que o conferencista apareça como apreciado e que os ouvintes estão

---

183. Cf. ROETHLISBERGER. Op. cit.

encantados certamente não é fácil e muitas vezes deixa o presidente sem disposição de espírito para pensar naquilo em que está, ostensivamente, prestando atenção.

O papel de intermediário parece ser especialmente significativo numa interação de convívio informal, ainda uma vez exemplificando a utilidade do enfoque na perspectiva de duas equipes. Quando um indivíduo, num círculo de palestra, empenha-se numa ação ou num discurso que receba a atenção conjunta dos outros presentes, ele define a situação, e pode defini-la de um modo que não seja facilmente aceitável por sua plateia. Algum dos presentes sentirá uma responsabilidade maior com relação a ele do que os outros e podemos esperar que essa pessoa mais íntima dele faça um esforço para traduzir as diferenças entre o locutor e os ouvintes em uma opinião que seja mais aceitável coletivamente do que a projeção original. Um momento depois, quando alguma outra pessoa toma a palavra, outro indivíduo pode se encontrar assumindo o papel de intermediário e mediador. Uma torrente de conversas informais pode, de fato, ser considerada como a formação e reformação de equipes e criação e recriação de intermediários.

Indicamos alguns papéis discrepantes: o delator, o "farol", o olheiro, o comprador e o intermediário. Em cada caso, encontramos uma inesperada e não aparente relação entre papel fingido, informação possuída e regiões de acesso. E em cada caso tratamos de alguém que pode participar da verdadeira interação entre os atores e a plateia. Pode-se considerar ainda outro papel divergente, o da "não pessoa". Os indivíduos que desempenham este papel estão presentes durante a interação, mas, sob certo aspecto, não assumem o papel nem de atores nem de plateia, nem pretendem ser (como os delatores, o "farol" e o olheiro) o que não são[184].

Talvez o tipo clássico da "não pessoa", em nossa sociedade, seja o empregado doméstico. Espera-se que esteja presente na região de fachada, enquanto o dono da casa está apresentando uma representação de hospitalidade aos convidados do estabele-

184. Para um tratamento mais completo do papel, cf. GOFFMAN. Op. cit., cap. XVI.

cimento. Embora em certo sentido o criado seja parte da equipe do anfitrião (como o tratei anteriormente), de algum modo é definido tanto pelos atores quanto pela plateia como alguém que não está aí. Em alguns grupos espera-se também que o doméstico entre livremente nas regiões de fundo com base na teoria de que nenhuma impressão precisa ser mantida para ele. A Sra. Trollope dá-nos alguns exemplos:

> Realmente tive frequentes oportunidades de observar esta habitual indiferença pela presença de seus escravos. Falam deles, de sua condição, habilidades e conduta, exatamente como se fossem incapazes de ouvir. Uma vez vi uma moça que, quando sentada à mesa entre um homem e uma mulher, foi levada por sua modéstia a se encostar na cadeira de sua vizinha, para evitar a indelicadeza de tocar o cotovelo de *um homem*. Numa outra vez vi esta mesma moça amarrando seu espartilho na mais perfeita compostura diante de um lacaio negro. Um senhor da Virgínia disse-me que, desde que se tinha casado, estava acostumado a ter uma menina negra dormindo no mesmo quarto com ele e a esposa. Perguntei por que esta presença noturna era necessária. "Meu Deus!", respondeu ele. Se eu quisesse um copo de água durante a noite, o que seria de mim?[185]

Este é um exemplo extremo. Apesar de haver o costume de só lhes dirigir a palavra quando se pretende pedir-lhes alguma coisa, ainda assim, sua presença numa região impõe tipicamente algumas restrições ao comportamento daqueles que estão presentes, ainda mais quando, aparentemente, a distância social entre servidor e servido não é grande. No caso de outros papéis semelhantes ao de criado, em nossa sociedade, tais como o de ascensorista e motorista, parece haver incerteza de ambos os lados da relação a respeito do tipo de intimidades permitidas em presença de não pessoas.

Além das pessoas que desempenham papéis semelhantes aos de criados, há outras categorias-padrão de pessoas que são às ve-

---

185. TROLLOPE. *Domestic Manners of the Americans*. 2 vols. Londres: Whittaker/Treacher, 1832, II, p. 56-57.

zes tratadas em sua presença como se não estivessem presentes; os muito jovens, os muito velhos e os doentes, são exemplos comuns. Além disso, encontramos hoje um grupo crescente de pessoal técnico – estenógrafas, técnicos de emissoras, fotógrafos, polícia secreta etc. – que desempenham um papel técnico durante cerimônias importantes, mas não um papel que faz parte de um roteiro.

Pareceria que o papel de não pessoa implica, geralmente, alguma subordinação e desrespeito, mas não devemos subestimar o fato de que a pessoa a quem é dado, ou que assume, tal papel pode usá-lo como defesa. E deve-se acrescentar que podem surgir situações em que os subordinados achem que o único meio viável de tratar com um superior é considerá-lo como se não estivesse presente. Assim, na Ilha Shetland, quando o médico inglês da escola pública atendia aos doentes nas casas de lavradores pobres, os moradores às vezes enfrentavam a dificuldade de se relacionar com o médico tratando-o, do melhor modo possível, como se ele não estivesse presente. Acrescente-se que uma equipe pode tratar um indivíduo como se não estivesse presente, assim agindo não por ser algo natural ou a única coisa viável, mas como um modo indicado para expressar hostilidade a quem se tenha conduzido inconvenientemente. Em tais situações, o importante, na representação, é demonstrar ao excluído que ele está sendo ignorado, e a atividade levada a efeito para demonstrar isso pode ser, ela mesma, de importância secundária.

Consideremos alguns tipos de pessoas que não são, num sentido comum, atores, plateia ou estranhos, tendo acesso à informação e a regiões que não esperávamos por parte delas. Vamos considerar agora quatro outros papéis discrepantes, envolvendo essencialmente pessoas que não estão presentes durante a representação, mas que possuem inesperada informação a respeito dela.

Em primeiro lugar, há um importante papel que poderia ser chamado de "especialista num serviço". É desempenhado por indivíduos especializados na construção, conserto e manutenção do espetáculo que seus clientes exibem diante de outras pessoas. Alguns deles, como os arquitetos e os vendedores de móveis, são especialistas em cenários; alguns, como os dentistas, os cabeleireiros e os dermatologistas, tratam da fachada pessoal; outros como os economistas do grupo dirigente, contadores, advogados e pesquisadores formulam os elementos concretos da exposição verbal de um cliente, isto é, a argumentação de sua equipe ou sua posição intelectual.

Com base na pesquisa concreta, poderia parecer que os especialistas em serviços dificilmente seriam capazes de corresponder às necessidades de um ator individual sem adquirir tanta, ou mais, informação destruidora sobre alguns aspectos da representação do indivíduo, quanto a que ele mesmo possui. Os especialistas em serviços são semelhantes aos membros da equipe pelo fato de tomarem conhecimento dos segredos do espetáculo e obterem uma visão dos bastidores. Porém, ao contrário dos membros da equipe, o especialista não compartilha do risco, da culpa e da satisfação de apresentar diante de um público o espetáculo para o qual contribuiu. E, diferentemente dos membros da equipe, ao ficar sabendo o segredo dos outros, estes outros não ficam conhecendo os segredos correspondentes a respeito dele. É neste contexto que podemos entender por que a ética profissional frequentemente obriga o especialista a mostrar "discrição", isto é, não passar adiante os segredos de um espetáculo de que tomem conhecimento por motivo de suas obrigações. Assim, por exemplo, os psicoterapeutas que participam indiretamente das lutas domésticas do nosso tempo são obrigados a permanecer mudos a respeito do que souberam, exceto com relação a seus supervisores.

Quando o especialista tem um *status* social geral mais elevado do que os indivíduos a quem presta serviço, sua avaliação social geral a respeito deles pode ser confirmada pelas coisas particulares que deve vir a saber acerca deles. Em algumas situações isto se torna um fator significativo para manter o *status quo*. Assim, nas cidades norte-americanas os banqueiros da alta classe média chegam a ver que os proprietários de alguns pequenos negócios apresentam uma fachada para efeito de impostos que é incompatível com suas transações bancárias, e que outros negociantes apresentam uma fachada pública de solvência segura, conquanto particularmente peçam um empréstimo de maneira abjeta, hesitante. Os médicos de classe média, em trabalho beneficente que devem tratar de moléstias vergonhosas em lugares vergonhosos, acham-se em posição semelhante, pois tornam impossível para uma pessoa de baixa condição proteger-se do conhecimento íntimo de seus superiores. Igualmente um proprietário de terras sabe que todos os seus arrendatários agem como se fossem pessoas que pagam o aluguel em dia, mas sabem que com relação a alguns deles este ato é apenas um ato. (Pessoas que não são especialistas em serviços têm às vezes a mesma opinião desenganadora. Em muitas empresas, por exemplo, exige-se de um funcionário executivo que observe o espetáculo de ruidosa competência do pessoal, embora possa secretamente possuir uma opinião precisa e pouco favorável sobre algumas pessoas que trabalham sob suas ordens.)

Às vezes descobrimos, sem dúvida, que o *status* social geral do cliente é mais alto do que o dos especialistas que são contratados para atender à sua fachada. Em tais casos ocorre um interessante dilema de posições sociais, havendo, de um lado, posição elevada e baixo controle da informação e, de outro lado, baixa posição e alto controle da informação. Nesses casos é possível que o especialista fique muito impressionado com as fraquezas na representação feita pelos que estão acima dele e esqueça as suas próprias. Em consequência, tais especialistas, às vezes, criam uma ambivalência característica mostrando-se cínicos em relação ao mundo "dos melhores", pelas mesmas razões que o levaram a privar indiretamente com ele. Assim o porteiro, em virtude do serviço que executa, conhece que espécie de bebida os inquilinos bebem, que comida comem, que cartas recebem, quais as contas que deixam de pagar, e se a senhora do apartamento está menstruada, apesar de sua aparência imaculada, e o grau de limpeza em que os moradores mantêm o banheiro, a cozinha e outras regiões de fundo[186]. Igualmente, o gerente de um posto de gasolina tem condições de saber que um homem que impressiona com um Cadillac novo só pode comprar um dólar

---

186. Cf. GOLD, R. *The Chicago Flat Janitor*. University of Chicago, 1950 [Tese inédita de mestrado. Especialmente o Cap. IV, "The Garbage"].

de gasolina ou compra um tipo mais barato, ou procura receber do posto serviço gratuito. E também sabe que a demonstração que alguns homens fazem de conhecimento sobre carros é falsa, pois nem conseguem diagnosticar corretamente o enguiço de seu automóvel, embora o pretendam, nem dirigir até as bombas de gasolina de modo competente. Assim também as pessoas que vendem vestidos ficam sabendo que freguesas, de quem não esperariam tal coisa, muitas vezes usam roupas de baixo sujas, e que cinicamente julgam uma peça de roupa pela possibilidade de falsear os fatos. Os vendedores de roupas masculinas sabem que a carrancuda representação que os homens sustentam de se importarem pouco com a aparência é às vezes somente um espetáculo, e que homens fortes e silenciosos experimentarão terno após terno, chapéu após chapéu, até aparecerem no espelho exatamente como desejam se ver. Da mesma forma, os policiais aprendem por meio daquilo que respeitáveis homens de negócios querem que eles façam e não façam que os pilares da sociedade têm uma ligeira inclinação[187]. As camareiras de hotel aprendem que os hóspedes que lhes fazem propostas amorosas lá em cima não são bem aquilo que a decência de sua conduta lá embaixo sugere[188]. E os agentes de segurança de um hotel, ou leões de chácara, como são mais comumente chamados, sabem que uma cesta de papéis pode esconder dois rascunhos rejeitados de uma nota de suicida:

> *Querida.*
> *Quando você receber este, estarei num lugar onde nada que você possa fazer me afligirá.*
> *Quando você ler este, nada que você faça será capaz de me afligir*[189].

mostrando que os sentimentos finais de uma pessoa desesperadamente decidida foram de certo modo ensaiados, a fim de conseguir exatamente o bilhete certo e que, de qualquer modo, não eram finais. Os especialistas em serviços com reputação duvidosa, que mantêm um escritório nos arredores de uma cidade, de modo

187. WESTLEY. Op. cit., p. 131.

188. Estudo do autor sobre o Hotel Shetland.

189. COLLANS. Op. cit., p. 156.

que os clientes não sejam vistos procurando sua assistência, fornecem claramente outro exemplo. Nas palavras do Sr. Hughes:

> Uma cena comum de ficção retrata uma senhora de posição procurando, disfarçada e sozinha, o endereço da cartomante ou da parteira de prática duvidosa, numa parte obscura da cidade. O anonimato de certas partes da cidade permite às pessoas procurar os serviços especializados, legítimos, mas embaraçosos, assim como os legítimos, de pessoas com quem não gostariam de ser vistas por membros de seu próprio círculo social[190].

O especialista pode, certamente, carregar consigo o anonimato como faz o dedetizador, anunciando que irá à casa do cliente num veículo de cobertura comum. A garantia de anonimato é, por certo, uma afirmação bastante ruidosa de que o cliente precisa dele e está propenso a utilizá-lo.

É lógico que o especialista, cujo trabalho exige dele que tenha uma visão dos bastidores das representações de outras pessoas, será um embaraço para estas. Mudando a representação que serve de ponto de referência, podem ser percebidas outras consequências. Verificamos com frequência que os clientes podem contratar um especialista não para obter ajuda num espetáculo que estão montando para outros, mas para o próprio número que consiste em ter um especialista cuidando deles. Muitas mulheres, ao que parece, vão a salões de beleza para se alvoroçarem e serem chamadas de "madames", e não simplesmente porque precisam fazer um penteado. Às vezes se diz, por exemplo, que na Índia a procura de especialistas em serviços adequados para tarefas ritualmente significativas tem importância decisiva na confirmação da posição de casta própria do indivíduo[191]. Em casos como estes, o ator pode estar interessado em ser conhecido pelo especialista que o serve e não no espetáculo que o serviço lhe permite, mais tarde, executar. Por isso, sabemos que há especialistas "especiais" que

---

190. HUGHES, E.C. & HUGHES, H.M. *Where People Meet*. Glencoe, Ill.: The Free Press, 1952, p. 171.

191. Por estes e outros dados sobre a Índia, e por sugestões em geral, fico grato a McKim Marriott.

satisfazem necessidades vergonhosas demais para que o cliente contrate especialistas diante dos quais habitualmente não se envergonham. Assim, a representação que um cliente encena para seu médico, às vezes, força-o a ir a um farmacêutico, à procura de medicamentos abortivos, anticoncepcionais e para doenças venéreas[192]. Igualmente nos Estados Unidos, um indivíduo envolvido em complicações indecorosas pode expor suas dificuldades a um advogado negro por causa da vergonha que sentiria diante de um branco[193].

É evidente que os especialistas em certos serviços, possuidores de segredos que lhes foram confiados, estão em posição de explorar aquilo que sabem, com o fim de obter concessões do ator cujos segredos possuem. A lei, a ética profissional e o interesse próprio esclarecido muitas vezes põem um limite às formas mais grosseiras de chantagem, mas pequenas concessões; delicadamente pedidas, frequentemente não são reprimidas por estas formas de controle social. Talvez a tendência de colocar um advogado, um contador, um economista ou outros especialistas nas fachadas verbais de um contrato de serviço e a trazer para a firma aqueles que estão contratados, represente em parte um esforço para garantir discrição; uma vez que o especialista em assuntos verbais se torne parte da organização, presume-se que novos métodos possam ser empregados para assegurar sua fidelidade. Trazendo o especialista para a própria empresa do indivíduo, e até para a sua equipe, há também maior segurança de que ele aplicará sua capacidade nos interesses do espetáculo do indivíduo e não nos interesses de assuntos louváveis, mas irrelevantes, tais como uma opinião equilibrada ou a apresentação de interessantes dados teóricos à plateia profissional do especialista[194].

---

192. WEINLEIN. Op. cit., p. 106.

193. HALE, W.H. *The Career Development of the Negro Lawyer*. University of Chicago 1949, p. 72 [Tese inédita de doutorado].

194. Espera-se que o especialista em fachadas verbais introduzido na organização reúna e apresente dados, de tal modo que ofereça o máximo apoio às pretensões da equipe no momento. Os fatos da questão serão geralmente um assunto acidental, um simples ingrediente a ser considerado juntamente com outros, tais como os prováveis argumentos dos opositores, a predisposição do

Deveríamos acrescentar uma nota sobre uma variedade no papel de especialista: o de "especialista em treinamento". Os indivíduos que desempenham este papel têm a complicada tarefa de ensinar ao ator como construir a impressão desejada, enquanto ao mesmo tempo assumem a função de futura plateia e ilustram, por meio de punições, as consequências das impropriedades. Os pais e os professores escolares são talvez os principais exemplos deste papel em nossa sociedade. Os sargentos que dão instruções aos cadetes fornecem um outro exemplo.

Os atores, às vezes, sentem-se constrangidos na presença de um treinador cujas lições aprenderam desde há muito e consideram evidentes. Os treinadores tendem a evocar no ator uma imagem vívida dele mesmo, que tenha reprimida, a imagem de alguém empenhado no desajeitado e embaraçante processo de se formar. O ator pode fazer com que esqueça como era tolo outrora, mas não pode fazer o treinador esquecer. Conforme diz Riszler a respeito de qualquer fato vergonhoso, "se os outros o conhecem, o fato está estabelecido, e a imagem que a pessoa faz de si mesma fica colocada além de seu poder de lembrar ou esquecer"[195]. Talvez não haja uma atitude fácil e coerente que possamos tomar em relação a pessoas que observaram atrás de nossa frente habitual – pessoas que "nos conheciam quando" – se ao mesmo tempo são pessoas que devem simbolizar a resposta da plateia para conosco e não podem, portanto, ser aceitas como seriam os velhos companheiros de equipe.

---

público em geral, ao qual a equipe poderá querer pedir apoio, os princípios aos quais todos os interessados se sentirão obrigados a prestar louvores fingidos etc. Interessante é que o indivíduo que ajuda a recolher e formular o arranjo dos fatos usados no espetáculo verbal de uma equipe pode também ser empregado na função, inteiramente diferente, de apresentar ou transmitir esta fachada, em pessoa, à plateia. É a diferença entre escrever o roteiro de um espetáculo e representá-lo. Temos aqui um dilema em potencial. Quanto mais o especialista for levado a deixar de lado seus padrões profissionais e considerar somente os interesses da equipe que o emprega, tanto mais úteis podem ser os argumentos que usa para defendê-la. Contudo, quanto maior for sua reputação de profissional independente, interessado somente nos fatos equilibrados do caso, é provável que ele seja mais eficiente quando aparecer diante do público e exibir seus resultados. Uma fonte muito rica de dados a esse respeito pode ser encontrada na obra citada de Wilensky.

195. RISZLER. Op. cit., p. 458.

O especialista em serviços foi mencionado como um tipo de pessoa que, não sendo ator, ainda assim tem acesso a regiões de fundo e a informações destruidoras. Um segundo tipo é a pessoa que desempenha o papel de "confidente". São pessoas a quem o ator confessa seus pecados detalhando livremente o sentido em que a impressão dada durante uma representação era meramente uma impressão. Tipicamente, os confidentes ficam localizados no lado de fora e só indiretamente participam da atividade na região dos fundos e da fachada. É a uma pessoa deste tipo, por exemplo, que um marido convence de uma narrativa diária sobre o modo como ele se arranja nos estratagemas do escritório, nas intrigas, sentimentos inconfessáveis e blefes; e quando escreve uma carta fazendo um pedido, renunciando a uma posição ou aceitando um emprego, é esta pessoa que examinará o rascunho, para se assegurar de que a carta toca exatamente no ponto certo. Quando ex-diplomatas e ex-lutadores escrevem suas memórias, o público leitor é levado atrás da cena e se torna um confidente diluído de um dos grandes espetáculos, embora se trate de um acontecimento já então inteiramente passado.

Uma pessoa em quem outra confia, ao contrário do especialista em um serviço, não torna uma ocupação o fato de gozar destas confidências, aceita a informação sem aceitar pagamento, como expressão de amizade e consideração que o informante sente por ela. Sabemos, contudo, que os clientes muitas vezes tentam transformar o especialista em algum serviço em confidente (talvez como meio de garantir a discrição), especialmente quando o trabalho deste é meramente prestar atenção e conversar, como é o caso dos padres e psicoterapeutas.

Resta um terceiro papel a ser considerado. Como o do especialista e o do confidente, o papel de colega proporciona àqueles que o desempenham alguma informação sobre uma representação à qual não assistem.

Os colegas podem ser definidos como pessoas que apresentam a mesma prática à mesma espécie de plateia, mas não participam juntos, como fazem os companheiros de equipe, no mesmo momento e lugar, de uma mesma plateia determinada. Os colegas, como se diz, partilham de um mesmo destino. Tendo de revestir-se da mesma espécie de representação, chegam a conhecer as dificuldades e pontos de vista uns dos outros. Sejam quais forem suas línguas, vêm a falar a mesma língua social. E conquanto colegas que entram em competição na conquista das plateias possam guardar alguns segredos estratégicos uns dos outros, não podem ocultar muito bem certas coisas que escondem do público. A fachada que é mantida diante de outras pessoas não precisa ser mantida entre eles; a descontração torna-se possível. Hughes enunciou recentemente as complexidades desta forma de solidariedade:

> Uma parte do código de trabalho de uma posição é a discrição que permite aos colegas trocarem confidências a respeito de suas relações com as outras pessoas. Entre estas confidências encontram-se expressões de cinismo referentes à sua missão, competência e fraquezas de seus superiores, deles mesmos, de seus colegas, subordinados e do público em geral. Tais expressões tiram o peso dos ombros da pessoa e servem também de defesa. A confiança mútua não expressa, que lhes é necessária, baseia-se em duas premissas referentes aos companheiros. A primeira é que o colega não entenderá mal; a segunda é que não repetirá o que ouvir para estranhos. Estar seguro de que um novo companheiro não irá interpretar mal exige uma lista de gestos sociais. O fanático que transforma a luta numa verdadeira batalha, que leva demasiado a sério uma iniciação amistosa, provavelmente não merece que lhes sejam confiados os mais leves comentários a respeito do trabalho de alguém, dúvidas e apreensões; nem pode aprender as partes do código de trabalho que são comunicadas somente por alusões e gestos. Não se pode confiar nele, pois, embora não seja dado a usar de estratagemas, é suspeito de ser inclinado à traição. Para que os homens possam se comunicar livremente com confiança devem ser capazes de aceitar como verdadeira boa quantidade dos sentimentos uns dos outros. Devem sentir-se tranquilos a respeito de seus silêncios, assim como de suas expressões verbais[196].

---

196. HUGHES & HUGHES. Op. cit., p. 168-169.

Uma boa exposição de alguns outros aspectos de solidariedade entre colegas de colégio é feita por Simone de Beauvoir. Sua intenção é descrever a situação peculiar das mulheres e seu resultado é falar-nos a respeito de todos os grupos colegiais:

> As amizades que uma mulher consegue conservar ou fazer são preciosas para ela, mas são de tipo muito diferente das relações entre os homens. Estes últimos comunicam-se como indivíduos, mediante ideias e projetos de interesse pessoal, enquanto as mulheres ficam limitadas à sua sorte feminina geral e se unem por uma espécie de cumplicidade imanente. E aquilo que procuram entre si é, antes de mais nada, a afirmação do universo que têm em comum. Não discutem opiniões e ideias gerais, mas trocam confidências e receitas; formam uma liga para criar uma espécie de contrauniverso, cujos valores preponderem sobre os valores masculinos. Coletivamente encontram forças para romperem suas correntes; negam o domínio sexual dos homens, admitindo sua frigidez, enquanto ridicularizam os desejos dos homens ou sua inabilidade; e põem em dúvida ironicamente a superioridade moral e intelectual de seus maridos e dos homens em geral. Comparam experiências: a gravidez, os nascimentos, suas próprias doenças e as dos filhos, e as preocupações domésticas tornam-se os acontecimentos essenciais da história humana. Seu trabalho não é uma técnica; ao passarem adiante receitas de cozinha e coisas semelhantes, revestem este ato da dignidade de uma ciência secreta, fundada na tradição oral[197].

Deverá ficar clara portanto a razão pela qual os termos para designar os colegas, assim como os usados para designar companheiros de equipe, tornam-se termos intergrupais, e porque os empregados para se referir às plateias tendem a se carregarem de um sentimento extragrupal.

É interessante notar que, quando companheiros de equipe entram em contato com um estranho que é seu colega, pode ser

---

197. DE BEAUVOIR. Op. cit., p. 542.

temporariamente conferida ao recém-chegado uma espécie de título de membro cerimonial ou honorário da equipe. Há um verdadeiro complexo do visitante importante, geralmente membro de um congresso, pelo qual os companheiros de equipe o tratam como se ele de repente tivesse entrado em relações íntimas e antigas com eles. Sejam quais forem suas prerrogativas de associado, a ele são dados direitos de sócio. Tais cortesias são especialmente feitas quando acontece que o visitante e os que o recebem estudaram no mesmo estabelecimento ou foram preparados pelos mesmos treinadores, ou ambas as coisas. Os diplomados da mesma família, mesma escola profissional, mesma penitenciária, mesma escola pública e mesma cidadezinha fornecem exemplos claros. Quando "velhos companheiros" se encontram será difícil manter as brincadeiras rudes dos bastidores, e o abandono da atitude costumeira pode se tornar uma obrigação e uma atitude em si mesma, mas será mais difícil fazer qualquer outra coisa.

Uma interessante implicação do que aqui se disse é que uma equipe que constantemente represente seus papéis para a mesma plateia pode contudo ser socialmente mais afastada deste público do que de um colega que momentaneamente entra em contato com a equipe. Assim, a pequena nobreza da Ilha Shetland conhecia seus vizinhos lavradores muito bem, tendo representado seu papel para eles desde a infância. Um visitante de pequena nobreza que chegue à ilha, devidamente apadrinhado e apresentado, poderia tornar-se mais íntimo dos ilhéus de mesma condição social, durante um chá da tarde, do que um lavrador que passou a vida inteira em contato com seus vizinhos de pequena nobreza. Isto porque o chá da tarde, entre a nobreza rural, pertence aos bastidores da relação entre pequenos nobres e lavradores. Nesse caso, os últimos eram ridicularizados e os modos coagidos geralmente empregados na presença deles davam lugar à versão da pequena nobreza das brincadeiras rudes empregadas em seu próprio convívio. Nessa ocasião a pequena nobreza defrontava-se com o fato de ser igual aos lavradores em aspectos decisivos e diferentes deles em alguns aspectos indesejáveis, tudo isso com uma secreta jocosidade de que muitos lavradores não suspeitavam[198].

---

198. A pequena nobreza da ilha muitas vezes discutia como era difícil se relacionar com os nativos, uma vez que não tinham interesses comuns. Enquanto, dessa

Podemos dizer que a boa vontade que um colega cerimoniosamente demonstra a outro é talvez uma espécie de oferta de paz: "Você não falará de nós e nós não falaremos de você". Isto explica parcialmente por que os médicos e os negociantes frequentemente dão mostras de cortesia profissional ou fazem redução no preço para aqueles que estão de algum modo ligados ao seu ramo de negócio. Encontramos aqui uma espécie de suborno daqueles que estão suficientemente bem-informados para se tornarem detetives.

A natureza do coleguismo permite-nos compreender alguma coisa sobre o importante processo social da endogamia, pelo qual uma família de uma classe, casta, ocupação, religião, ou grupo étnico tende a restringir seus laços matrimoniais a famílias da mesma condição. As pessoas que são unidas por laços de afinidade têm condições de observar o que se passa atrás da fachada umas das outras: isto é sempre embaraçoso, mas o será menos se os bastidores dos recém-chegados mantiverem a mesma espécie de espetáculo e privarem da mesma informação destrutiva. Uma união errada é algo que leva aos bastidores e à equipe alguém que deveria ser mantido de fora, ou, pelo menos, na plateia.

Deve-se notar que pessoas que são colegas em uma determinada função e, por conseguinte, em termos de alguma familiaridade recíproca, podem não ser colegas sob outros aspectos. Sente-se, às vezes, que um colega que em outros sentidos é um homem de menor poder ou posição social pode estender excessivamente suas pretensões de familiaridade e ameaçar a distância social que deveria ser mantida com base nessas outras condições. Na sociedade norte-americana, pessoas de classe média com o *status* de grupo minoritário inferior muitas vezes são ameaçadas pela presunção de seus companheiros de classe mais baixa. Como diz Hughes, a respeito das relações inter-raciais de colegas:

> O dilema surge do fato de que, embora seja mau para a profissão permitir que leigos percebam falhas em suas

---

forma, ela demonstrava boa compreensão do que aconteceria se um lavrador viesse para o chá, parecia menos consciente de quanto o "espírito" da hora do chá dependia de haver lavradores disponíveis para não irem ao chá.

> fileiras, pode ser mau para o indivíduo ser associado, aos olhos de seus clientes reais ou potenciais, a pessoas, mesmo colegas, de um grupo tão menosprezado como os negros. O meio válido de evitar o dilema é abster-se de contatos com profissionais negros[199].

Igualmente os patrões que sejam evidentemente de baixa condição como alguns gerentes norte-americanos de postos de gasolina frequentemente acham que seus empregados esperam que a direção como um todo seja conduzida segundo as maneiras de bastidores, e que as ordens e instruções sejam dadas em tom de quem pede ou está gracejando. Sem dúvida esta espécie de ameaça é aumentada pelo fato de os não colegas poderem igualmente simplificar a situação e julgar o indivíduo excessivamente pelos companheiros de colégio que conserva. Mas aqui, novamente, tratamos de assuntos que não podem ser inteiramente explorados, a menos que mudemos o ponto de referência de uma representação para outra.

Assim como julgamos que algumas pessoas causam dificuldades por superestimarem sua posição de colegas, outras há que causam dificuldades por não lhe dar suficiente importância. É sempre possível que um colega desleal se torne um renegado e traia perante a plateia os segredos da ação que seus antigos irmãos ainda estão desempenhando. Todo ofício tem seus padres apóstatas para nos contar o que acontece no mosteiro e a imprensa sempre mostrou um vivo interesse nessas confissões e exposições. Assim, um médico descreverá em letras de forma o modo como seus colegas dividem os honorários, roubam pacientes uns dos outros e se especializam em operações desnecessárias, que exigem o tipo de aparelhos que dão ao paciente uma representação médica dramática em troca do dinheiro que vai pagar[200]. Nas palavras de Burke, ganhamos com isso informação a respeito da "retórica da medicina":

> Aplicando esta proposição aos nossos propósitos, poderíamos observar que mesmo o equipamento médico

199. HUGHES & HUGHES. Op. cit., p. 172.

200. ARROWSMITH, L.G. "The Young Doctor in New York". *The American Mercury*, XXII, p. 1-10.

> de um consultório não deve ser julgado meramente por sua utilidade nos diagnósticos, mas também tem uma função na *retórica* da medicina. Seja o que for, como aparelho também atrai a atenção como imagem; e se um homem foi submetido a uma fastidiosa série de tapinhas, exames minuciosos e auscultas, com a ajuda de vários aparelhos, medidores e aferidores, pode sentir-se contente de ter participado, como paciente, de tal representação histriônica, embora absolutamente nenhuma coisa concreta tenha sido feita em favor dele, ao mesmo tempo em que poderia considerar-se enganado se ficasse realmente curado sem um cerimonial[201].

Evidentemente, em sentido muito limitado, sempre que se permitir a um não colega tornar-se confidente, alguém terá de ser renegado.

Os renegados frequentemente tomam uma atitude moral, dizendo que é melhor ser leal aos ideais de um papel do que aos atores que falsamente o representam. Uma forma diferente de deslealdade ocorre quando um colega "adota um modo de vida simples" ou se torna um relapso, não procurando manter a espécie de fachada que sua posição social oficial cria ou que seus colegas e a plateia esperam dele. Diz-se, de tais dissidentes, que eles "abandonaram o partido". Assim, na Ilha Shetland os habitantes, num esforço para se apresentarem como fazendeiros progressistas aos visitantes de mundo exterior, demonstravam certa hostilidade em relação aos poucos lavradores que aparentemente não davam importância a isto e se recusavam a barbear-se, tomar banho, construir um pátio na frente da casa ou a substituir o telhado de sapê de seu chalé por algo menos simbólico do *status* tradicional de camponeses. De modo semelhante, em Chicago havia uma organização de veteranos de guerra cegos que, lutando em seu desejo de não aceitar o papel de quem inspira piedade, percorreram a cidade a fim de procurar pessoas cegas que abandonaram o grupo para pedir esmolas nas esquinas.

Uma nota final deve ser acrescentada a respeito do coleguismo. Existem alguns grupos de colegas cujos membros ra-

---

201. BURKE, K. *A Rhetoric of Motives*. Nova York: Prentice-Hall, 1953, p. 171.

ramente são responsabilizados pela boa conduta dos outros. As mães são, de uma certa forma, um grupo de colegas e contudo comumente as más ações de uma, ou suas confissões, não parecem afetar intimamente o respeito que é concedido aos outros membros. Por outro lado, há grupos de colegas com caráter mais unido, cujos membros se acham tão estreitamente identificados aos olhos das outras pessoas, que a boa reputação de um profissional depende da boa conduta dos outros. Se um membro for desmascarado e causar um escândalo, então todos perderão um pouco da reputação pública. Como causa e efeito de tal identificação, verificamos muitas vezes que os membros do grupo são formalmente organizados em uma única coletividade, que tenha permissão de representar os interesses profissionais do grupo e disciplinar qualquer membro que ameace desacreditar a definição da situação criada pelos outros membros. Evidentemente, os colegas desta espécie constituem uma forma de equipe diferente das comuns, pelo fato de os membros da sua plateia não ficarem em contato imediato, frente a frente com os outros, e deverem comunicar suas respostas uns aos outros na ocasião em que os espetáculos a que assistiram já tenham acabado. Igualmente, o colega renegado é uma espécie de traidor ou "vira-casaca".

As implicações destes fatos a respeito de grupos de colegas forçam-nos a modificar um pouco o esquema original de definições. Devemos incluir um tipo marginal de plateia "inconsistente", cujos membros não estão em contato face a face uns com os outros durante a representação, mas que eventualmente reúnem suas respostas à representação a que assistiram de maneira independente. Os grupos de colegas não são, evidentemente, os únicos conjuntos de atores que encontram uma plateia desta espécie. Por exemplo, um Ministério de Relações Exteriores pode estabelecer a linha de conduta oficial corrente para os diplomatas espalhados pelo mundo. Na estrita manutenção desta linha e na íntima coordenação do caráter e sincronização de suas ações, estes diplomatas evidentemente atuam, ou deveriam atuar, como uma equipe única, executando um só espetáculo de âmbito mundial. É claro que, em tais casos, os vários membros da plateia não estão em contato imediato uns com os outros.

Capítulo V
A comunicação imprópria

Quando duas equipes se encontram uma com a outra com objetivo de interação, os membros de cada uma tendem a sustentar como linha de ação que eles são o que afirmam ser; tendem a permanecer a caráter. A familiaridade dos bastidores é suprimida para que a inter-relação das poses não entre em colapso e todos os participantes encontrem na mesma equipe, por assim dizer, sem deixar de fora ninguém que represente para outros. Cada participante da interação geralmente se esforça em conhecer e manter seu lugar, sustentando qualquer equilíbrio de formalidades e informalidades, que tenha sido estabelecido para a interação, chegando ao ponto mesmo de estender este tratamento a seus próprios companheiros de equipe. Ao mesmo tempo, cada equipe tende a suprimir sua cândida opinião de si mesma e da outra equipe, projetando uma concepção de si e uma concepção da outra que é relativamente aceitável para esta. E, para assegurar que a comunicação seguirá pelos estreitos canais estabelecidos, cada equipe está preparada para ajudar a outra, tácita e discretamente, a manter a impressão que está tentando causar.

Certamente, em momentos de grande crise, um novo conjunto de motivos pode se tornar inesperadamente eficiente e a distância social estabelecida entre as equipes pode abruptamente aumentar ou diminuir. Citaremos um exemplo do estudo sobre um hospital onde, numa de suas enfermarias, estava sendo feito um tratamento experimental em voluntários portadores de doenças metabólicas pouco conhecidas e nas quais pouca coisa podia ser feita[202]. Em face das necessidades da pesquisa impostas

202. FOX, R.C. *A Sociological Study of Stress: Physician and Patient on a Research Ward* [Tese inédita de doutorado – Departamento de Relações Sociais, Radcliffe College, 1953].

aos pacientes e do sentimento geral de desalento sobre o prognóstico, a nítida linha de separação habitual entre médicos e pacientes foi atenuada. Os médicos respeitosamente consultavam os doentes por longo tempo a respeito dos sintomas a ponto de eles se julgarem em parte associados à pesquisa. Contudo, de um modo geral, passada a crise, o anterior consenso de trabalho foi restabelecido, embora timidamente. Da mesma maneira, durante súbitos rompimentos de uma representação, e especialmente nos momentos em que se descobre uma identificação equivocada, um personagem retratado pode momentaneamente desmoronar quando o ator que se acha por trás do personagem "se esquece de si" e deixa escapar uma exclamação não pertencente à peça. Assim, a esposa de um general norte-americano conta um incidente ocorrido quando ela e seu marido vestidos sem cerimônia davam um passeio juntos numa noite de verão, num jipe aberto do exército:

> O próximo som que ouvimos foi o silvo dos freios, quando um jipe da Polícia Militar empurrou-nos para a margem da estrada. Os soldados desceram e se dirigiram para o nosso jipe.
> "O senhor apanhou uma viatura oficial e leva uma senhora nele", o mais violento dos soldados disse brusca e asperamente. "Deixe-me ver sua autorização".
> No exército, é claro, ninguém pensaria em dirigir uma viatura militar sem uma autorização, que diga quem permitiu o uso do jipe. O soldado estava sendo muito rigoroso e prosseguiu pedindo a carteira de motorista de Wayne, outro documento militar que deveria ter.
> Evidentemente, ele não tinha nenhum dos dois papéis. Mas tinha seu boné ultramarino de quatro estrelas no banco do lado dele. Atirou-o na cabeça, sem dizer uma palavra, mas firmemente enquanto os soldados da Polícia Militar desencavavam no seu jipe os formulários nos quais planejavam responsabilizar Wayne por todas as violações do manual. Apanharam os formulários, voltaram-se para nós e imediatamente "caíram duros" boquiabertos.
> Quatro estrelas!

> Antes que pudesse refletir, o primeiro soldado, que tinha feito toda a falação, deixou escapar: "Meu Deus!" e então, realmente assustado, bateu com a mão na boca, fez um vigoroso esforço para se recobrar tanto quanto possível de uma situação difícil, dizendo: "Não o reconheci, senhor"[203].

Em nossa sociedade anglo-americana, observa-se que "Meu Deus!", "Por Deus!" ou expressões faciais equivalentes servem muitas vezes como confissão do ator, de que momentaneamente se colocou numa posição na qual é evidente que nenhum personagem se pode sustentar. Estas expressões representam uma forma extrema de comunicação imprópria, e no entanto tornaram-se tão convencionais que quase constituem um pedido encenado de perdão, baseado em que somos todos maus atores.

Estas crises, porém, são excepcionais; o consenso funcional e a manutenção pública de posição é a regra. Mas, por baixo deste típico acordo entre cavalheiros, há correntes de comunicação mais comuns e menos aparentes. Se estas correntes não fossem subterrâneas, se essas concepções fossem oficialmente comunicadas em lugar de transmitidas de maneira sub-reptícia, iriam contradizer e desacreditar a definição da situação oficialmente projetada pelos participantes. Quando se estuda um estabelecimento social, descobre-se quase sempre estes sentimentos discrepantes. Estes demonstram que, embora um ator possa agir como se sua resposta numa situação fosse imediata, impensada e espontânea, e embora ele próprio talvez pense ser isso o que acontece, ainda assim sempre haverá a possibilidade de surgirem situações nas quais transmitirá a uma ou duas pessoas presentes a compreensão de que o espetáculo que está executando é única e exclusivamente um espetáculo. A presença portanto da comunicação imprópria fornece um argumento para a conveniência de estudar as representações em termos de equipes e de rupturas potenciais da interação. É preciso repetir que não afirmamos que as comunicações sub-reptícias sejam um melhor reflexo da realidade verdadeira do que as comunicações oficiais,

---

203. CLARK, M. *Captain's Bride, General's Lady*. Nova York: McGraw-Hill, 1956, p. 128-129.

com as quais são incompatíveis. A questão consiste em que o ator está tipicamente envolvido em ambas e este envolvimento duplo deve ser cuidadosamente dirigido, para que as projeções oficiais não sejam desacreditadas. Entre as muitas formas de comunicação nas quais o ator se empenha, e que transmitem informação incompatível com a impressão oficialmente mantida durante a interação, consideraremos quatro tipos: o tratamento dos ausentes, a conversa no palco, o conluio de equipes e as ações de reajustamento.

O tratamento dos ausentes

Quando os membros de uma equipe vão para os bastidores, onde a plateia não pode vê-los nem ouvi-los, geralmente depreciam-na de uma forma incompatível com o tratamento que lhe é dispensado frente a frente. No comércio de prestação de serviços, por exemplo, os fregueses que são tratados respeitosamente durante a representação quase sempre são ridicularizados, comentados maliciosamente, caricaturados, amaldiçoados e criticados quando os atores estão nos bastidores. Aqui também podem ser arquitetados planos para "tapeá-los", empregar "ardis para levar vantagem" contra eles ou acalmá-los[204]. Assim, na cozinha do Hotel Shetland os hóspedes eram chamados por apelidos depreciativos; sua fala, tom de voz e maneirismo eram imitados com precisão motivando brincadeiras ou críticas; seus defeitos, fraquezas e *status* social eram discutidos com cuidado erudito e clínico; suas exigências dos mais insignificantes serviços despertavam gestos faciais grotescos, uma vez longe das vistas e dos ouvidos. Este desrespeito era amplamente compensado pelos hóspedes quando em seu próprio círculo, ocasião em que os empregados eram descritos como porcos preguiçosos, tipos primitivos que ali vegetavam, animais famintos por dinheiro. No entanto, quando falavam diretamente uns com os outros,

---

204. Cf., p. ex., o caso relatado sobre "Central Haberdashery" em DUBIN, K. (org.). *Human Relations in Administration*. Nova York: Prentice-Hall, 1951, p. 560-563.

empregados e hóspedes mostravam mútuo respeito e alguma afabilidade. Igualmente, há muito poucas relações de amizade nas quais não exista alguma ocasião em que as atitudes expressas sobre o amigo, na sua ausência, são grosseiramente incompatíveis com as expressas na presença dele.

Às vezes, certamente, ocorre o inverso da depreciação, e os atores elogiam a plateia de um modo que não lhe seria permitido fazer na presença real dela. Mas a detração secreta parece ser muito mais comum do que o elogio secreto, talvez porque sirva para manter a solidariedade da equipe, demonstrando mútua consideração às custas dos ausentes, e compensando talvez a perda do respeito a si mesmo que pode se dar quando é preciso conceder à plateia um tratamento obsequioso frente a frente.

Indiquemos duas técnicas comuns de depreciar a plateia ausente. Em primeiro lugar, quando os atores estão na região na qual aparecerão diante da plateia, num momento em que esta saiu ou ainda não chegou, os atores, às vezes, representarão uma sátira sobre sua interação com a plateia, usando alguns membros da equipe no papel dos ausentes. Frances Donovan, por exemplo, ao escrever as fontes de brincadeiras das vendedoras, diz o seguinte:

> Mas, a menos que estejam ocupadas, as jovens não ficam muito tempo separadas. Uma atração irresistível faz com que se reúnam outra vez. Em toda oportunidade brincam de "fregueses", uma brincadeira que inventaram e da qual parecem nunca se cansar, brincadeira que, como caricatura e comédia, nunca vi superada em qualquer palco. Uma moça faz o papel de vendedora, outra o de freguesa à procura de um vestido, e juntas montam uma representação que deliciaria o coração de uma plateia de vaudeville[205].

Uma situação semelhante é descrita por Dennis Kincaid em seu estudo sobre o tipo de contato social que os nativos organizavam para os ingleses, durante o início do domínio britânico na Índia:

---

205. DONOVAN, F. *The Saleslady*. Chicago: University of Chicago Press, 1929, p. 39 [Exemplos específicos são dados às p. 39-40].

> Se os jovens agentes comerciais encontravam pouco prazer nessas reuniões, seus anfitriões, apesar da satisfação que em outras ocasiões teriam encontrado nas graças da Raji e no espírito de Kaliani, não se sentiam muito à vontade para se divertir em sua própria festa até que as visitas tivessem ido embora. Seguia-se então um divertimento do qual poucos visitantes ingleses tinham conhecimento. As portas eram fechadas e as dançarinas, excelentes na mímica como todos os hindus, faziam uma imitação dos aborrecidos hóspedes que tinham acabado de sair, e a inconfortável tensão das últimas horas se dissiparia em alegres explosões de riso. Enquanto os automóveis ingleses se dirigiam ruidosamente para casa, Raji e Kaliani se vestiam elegantemente para caricaturar os trajes ingleses e executavam com indecoroso exagero uma versão orientalizada das danças inglesas, aqueles minuetos e danças campestres que pareciam tão inocentes e naturais aos olhos dos ingleses, tão diferentes dos gestos provocantes das dançarinas hindus, mas que para os hindus pareciam inteiramente escandalosos[206].

Entre outras coisas, esta atividade parece fornecer uma espécie de profanação ritual da região de fachada, bem como da plateia[207].

Em segundo lugar, muitas vezes aparece uma diferença sistemática entre os termos de referência e os termos com que se fala às pessoas. Na presença da plateia os atores tendem a usar formas delicadas para se dirigirem a ela. Isto implica, na sociedade norte-americana, um termo formal de polidez, como "sir" ou

---

206. KINCAID, D. *British Social Life in Índia*, 1608-1937. Londres: Routledge, 1938, p. 106-107.

207. Podemos mencionar uma tendência afim. Em alguns escritórios divididos em regiões por categorias, o intervalo do almoço verá os funcionários de nível mais alto deixando o estabelecimento social e todas as outras pessoas subindo para uma outra região onde vão almoçar ou onde terão uns poucos momentos de conversa depois do almoço. A posse momentânea do lugar de trabalho dos superiores parece oferecer, entre outras coisas, uma oportunidade para profaná-lo em certas maneiras.

"Mr.", ou um termo familiar caloroso, como o primeiro nome ou o apelido, sendo a formalidade ou a informalidade determinadas pela vontade da pessoa a quem é dirigida a palavra. Na ausência da plateia referem-se a ela pelo simples sobrenome, ou pelo primeiro nome quando isto não é permitido na frente dela, pelo apelido ou pronunciando desrespeitosamente o nome inteiro. Às vezes, os membros da plateia são chamados não somente por um nome desrespeitoso, mas também por um título em código que os incorpora inteiramente a uma categoria abstrata. Assim, os médicos, na ausência do doente, podem referir-se a ele como "o cardíaco", ou "o estreptococo"; os barbeiros particularmente referem-se a seus fregueses como "cabeleiras". Assim, também, a plateia pode ser chamada, na ausência, por um termo coletivo, combinando distância e depreciação, sugerindo a divisão entre "fazer parte" e "não fazer parte" do grupo. Da mesma forma, os músicos chamarão os espectadores de "quadrados"; as empregadas norte-americanas de escritórios secretamente referem-se a suas colegas estrangeiras como "G.R's"[208]; os soldados norte-americanos particularmente referem-se aos soldados ingleses com quem trabalharam como "Limeys"[209]; os camelôs, nos parques de diversões, apresentam seu discurso diante de pessoas às quais se referem, em particular, como jecas, índios ou gente da terra; e os judeus executam os papéis da sociedade que os acolhe para uma plateia por eles chamada de goyim[210], enquanto os negros, quando entre eles, às vezes se referirão aos brancos usando termos como "ofay". Em um excelente estudo a respeito das quadrilhas de batedores de carteira é feita uma menção semelhante:

---

208. "German Refugees". Cf. GROSS. Op. cit., p. 186.

209. Cf. GLASER, D. *A Study of Relations between British and American Enlisted Men at "SHAEF"*. University of Chicago, 1947 [Tese inédita de mestrado]. Diz o Sr. Glaser, p. 16: "O termo *limey*, usado pelos norte-americanos em lugar de *British*, era geralmente empregado com implicações depreciativas. Abstinham-se de usá-lo na presença dos ingleses, embora estes geralmente não soubessem o que ele significava ou não lhe dessem um significado pejorativo. Na verdade, o cuidado dos norte-americanos a este respeito era muito semelhante aos dos brancos nortistas, que usam o termo *nigger*, mas não o fazem diante de um negro. Este fenômeno de apelidos é, certamente, um aspecto comum das relações étnicas, nas quais prevalecem os contatos entre categorias diferentes.

210. Termo utilizado pelos judeus para se referirem aos não judeus [N.R.].

> Os bolsos das vítimas fáceis são importantes para os batedores de carteiras somente porque contêm dinheiro. De fato, os bolsos tornaram-se tão simbólicos tanto da vítima como do seu dinheiro, que ela é muito frequentemente – talvez predominantemente – mencionada pelas denominações dos bolsos, como um "bolso esquerdo das calças", um "externo", ou "interno", pelos quais foram roubados numa determinada época ou lugar. Realmente, pensa-se na vítima em termos do bolso no qual ela foi roubada e toda a quadrilha compartilha dessa forma de expressão[211].

Talvez o termo mais impiedoso de todos seja encontrado em situações em que um indivíduo pede para ser chamado de forma familiar em sua presença e isto é feito tolerantemente, mas na ausência referem-se a ele por um nome formal. Assim, na Ilha Shetland um visitante que pediu aos lavradores locais para chamá-lo pelo primeiro nome era, às vezes, atendido, quando em sua presença, mas na ausência do visitante um termo formal de referência o repelia para aquele que achavam ser o seu devido lugar.

Indiquei dois meios padronizados em que os atores depreciam suas plateias: o desempenho trocista de um papel e termos pejorativos de referência. Existem outros meios padronizados. Quando nenhum membro da plateia está presente, os membros da equipe podem referir-se a aspectos de seu papel de maneira cínica ou puramente técnica, dando a si mesmos uma prova de que não têm, sobre sua atividade, a mesma opinião sustentada para a plateia. Quando os companheiros de equipe são avisados de que o público está se aproximando, podem retardar a representação propositadamente até o último minuto, até a plateia quase dar uma olhadela na atividade dos bastidores. Igualmente, a equipe pode precipitar-se no relaxamento dos bastidores no momento em que o público for embora. Por meio desta rápida ligação ou desligamento intencionais de seu papel, a equipe, em certo sentido, pode contaminar e profanar a plateia com uma conduta de bastidores, ou rebelar-se contra a obrigação de man-

---

211. MAURER, D.W. *Whiz Mob*. Gainesville, Flórida: American Dialect Society, 1955, p. 113.

ter um espetáculo diante dela, ou tornar extremamente clara a diferença entre equipe e plateia, e fazer tudo isto inteiramente sem que a plateia perceba. Ainda outra forma-padrão de agressão contra os ausentes ocorre nas caçoadas e zombarias de que um membro da equipe é alvo no momento em que deixa (ou meramente deseja deixar) seus companheiros e sobe ou desce ou se move lateralmente nas categorias da plateia. Nessas ocasiões, o companheiro que está disposto a deslocar-se pode ser tratado como se já o tivesse feito. Injúrias ou familiaridades acumulam-se sobre ele impunemente e, por implicação, sobre a plateia. Um exemplo final de agressão encontra-se quando alguém da plateia é oficialmente introduzido na equipe. Ainda uma vez, pode ser jocosamente maltratado e "passar um momento difícil", exatamente pela mesma razão pela qual foi maltratado quando se afastou da equipe a que pertencia[212].

As técnicas de depreciação que foram consideradas salientam o fato de que, verbalmente, os indivíduos são tratados relativamente bem quando presentes e relativamente mal pelas costas. Isto parece ser uma das generalizações fundamentais que podem ser feitas a respeito da interação, mas não devemos procurar em nossa natureza demasiado humana uma explicação para estes fatos. Como foi dito anteriormente, a degradação da plateia nos bastidores serve para manter a moral da equipe. E quando o público está presente o tratamento respeitoso é necessário, não por causa dele ou somente por causa dele, mas também para assegurar a continuidade da interação em paz e em ordem. Os sentimentos "reais" dos atores com relação a um membro da plateia (quer positivos quer negativos) parecem ter pouco a ver com a questão, seja como determinante do modo como este membro da plateia é tratado estando presente, ou como determinante do modo como é tratado pelas costas. Pode ser verdade que a atividade dos bastidores muitas vezes tome a forma de um conselho de guerra; mas quando duas equipes se encontram no campo da interação, parece que geralmente não o fazem para a paz ou para

---

212. Compare-se com a obra de BURKE, K. *A Rhetoric of Motives*, p. 234ss., onde ele faz uma análise social sobre o indivíduo que está sendo iniciado, usando como palavra-chave *hazing* (atormentar).

a guerra. Encontram-se sob uma trégua temporária, um consenso funcional, a fim de realizarem seus negócios.

A conversa sobre a encenação

Quando os companheiros de equipe estão longe da presença da plateia, a discussão muitas vezes tem por objeto os problemas de encenação. Levantam-se questões a respeito da condição do equipamento de sinais; pausas, frases e posições são, por meio de tentativas, reproduzidas e "esclarecidas" pelos membros reunidos; analisam-se os méritos e deméritos das regiões de fachada; consideram-se o tamanho e o caráter das possíveis plateias para a representação; comentam-se as interrupções já acontecidas da representação e as prováveis; transmitem-se novidades sobre as equipes de colegas; a recepção dada à última representação é ruminada em comentários que, às vezes, são chamados *post-mortem*; lambem-se as feridas e o moral é fortalecido para a próxima representação.

A conversa sobre o palco, quando chamada por outros nomes, como conversa fiada, "jargão profissional" etc., é uma noção bem gasta. Acentuei-a aqui porque ajuda a mostrar o fato de indivíduos com papéis sociais completamente diferentes viverem no mesmo clima de experiência dramatúrgica. Os discursos que os comediantes e os eruditos proferem são bem diferentes, mas seus comentários a respeito deles são muito semelhantes. Em extensão surpreendente, antes do discurso, os oradores conversam com seus amigos a respeito do que prenderá, ou não, a atenção da plateia, e do que a ofenderá ou não. Depois dele, todos comentam com os amigos o tipo de auditório em que falaram, a espécie de público que atraíram e a recepção que lhes foi dada. A conversa de palco já foi comentada no exame da atividade dos bastidores e da solidariedade entre colegas e não será mais discutida aqui.

A conivência da equipe

Quando um participante transmite algo durante a interação, esperamos que se comunique somente por meio dos lábios do personagem que decidiu projetar, dirigindo abertamente todas as suas observações para a interação inteira, de modo que todas as pessoas presentes recebam um *status* igual como receptoras da comunicação. Assim, por exemplo, murmurar é considerado impróprio e proibido, porque pode destruir a impressão de que o ator é somente aquilo que aparenta e que as coisas são o que ele diz que são[213].

A despeito da expectativa de que tudo quanto é dito pelo ator estará de acordo com a definição da situação alimentada por ele, o ator pode transmitir muita coisa imprópria durante uma interação e transmiti-la de modo a evitar que a plateia, no seu todo, compreenda que alguma coisa incompatível com a definição da situação foi transmitida. As pessoas admitidas a participar desta comunicação secreta entram numa relação de conivência umas com as outras, frente aos outros participantes. Reconhecendo mutuamente que guardam dos outros presentes segredos importantes, reconhecem entre si que o espetáculo de sinceridade que mantêm, demonstração de serem somente os personagens que oficialmente projetam, é apenas um espetáculo. Por meio desta mímica, os atores podem afirmar uma solidariedade de bastidores mesmo quando empenhados numa representação, expressando impunemente coisas inaceitáveis relativas ao auditório, bem como coisas a respeito de si mesmos que o público julgaria inaceitáveis. Chamarei de "conivência da equipe" qualquer comunicação combinada que seja cuidadosamente transmitida, de modo que não represente ameaça à ilusão que está sendo criada para a plateia.

Um tipo importante de conivência da equipe encontra-se no sistema de sinais secretos mediante os quais os atores podem sub-repticiamente receber ou transmitir informações convenientes, pedidos de ajuda e outros assuntos de importância

---

213. Em jogos recreativos, conferências secretas cochichadas podem ser aceitáveis, assim como também diante de públicos formados por crianças ou estrangeiros, a quem só se precisa dar pouca consideração. Em acordos sociais nos quais grupos ou blocos de pessoas mantêm conversações separadas na presença visível uns dos outros um esforço é muitas vezes feito pelos participantes, em cada grupo, para agir como se o que estão dizendo pudesse ser dito nos outros grupos, mesmo quando não pudesse.

para a encenação bem-sucedida de uma representação. Tipicamente, estas deixas partem do diretor da representação ou a ele são dirigidas. Dispor desta linguagem subterrânea simplifica muito sua tarefa de manejar as impressões. As deixas frequentemente relacionam os indivíduos empenhados em apresentar uma representação com os que estão dando assistência ou direção nos bastidores. Assim, por meio de uma campainha surda acionada com o pé, uma dona de casa pode dar instruções ao pessoal da cozinha, enquanto atua como se estivesse inteiramente empenhada na conversa da refeição. Igualmente, durante um programa de rádio ou de televisão é empregado um vocabulário de sinais pelos que estão na sala de controle para orientar os atores, principalmente no que diz respeito ao tempo, sem que o público tome conhecimento de que está em operação um sistema controlador de comunicação paralelo àquele do qual participam oficialmente os atores e a plateia. Assim também, em escritórios de negócios, os diretores que querem terminar as entrevistas rápida e diplomaticamente treinarão suas secretárias para interrompê-los no momento adequado, com a desculpa apropriada. Encontra-se outro exemplo no tipo de estabelecimento social nos Estados Unidos, onde habitualmente se vendem sapatos. Às vezes, um freguês que deseja um sapato de tamanho maior do que os existentes na loja ou do que o conveniente para ele pode ser manejado assim:

> Para impressionar o freguês quanto à eficiência de seu sistema de alargar o sapato, o vendedor pode lhe dizer que vai colocá-lo numa "forma trinta e quatro". Esta frase indica ao empacotador que não alargue os sapatos, mas embrulhe-o assim mesmo e os guarde um pouquinho debaixo do balcão[214].

Estas deixas são sem dúvida empregadas entre atores e um "farol" ou cúmplice na plateia, como no caso do "fogo cruzado" entre um camelô e seu companheiro de tramoia entre os otários.

Mais comumente encontramos estas deixas empregadas entre companheiros de equipe quando se acham empenhados

---

214. GELLER, D. "Lingo of the Shoe Salesman". *American Speech*, IX, p. 285.

numa representação. Tais deixas oferecem-nos de fato uma razão para empregar o conceito de equipe, em vez de analisar a interação em termos de um padrão de desempenhos individuais. Este tipo de combinação entre companheiros de equipe, por exemplo, desempenha um papel importante na manipulação das impressões nas lojas norte-americanas. Os empregados de determinada loja geralmente criam sua própria linguagem para realizar a representação apresentada ao freguês, embora certos termos pareçam estar relativamente padronizados e ocorram em muitas lojas em todo o país. Quando os empregados pertencem a um grupo de língua estrangeira, como às vezes acontece, podem empregar sua língua como forma de comunicação secreta, prática também empregada por pais que pronunciam palavras diante dos filhos pequenos ou por membros de nossas melhores classes que se dirigem uns aos outros em francês a respeito de assuntos que não desejam que os filhos, os criados ou os comerciantes ouçam. Contudo esta tática, como a de segredar, é considerada grosseira e indelicada. Deste modo os segredos podem ser guardados, mas não o fato de que há segredos. Em tais circunstâncias, os companheiros de equipe dificilmente podem manter sua fachada de sincera solicitude pelo freguês (ou de franqueza para com as crianças etc.). Frases aparentemente inocentes e que o freguês pensa ter compreendido são mais úteis aos vendedores. Por exemplo, se uma freguesa, numa loja de calçados, quer muito, digamos, um tamanho B, o vendedor pode convencê-la de que este é o que ela está pedindo:

> [...] o vendedor chamará um outro e lhe dirá: "Benny, de que tamanho é este sapato?" Ao chamá-lo "Benny", isso quer dizer que a resposta deve ser que o tamanho é B[215].

Encontramos um insinuante exemplo desta forma de conivência num artigo sobre a casa de móveis Borax:

> Agora que a freguesa está na loja, suponhamos que não lhe podemos vender. O preço é demasiado alto; ela tem de consultar o marido; está só olhando. Dei-

215. GELLER, D. Op. cit., p. 284.

> xá-la sair (isto é, ir-se embora sem comprar) é traição nas Lojas Borax. Assim o vendedor emite um SOS por uma das numerosas campainhas manejadas com os pés. Num instante o "gerente" entra em cena, preocupado com uma mobília inteiramente esquecido do "Aladim" que chamou por ele. "Perdoe-me, Sr. Dixon", diz o vendedor, simulando relutância por perturbar um personagem tão atarefado. "Eu queria saber se o senhor poderia fazer alguma coisa em favor da minha freguesa. Ela acha o preço desta mobília demasiado alto. Madame, este é o nosso gerente, o Sr. Dixon."
>
> O Sr. Dixon pigarreia para impressionar. Ele tem pelo menos um metro e oitenta de altura, cabelo cinza-chumbo e usa um distintivo da maçonaria na lapela do paletó. Ninguém suspeitaria, pela sua aparência, que ele é apenas um vendedor-especial para o qual as freguesas difíceis são transferidas.
>
> "Sim", diz o Sr. Dixon, alisando o queixo bem escanhoado. "Está bem. Pode ir, Bennett. Eu mesmo atenderei à senhora. Afinal, não estou assim tão ocupado, agora."
>
> O vendedor escapole, como um criado, embora vá repreender severamente Dixon se ele deixar escapar esta venda[216].

A prática descrita aqui de "transferir" um freguês para outro vendedor que faz o papel de gerente é aparentemente comum em muitos estabelecimentos varejistas. Outros exemplos podem ser tirados de um trabalho sobre a linguagem dos vendedores de móveis:

> "Dê-me o número deste artigo", é um pedido que se refere ao preço. A resposta que deve ser dada é em código. Este é o mesmo em qualquer parte dos Estados Unidos, sendo transmitido simplesmente pelo ato de dobrar o custo uma vez que o vendedor sabe qual a percentagem de lucro a acrescentar ao custo[217].

---

216. CONANT. Op. cit., p. 174.

217. MILLER, C. "Furniture Lingo". *American Speech*, VI, p. 128.

> *Verlier* é usado como ordem..., significando "suma-se". É empregado quando um vendedor quer dar a entender a outro que a presença deste está atrapalhando a venda[218].

Nas margens semi-ilegais e de métodos altamente eficientes de nossa vida comercial é comum verificar que os companheiros de equipe usam um vocabulário explicitamente aprendido, mediante o qual pode ser secretamente transmitida informação decisiva para a representação. Presume-se que esta espécie de código não seja comumente encontrada em círculos inteiramente respeitáveis[219].

Verificamos, contudo, que em toda parte os companheiros de equipe empregam um vocabulário de gestos e expressões informalmente, e muitas vezes inconscientemente, aprendido por meio do qual podem ser transmitidas deixas combinadas.

Às vezes, estas deixas informais ou "secretas" darão início a uma fase da representação. Assim, quando, "em sociedade", o marido pode transmitir à esposa, mediante nuanças sutis no tom de voz ou por uma mudança de posição, que os dois devem claramente começar agora a fazer suas despedidas. A equipe conjugal pode, então, manter a aparência de unidade de ação que parece espontânea, mas frequentemente pressupõe uma severa disciplina. Às vezes as deixas servem para um ator avisar a outro que este último está começando a agir fora do roteiro. O pontapé por baixo da mesa e uma contração das pálpebras tornaram-se exemplos humorísticos desse fato. Um pianista acompanhante sugere um meio pelo qual os cantores de concerto que desafinam possam ser reconduzidos ao tom:

---

218. Id., p. 126.

219. Encontra-se, está claro, uma exceção na relação entre patrão e secretária em estabelecimentos respeitáveis. A *Esquire Etiquette*, por exemplo, aprova o seguinte, à p. 24: "Se o senhor compartilha seu escritório com a secretária, fará bem em combinar um sinal que signifique que gostaria vê-la sair enquanto o senhor conversa particularmente com um visitante. 'Pode deixar-nos sozinhos por um momento, Miss Smith?' constringe a todos; tudo será mais fácil se puder transmitir o mesmo com algo como 'Poderia ver se decide o negócio com o escritório comercial, Miss Smith?'"

> Ele (o acompanhante) faz isso imprimindo maior intensidade ao seu tom, de modo que este penetre nos ouvidos do cantor acima, ou melhor, através de sua voz. Talvez uma das notas da harmonia no piano seja aquela que o cantor deveria estar cantando, e assim o acompanhante faz esta nota predominar. Quando esta própria nota não está escrita na partitura do piano, ele pode acrescentá-la na clave de sol, onde será emitida alta e clara a fim de que o cantor a ouça. Se este último está cantando em um quarto de tom sustenido ou bemol, será uma façanha extraordinária da sua parte continuar a cantar fora do tom, principalmente se o acompanhante toca a linha vocal com ele durante toda a frase. Uma vez tendo percebido o sinal de alarme, o acompanhante continuará no *qui vive* e tocará a nota do cantor de vez em quando[220].

O mesmo autor continua falando de algumas coisas que se aplicam a muitas formas de representações:

> Um cantor sensível precisará apenas das deixas mais leves por parte de seu parceiro. Na verdade podem ser tão delicadas que mesmo o cantor, embora as utilizando, não terá consciência delas. Quanto menos sensível for o cantor, mais acentuadas, e portanto mais perceptíveis, terão de ser essas deixas[221].

Pode-se citar outro exemplo, tomado do estudo de Dale, sobre a maneira como os funcionários públicos durante uma reunião avisam ao ministro que está pisando num terreno traiçoeiro:

> Mas no curso da conversa podem surgir assuntos novos e imprevistos. Se um funcionário público presente à reunião percebe que o seu ministro está tomando uma posição que acha errada, não o dirá assim categoricamente; ou rabiscará uma nota para o ministro ou delicadamente aproveitará algum fato ou sugestão como insignificante modificação da opinião do ministro. Se este for experiente, perceberá imediatamente

220. MOORE. Op. cit., p. 56-57.

221. Id., p. 57.

> o sinal vermelho e com jeito recuará, ou pelo menos adiará a discussão. Ficará claro que o encontro do ministro com os funcionários públicos em uma comissão requer de vez em quando algum exercício de tato e rapidez de percepção de ambos os lados[222].

Com muita frequência, deixas informais avisarão aos companheiros de equipe que a plateia chegou inesperadamente. Assim, no Hotel Shetland, quando um hóspede avançava até a cozinha sem ser convidado, a primeira pessoa a ver este fato pronunciaria, num tom de voz especial, o nome de outro empregado presente ou empregaria um termo coletivo, como "crianças", se mais de um estivesse presente. Dado o sinal, os homens tirariam o boné da cabeça e os pés de cima das cadeiras, as mulheres colocariam os braços e as pernas numa postura mais conveniente, e todos os presentes visivelmente se empertigariam, preparando-se para uma representação forçada. Um aviso bem conhecido para entrar em função e que é formalmente apreendido encontramo-lo no sinal visual empregado nos estúdios de transmissão radiofônica. Estes sinais, literal ou simbolicamente, dizem: "Você está no ar". Uma indicação igualmente difundida é contada por Ponsonby:

> A rainha (Vitória) muitas vezes caía no sono durante esses passeios quentes e, a fim de que ela não fosse surpreendida assim pelo povo numa aldeia, eu costumava enterrar minhas esporas no cavalo sempre que via um grande ajuntamento adiante e levava o espantado animal a saltar e fazer barulho. A Princesa Beatriz sempre sabia que isso queria dizer uma multidão e se a rainha não acordava com o barulho que eu fazia ela a acordava[223].

Muitas outras espécies de pessoas permaneciam atentas, certamente, a qualquer distração de tantos outros tipos de atores, conforme pode ser ilustrado pelo estudo de Katherine Archibald sobre o trabalho num estaleiro:

---

222. DALE. Op. cit., p. 141.

223. PONSONBY. Op. cit., p. 102.

> Às vezes, quando o trabalho era especialmente folgado, eu mesma ficava de guarda à porta de um barracão de ferramentas, pronta para dar o aviso da aproximação de um superintendente ou de um diretor administrativo, enquanto dia após dia nove ou dez chefes menos importantes e trabalhadores jogavam pôquer com apaixonada concentração[224].

Assim, também, há deixas típicas que dizem aos atores que o caminho está livre e que o afrouxamento da fachada é possível. Outros sinais de aviso dizem aos atores que, embora possa parecer admissível reduzir sua atitude de discrição, na verdade há membros da plateia presentes, tornando desaconselhável proceder deste modo. No mundo do crime, de fato, o aviso de que ouvidos "legais" estão escutando ou olhos "legais" estão observando é tão importante que tem um nome especial: "dar o serviço". Tais sinais, evidentemente, podem também dizer à equipe que um membro da plateia, de aparência inocente, é realmente um detetive ou um freguês ou alguém que, por alguma outra forma, seja mais ou menos do que aquilo que aparenta.

Seria difícil para qualquer equipe – uma família, por exemplo – manejar as impressões que cultiva, sem este conjunto de sinais de alerta. Uma narrativa a respeito de mãe e filha que moravam num quarto em Londres dá-nos o exemplo seguinte:

> No caminho, adiante do Gennaro, eu me enchi de apreensão a respeito de nosso almoço, sem saber até que ponto minha mãe se afeiçoaria com Scotty (uma colega manicura que ela estava levando para almoçar em casa pela primeira vez) e o que Scotty pensaria de minha mãe. Logo que chegamos à escola comecei a falar alto para avisá-la de que não estava sozinha. Na realidade este era um sinal entre nós, pois, quando duas pessoas moram num único cômodo, nem vale a pena falar do tipo de desordem que o olhar de um visitante inesperado pode encontrar. Havia quase sempre uma panela ou um prato sujo onde não devia estar, ou meias ou uma anágua secando em cima da estufa. Minha mãe, avisada pela voz elevada de

224. ARCHIBALD. Op. cit., p. 194.

> sua agitada filha, rodopiaria como uma dançarina de circo, escondendo a panela, o prato ou as meias, assumindo, em seguida, uma atitude de fria dignidade, muito calma, com tudo pronto para receber o visitante. Se tinha arrumado as coisas com demasiada rapidez e esquecendo algo muito visível, eu perceberia seu vigilante olhar pousado no objeto, sendo de esperar que eu fizesse alguma coisa a respeito, sem chamar a atenção da visita[225].

Observe-se finalmente que, quanto mais inconscientemente estas deixas sejam aprendidas e empregadas, mais fácil será para os membros de uma equipe ocultar, mesmo de si próprios, que de fato funcionam como equipe. Como foi dito anteriormente, mesmo para seus próprios membros uma equipe pode ser uma sociedade secreta.

Intimamente associados com as deixas, verificamos que as equipes elaboram meios de transmitir prolongadas mensagens verbais umas às outras, de modo a proteger uma impressão projetada, que poderia ser rompida se a plateia chegasse a perceber que uma informação desta espécie estava sendo transmitida. Ainda uma vez podemos citar um exemplo tirado do serviço público britânico:

> É uma coisa muito diferente um funcionário público ser chamado para vigiar a passagem de um projeto de lei pelo parlamento, ou ir a uma outra casa para um debate. Ele não pode falar em seu próprio nome; pode somente fornecer ao ministro material e sugestões esperando que este faça bons usos deles. Não é preciso dizer que o ministro é cuidadosamente "instruído" de antemão para qualquer discurso preparado, tanto quanto para a segunda ou terceira leitura de um importante projeto de lei ou para a apresentação do balanço anual do Departamento. Para estas ocasiões o ministro recebe notas completas a respeito de qualquer assunto que tenha probabilidade de ser levantado, até mesmo anedotas e casos para "aliviar a tensão", de natureza oficial protocolar. Ele próprio, seu

225. HENREY, R. *Madeleine Grown*. Nova York: Dutton, 1953, p. 46-47.

> secretário particular e o secretário permanente provavelmente gastam uma boa quantidade de tempo e trabalho para selecionar dessas notas os pontos mais importantes para serem acentuados, arrumando-os na melhor ordem e planejando uma impressionante peroração. Tudo é fácil tanto para o ministro como para seus funcionários. É feito com calma e sem pressa. Mas o ponto crucial é a resposta ao final de um debate. Aí o ministro tem de depender principalmente dele mesmo. É verdade que os funcionários públicos, sentados com paciente tolerância na pequena galeria à direita do presidente da Assembleia Legislativa, ou à entrada da Câmara dos Lordes, anotaram as imprecisões e distorções dos fatos, as falsas inferências, os mal-entendidos sobre os propósitos do governo e fraquezas semelhantes nas alegações apresentadas pelos oradores da oposição; mas é difícil, às vezes, fazer chegar esta munição à linha de fogo. Às vezes, o secretário particular parlamentar do ministro se levantará de sua cadeira, colocada exatamente atrás de seu chefe, caminhará descuidadamente até a galeria oficial e manterá uma conversação murmurada com os funcionários públicos; às vezes será passada uma nota ao ministro; muito raramente, ele próprio virá por um momento e fará uma pergunta. Todas essas pequenas comunicações devem processar-se à vista da casa e nenhum ministro gosta de parecer um ator que não sabe seu papel e necessita ser ajudado[226].

A etiqueta comercial, talvez mais interessada em segredos estratégicos do que nos de ordem moral, oferece as seguintes indicações:

> [...] tome cuidado com as suas respostas em uma conversação telefônica, se um estranho puder ouvi-lo. Se você está recebendo uma comunicação de outra pessoa e quer se assegurar de que a percebeu corretamente, não a repita de maneira usual; em vez disso, peça à pessoa que a repita, e assim sua voz es-

226. DALE. Op. cit., p. 148-149.

> tridente não anunciará uma comunicação possivelmente particular a todos que estiverem por perto.
> [...] cubra seus papéis antes que chegue um estranho, ou adquira o hábito de guardá-los em pastas ou debaixo de uma folha de papel em branco.
> [...] se tiver de falar com alguém em sua empresa quando a pessoa está acompanhada de um estranho ou com alguém que nada tenha a ver com sua comunicação, faça-o de modo a que a terceira pessoa não capte qualquer informação. O senhor poderia usar o telefone interno em vez do sistema de intercomunicação ou escrever sua mensagem num bilhete que mandaria entregar, em lugar de falar em público[227].
> Um visitante que está sendo esperado deve ser anunciado imediatamente. Se você está trancado com outra pessoa, sua secretária o interromperá e dirá mais ou menos isto: "A pessoa marcada para as três horas está aqui. Pensei que o senhor gostaria de saber". (Ela não menciona o nome do visitante para que o estranho não o ouça. Se você não se lembra de quem é a "visita das três horas" ela escreve o nome num pedaço de papel e o entrega a você, ou usa seu telefone particular em vez do sistema de alto-falante.)[228]

As deixas foram citadas como um tipo importante de conivência da equipe; outro tipo abrange as comunicações que funcionam principalmente com o fim de confirmar para o ator o fato de que ele não está realmente afinado com o consenso em operação, de que o espetáculo que encena é somente um espetáculo, criando, desse modo, para si ao menos, uma defesa individual contra as exigências da plateia. Podemos rotular esta atividade como "conivência depreciativa"; ela implica, tipicamente, uma secreta depreciação da plateia, embora às vezes sejam transmitidos conceitos da plateia demasiado elogiosos para que se ajustem ao consenso em operação. Temos aqui uma contrapartida pública furtiva daquilo que foi descrito na secção chamada de "Tratamento dos Ausentes".

A conivência depreciativa ocorre, mais frequentemente talvez, entre um ator e ele próprio. As crianças de escola dão um exemplo disto quando cruzam os dedos ao dizer uma mentira,

---

227. *Esquire Etiquette*. Op. cit., p. 7 [As reticências são dos autores].

228. *Esquire Etiquette*. Op. cit., p. 22-23.

ou mostram a língua quando a professora momentaneamente está numa posição em que não pode ver esta homenagem. Assim também muitas vezes os empregados fazem caretas para os patrões ou gesticulam uma praga silenciosa, praticando tais atos de desacato ou insubordinação num ângulo pelo qual aqueles a quem são dirigidos não os possam ver. Talvez a forma mais tímida dessa espécie de conivência seja encontrada na prática de "fazer rabiscos" ou "fugir" para lugares imaginários agradáveis, embora ainda mantendo o espetáculo de representar o papel de ouvinte.

A conivência depreciativa também se verifica entre membros de uma equipe quando estão representando. Assim, embora um código secreto de insultos verbais talvez só seja empregado nos bordos amalucados de nossa vida comercial, não existe estabelecimento comercial, por mais respeitável que seja, cujos empregados não lancem uns aos outros olhares significativos quando em presença de um cliente indesejável ou de um cliente desejável que se conduza de maneira indesejável. Da mesma forma, em nossa sociedade, é muito difícil que marido e mulher ou dois amigos íntimos passem uma noite em interação social com uma terceira pessoa, sem em algum momento olharem um para o outro de um modo que contradiga secretamente a atitude que conservam oficialmente com relação à terceira pessoa.

Uma forma mais prejudicial desta espécie de agressão contra a plateia encontra-se nas situações em que o ator é forçado a tomar uma linha de conduta profundamente contrária aos seus sentimentos íntimos. Citemos um exemplo de uma reportagem que descreve, em linhas gerais, algumas das ações defensivas tomadas por prisioneiros de guerra em campos de doutrinação chinesa:

> Poder-se-ia salientar, contudo, que os prisioneiros encontraram numerosas formas de obedecer à letra, mas não ao espírito das exigências dos chineses. Por exemplo, durante as sessões públicas de autocrítica, com frequência acentuariam as palavras impróprias na frase, tornando assim ridículo todo o ritual. "Sinto muito ter chamado o camarada Wong 'um filho da puta que não vale nada'". Outro recurso favorito era prometer "ser apanhado" cometendo um certo crime

> no futuro. Tais recursos funcionavam porque mesmo os chineses que sabiam inglês não estavam suficientemente familiarizados com a língua e a gíria para captar o ridículo sutil[229].

Uma forma semelhante de comunicação imprópria ocorre quando um membro de uma equipe representa seu papel para o divertimento especial e secreto de seus companheiros. Por exemplo, pode lançar-se ao papel com um entusiasmo emocionante, ao mesmo tempo exagerado e exato, mas tão próximo daquilo que a plateia espera que esta não compreenderá bem, ou não terá certeza de que está sendo objeto de zombaria. Dessa forma, os músicos de *jazz* obrigados a tocar música "chata" às vezes tocarão músicas um pouco mais "chatas" do que é necessário. O pequeno exagero serve como meio pelo qual os músicos transmitem uns aos outros seu desprezo pela plateia e sua própria lealdade a coisas mais elevadas[230]. Uma forma de conivência um tanto semelhante ocorre quando um membro da equipe tenta implicar com outro, estando ambos empenhados numa representação. O objetivo imediato neste caso será fazer o companheiro quase explodir numa risada, enganar-se, ou quase perder a compostura de outra forma qualquer. Por exemplo, no Hotel Shetland o cozinheiro às vezes ficava de pé à porta da cozinha que dava para as regiões da frente do hotel e respondia solenemente com dignidade e num inglês correto às perguntas que os hóspedes lhe faziam, enquanto na cozinha as criadas, com a cara mais séria do mundo, secreta, mas insistentemente, troçavam dele. Ao zombar da plateia ou implicar com um companheiro de equipe, o ator mostra não somente que não se acha preso à interação oficial, mas igualmente que tem um tal controle desta interação que pode divertir-se com ela à vontade:

> Uma forma final de passatempo pejorativo pode ser mencionada. Frequentemente quando um indivíduo está colaborando com um segundo que seja de algum

229. SCHEIN, E.H. "The Chinese Indoctrination Program for Prisoners of War". *Psychiatry*, 10, p. 159-160.

230. Comunicação pessoal por Howard S. Becker.

modo desagradável procurará chamar a atenção de um terceiro – definido como estranho à interação – e, desta maneira, confirmar que não pode ser responsabilizado pelo caráter ou comportamento do segundo indivíduo. Observe-se, para concluir, que todas estas formas de conivência depreciativa costumam surgir quase involuntariamente, mediante deixas que são transmitidas antes de poderem ser refreadas.

Dadas estas várias formas pelas quais os membros de uma equipe se comunicam uns com os outros de maneira imprópria, poderíamos esperar que os atores criassem um apego a esta espécie de atividade, mesmo em ocasiões em que dela não haja necessidade prática e, assim, acolhessem com prazer parceiros para as suas representações monologadas. É compreensível, portanto, que um dos papéis especializados de equipe que parece se desenvolver seja o de "sombra", a saber, a pessoa que pode ser introduzida numa representação ao bel-prazer de outra, com o propósito de assegurar a esta o conforto de ter um companheiro. Pode-se esperar encontrar esta forma especial de abusar da boa vontade de alguém sempre que haja acentuadas diferenças de poder e nenhum tabu contra as relações sociais entre poderosos e fracos. O papel social transitório de companheiro fornece um exemplo, conforme é indicado numa autobiografia imaginária escrita no final do século XVIII:

> Minha função, em resumo, era esta: estar sempre pronta quando fosse avisada, para acompanhar minha patroa a toda reunião, de prazer ou negócio, a que ela cismasse ir. Eu a acompanhava de manhã a todas as liquidações, leilões, exposições etc., e particularmente estava presente à importante ocupação de "fazer compras..." Acompanhava minha patroa a todas as visitas, a menos que o encontro fosse particularmente seleto, e estava presente em todas as reuniões caseiras, onde atuava como uma espécie de criada graduada[231].

Esta função parecia exigir que quem a desempenhasse ficasse à disposição do patrão, não com propósitos servis, ou não

231. Do *Lady's Magazine*, 1789, XX, p. 235, apud HECHT. Op. cit., p. 63.

somente com estas finalidades, mas para que o patrão tivesse sempre alguém a seu lado em contraste com os outros presentes.

Ações de realinhamento

Foi dito que, quando os indivíduos se reúnem com o propósito de interação, cada um se mantém fiel ao papel que lhe foi conferido dentro da rotina de sua equipe e se une a seus companheiros para manter a conveniente mistura de formalismo e informalismo, de distância e intimidade, com relação aos membros de outra equipe. Isto não significa que os companheiros de equipe se tratarão uns aos outros abertamente da mesma forma como tratam a plateia, mas significa em geral que companheiros de equipe se tratarão entre si diferentemente da maneira que seria mais "natural" para eles. A comunicação conivente tem sido apontada como um meio pelo qual os companheiros de equipe podem se libertar um pouco das exigências restritivas da interação entre equipes. É uma espécie de desvio do tipo, do qual se supõe que a plateia não tome conhecimento, tendendo portanto a deixar intacto o *status quo*. No entanto, os atores raramente parecem satisfeitos com os canais seguros para expressar o descontentamento como a organização funcional. Frequentemente tentam expressar-se impropriamente, de uma forma que será ouvida pelo público, mas não ameaçará abertamente a integridade das duas equipes, ou a distância social entre elas. Estes relacionamentos temporários, não oficiais ou controlados, muitas vezes de caráter agressivo, fornecem uma interessante área de estudo.

Quando duas equipes estabelecem um consenso de trabalho como garantia para a interação social segura, podemos geralmente descobrir uma linha de comunicação não oficial que cada equipe dirige à outra. Esta comunicação não oficial pode ser realizada por alusões, expressões mímicas, chistes bem-colocados, pausas significativas, sugestões veladas, "peças" propositadas, elevação da voz expressiva e muitas outras práticas indicativas. As regras a respeito deste afrouxamento são muito severas. O indivíduo que faz a comunicação tem o direito de negar que "pretendia dizer alguma coisa" com sua ação, caso os receptores o acusem, frontalmente, de ter transmitido algo inaceitável, e estes têm o direito de agir como se nada, ou somente algo inócuo, tivesse sido transmitido.

Talvez a tendência mais comum da comunicação subterrânea consista em cada equipe se colocar sutilmente sob uma luz favorável e sutilmente colocar a outra sob um prisma desfavorável, às vezes com a cobertura de cortesias e cumprimentos verbais que significam o oposto[232].

As equipes, portanto, muitas vezes forçarão as amarras que as restringem a um consenso operacional. Interessante é que são estas forças veladas de exaltação de si e depreciação do outro que frequentemente introduzem uma árida inflexibilidade compulsória nas reuniões sociais e não os tipos mais formais do ritual social.

Em muitas espécies de interação social, a comunicação não oficial fornece um meio pelo qual uma equipe pode estender um convite claro, mas não comprometedor, a outra, pedindo que a distância ou a formalidade social sejam aumentadas ou diminuídas, ou que ambas as equipes transformem a interação numa outra que envolva a representação em um novo grupo de papéis. Isto é chamado, às vezes, de "lançar balões de ensaio" e implica revelações cautelosas e exigências insinuadas. Por meio de declarações que são cuidadosamente ambíguas ou que têm uma significação secreta para os iniciados, um ator é capaz de descobrir, sem abandonar a posição defensiva, se há ou não perigo em prescindir da habitual definição da situação. Por exemplo, como não é necessário conservar a distância social ou mostrar-se cauteloso diante daqueles que são colegas de trabalho, de ideologia, grupo étnico, classe etc., é comum que os colegas criem sinais secretos que parecem inocentes para os não colegas, enquanto

232. O termo de Potter para este fenômeno é *one upmanship*. É usado na expressão *making points* no trabalho de GOFFMAN, E. "On Face-Work". *Psychiatry*, 18, 221-222. • "Status forcing". In: STRAUSS, A. *Essay on Identity* [s.n.t.]. Em alguns círculos norte-americanos, a expressão "derrubar uma pessoa" é usada precisamente com este sentido. Uma excelente aplicação a um tipo de intercâmbio social é dada por HALEY, J. "The Art of Psychoanalysis". *ETC*, XV, p. 189-200.

ao mesmo tempo dizem ao iniciado que está entre os seus e pode descontrair-se na atitude que mantém em face do público. Assim, os thugs, assassinos do século XIX na Índia, que escondiam suas depreciações anuais atrás de um espetáculo de nove meses, de ações de espírito patriótico, possuíam um código para se reconhecerem uns aos outros. Diz um escritor:

> Quando os thugs se encontram, embora estranhos, há alguma coisa nas suas maneiras que logo revela um ao outro quem são, e para garantir a suspeita assim levantada um deles dizia "Alee Khan!", expressão que, sendo repetida pelo outro, fornecia o reconhecimento de sua condição recíproca [...][233].

Igualmente encontram-se membros da classe operária inglesa que ainda perguntam a um estranho "de que distância do leste" ele é; os companheiros maçons sabem como responder a esta senha e sabem que, depois de responderem, os presentes podem manifestar sua intolerância pelos católicos e as classes fracas. Na sociedade anglo-americana o sobrenome e a aparência das pessoas a quem somos apresentados servem a um objetivo semelhante, dizendo-nos contra qual das camadas da população será imprudente lançar difamações. Assim, também, alguns fregueses de lojas de comestíveis finos fazem questão de pedir que seus sanduíches sejam feitos de pão de centeio e sem manteiga, dando desta forma, aos empregados, um sinal da etnicidade que estão dispostos a aceitar abertamente[234].

A revelação cautelosa pela qual dois membros de uma sociedade íntima se tornam conhecidos um pelo outro é talvez a versão menos sutil da comunicação reveladora. Na vida cotidiana, onde os indivíduos não têm sociedade secreta para revelar que dela fazem parte, emprega-se um processo mais delicado. Quando os indivíduos não estão familiarizados com as opiniões e *status* dos outros, ocorre um processo de sondagem e através dele o indivíduo manifesta seus pontos de vista ou *status* a um

---

233. SLEEMAN, Cel. J.L. *Thugs or a Million Murders*. Londres: Sampson Low, s.d., p. 79.

234. "Team Work and Performance in a Jewish Delicatessen", artigo inédito de Louis Hirsch.

outro pouco a pouco. Depois de afrouxar um pouquinho a sua cautela, espera que o outro mostre por que é seguro que ele aja desta forma e, depois desta garantia, pode com segurança diminuir sua cautela um pouco mais. Exprimindo de maneira ambígua cada passo na admissão, o indivíduo tem condições de sustar o procedimento de abandonar sua fachada no momento em que não receber confirmação do outro, e neste ponto pode agir como se sua última revelação não fosse de modo algum uma abertura. Assim, quando duas pessoas que conversam estão tentando descobrir que cuidado devem ter em expor suas verdadeiras opiniões políticas, uma delas pode sustar sua revelação gradual, que mostraria até que ponto pertence à esquerda ou à direita, exatamente no momento em que a outra chegou à posição extrema de suas crenças reais. Em tais casos, a pessoa cujas opiniões são mais extremas agirá com muito tato, como se suas opiniões não fossem mais extremadas que as da outra.

Este processo de progressiva e cuidadosa revelação é também ilustrado por alguns processos da mitologia e alguns poucos fatos ligados à vida heterossexual em nossa sociedade. A relação sexual é definida como uma relação de intimidade, com a iniciativa pertencendo ao homem. De fato, as práticas do namoro implicam, por parte do homem, uma agressão combinada contra o alinhamento entre os sexos, na medida em que ele tenta manobrar alguém por quem deve, à primeira vista, mostrar respeito, levando a pessoa a uma posição de submissa intimidade[235]. Entretanto, uma ação ainda mais agressiva contra o alinhamento entre os sexos encontra-se em situações nas quais o acordo profissional é instintivo em termos de superioridade e distância por parte de um ator, que no caso é uma mulher, e subordinação por parte de outro, que acontece ser um homem. Surge a possibilidade de o ator masculino reorganizar a situação para acentuar sua superioridade sexual em oposição à

---

235. As práticas reveladoras protetoras no mundo homossexual têm uma dupla função: a revelação do fato de ser membro de uma sociedade secreta e aberturas de relacionamento entre membros particulares desta sociedade. Um exemplo literário bem-formulado pode ser encontrado no conto de Gore Vidal, "Three Stratagems" [no seu livro *A Thirsty Evil*. Nova York: Signet Pocket Books, 1958, especialmente p. 7-17].

sua subordinação socioeconômica[236]. Em nossa literatura proletária, por exemplo, é o homem pobre que introduz esta redefinição com relação a uma mulher rica: "O amante de Lady Chatterley", como tem sido observado frequentemente, é um exemplo nítido deste ponto. E quando estudamos ocupações de prestação de serviços, principalmente as modestas, inevitavelmente ficamos sabendo que os profissionais têm anedotas para contar a respeito da época em que eles, ou algum de seus colegas, redefiniram uma relação de serviço transformando-a em outra, sexual (ou a tiveram redefinidas para eles). Os contos sobre tais redefinições agressivas são parte significativa da mitologia não somente de determinadas ocupações, mas também da subcultura masculina em geral.

Os realinhamentos temporários, mediante os quais a direção da interação pode ser tomada de um modo não oficial por um subordinado, ou estendida de maneira irregular por um superior, alcançam certo grau de estabilidade e institucionalização naquilo que se chama, às vezes, de "duplo sentido"[237]. Por esta técnica de comunicação, dois indivíduos podem transmitir informação um ao outro de uma forma, ou sobre um assunto que seja incompatível com seu relacionamento oficial. "O duplo sentido" abrange o tipo de alusão que pode ser transmitida por ambos os lados e levada adiante por um continuado período de tempo. É um tipo de comunicação de conivência, diferente de outros tipos de conivência pelo fato de os personagens contra os quais é mantida a conivência serem projetados pelas próprias pessoas que entram em conivência. Tipicamente o du-

236. Talvez pelo respeito à ética freudiana, alguns sociólogos parecem agir como se fosse de mau gosto, ímpio ou revelador dos sentimentos mais íntimos do indivíduo definir as relações sexuais como parte do sistema protocolar, um ritual recíproco executado para confirmar simbolicamente um relacionamento social exclusivo. Este capítulo recorre frequentemente a Kenneth Burke, que claramente toma a posição sociológica de definir o namoro como um princípio de retórica, mediante o qual superam-se as distâncias sociais. Cf. BURKE. *A Rhetoric of Motives*, p. 208ss. e p. 267-268.

237. Na linguagem cotidiana a expressão "duplo sentido" é também usada em dois outros sentidos: para se referir a frases nas quais foram introduzidos sons que parecem dotados de significação, mas realmente não são; e para se referir a respostas protetoras ambíguas a perguntas para as quais o interrogante desejava uma resposta exata.

plo sentido ocorre durante a interação entre um subordinado e um superior, a respeito de assuntos que oficialmente se acham fora da competência e da jurisdição do subordinado, mas que realmente dependem dele. Empregando o "duplo sentido" o subordinado pode iniciar linhas de ação sem deixar que se perceba abertamente a implicação expressiva de tal fato e sem pôr em risco a diferença de condição social entre ele e seu superior. Quartéis e cárceres aparentemente são ricos em duplo sentido. Este também é comumente encontrado em situações nas quais o subordinado teve longa experiência do trabalho enquanto o superior não teve, como na divisão que ocorre em repartições do governo entre um ministro interino "permanente" e um ministro politicamente designado, e nos casos em que o subordinado fala a língua de um grupo de empregados, mas seu superior não fala. Podemos encontrar também o duplo sentido em situações em que duas pessoas se envolvem em acordos ilícitos, pois, por meio desta técnica, pode haver comunicação, e no entanto nenhum dos participantes está obrigado a ficar nas mãos do outro. Uma forma semelhante de conivência encontra-se, às vezes, entre duas equipes que devem dar a impressão de serem relativamente hostis ou relativamente distantes uma da outra e, contudo, acham mutuamente proveitoso chegar a um acordo a respeito de certos assuntos desde que isso não perturbe a atitude de oposição que são obrigadas a manter uma em relação à outra[238]. Em outras palavras, podem ser feitos acordos sem criar a relação de mútua solidariedade a que geralmente conduzem. Mais importante, talvez, o duplo sentido verifica-se regularmente na intimidade doméstica e nas situações de trabalho, como meio seguro de fazer e recusar exigências e imposições que não poderiam ser abertamente feitas nem abertamente recusadas sem alterar a relação.

Considerei algumas ações comuns de realinhamentos – movimentos em torno, por cima ou afastando-se da linha entre as equipes. Foram citados como exemplos processos tais como manifesta-

---

238. Cf. DALE. Op. cit., p. 182-183, para um exemplo de compromissos tácitos entre duas equipes oficialmente opositoras. Cf. tb. MELVILLE & DALTON. "Unofficial Union – Management Relations". *American Sociological Review*, XV, p. 611-619.

ções de boatos não oficiais, revelações cautelosas e duplo sentido. Gostaria de acrescentar ao quadro alguns poucos tipos mais.

Quando o consenso de trabalho estabelecido entre duas equipes implica oposição declarada, verificamos que a divisão de trabalho dentro de cada equipe pode levar, em última análise, a um realinhamento momentâneo que nos faz compreender não serem só as Forças Armadas que têm o problema da confraternização. Um especialista de uma equipe pode achar que tem muito em comum com seu correspondente opositor da outra equipe, e que juntos falam uma linguagem que tende a reuni-los em uma única equipe, por oposição a todos os demais participantes. Assim, durante as negociações nos conflitos de trabalho, os advogados opositores podem descobrir que estão trocando olhares coniventes quando um leigo, de uma outra equipe, comete uma evidente rata jurídica. Quando os especialistas não são membros permanentes de uma determinada equipe, mas são contratados para o período em que duram as negociações, provavelmente serão mais leais, sob alguns aspectos, à sua profissão e dos colegas do que à equipe a que no momento estão servindo. Se, portanto, a impressão de oposição entre as equipes tiver de ser mantida, a lealdade entre os especialistas precisará ser suprimida ou expressar-se sub-repticiamente. Assim, os advogados, ao perceberem que seus clientes querem que se mostrem hostis aos advogados da parte oposta, podem esperar até se recolherem aos bastidores para terem uma amistosa conversa de colegas sobre o caso em andamento. Discutindo o papel que os funcionários públicos desempenham nos debates parlamentares, Dale faz uma observação semelhante:

> Um debate marcado sobre um assunto [...] via de regra leva somente um dia. Se um Departamento tem a infelicidade de encontrar um longo e litigioso projeto de lei numa comissão da casa, o ministro e os funcionários públicos encarregados dele devem ficar lá de quatro horas da tarde às onze da noite (às vezes até mais tarde, se a regra das onze horas for suspensa), talvez dia após dia, de segunda a quinta-feira, toda semana [...] Entretanto, os funcionários públicos têm uma compensação para seus sofrimentos. É nesta ocasião que têm mais proba-

> bilidade de renovar e ampliar suas relações na casa. A sensação de pressão é menor, tanto entre os deputados quanto entre os funcionários, do que durante um debate estabelecido para durar um dia: é permitido escapar do recinto dos debates para a sala de fumar ou o terraço e empenhar-se numa conversa agradável, enquanto um "chato" notório está propondo uma emenda que todo mundo sabe ser impossível. Uma certa "camaradagem" surge entre todos os que estão envolvidos, noite após noite, num projeto de lei: governo, oposição e funcionários públicos, por igual[239].

É interessante que em alguns casos mesmo a confraternização dos bastidores pode ser considerada uma ameaça demasiado grande à representação. Assim, a direção da liga exige dos jogadores de beisebol, cujas equipes representarão os torcedores de lados opostos, que se abstenham de uma conversa amigável imediatamente antes de começar o jogo.

> Esta é uma regra facilmente compreensível. Não seria decente ver os jogadores "batendo papo", como se estivessem lanchando, e em seguida esperar levar a sério que eles se atracarão resolutamente pela posse da bola, o que fazem mal o jogo começa. Os jogadores precisam agir como opositores todo o tempo[240].

Em todos esses casos que implicam confraternização entre especialistas opositores, a questão não consiste em que os segredos das equipes venham a ser revelados, ou que seus interesses sejam prejudicados (embora isso possa ocorrer ou parecer que ocorre), mas, antes, em que a impressão de oposição criada entre as equipes pode ser desacreditada. A contribuição do especialista deve parecer uma resposta espontânea aos fatos do caso, independentemente de o colocar em oposição à outra equipe. Quando confraterniza com seu opositor, o valor técnico de sua contribuição pode não sofrer, mas, dramaturgicamente falando, aparece como aquilo que, em parte, é, a saber, uma representação contratada de uma tarefa de rotina.

---

239. DALE. Op. cit., p. 150.

240. PINELLI. Op. cit., p. 169.

Não pretendo dizer, com esta análise, que a confraternização só ocorra entre especialistas que temporariamente ocupem posições opostas. Sempre que as lealdades se entrecruzam, um grupo de indivíduos pode formar em voz alta um par de equipes, embora secretamente formem outro. E sempre que duas equipes têm de manter um alto grau de mútuo antagonismo de distância social ou de ambos, é possível que se estabeleça uma região bem-delimitada como lugar que representa não somente os bastidores para as exibições feitas pelas equipes, mas que está também aberta aos membros de ambas. Em hospitais públicos de doentes mentais, por exemplo, encontra-se muitas vezes um quarto ou uma parte separada no andar térreo onde os doentes e os enfermeiros podem empenhar-se juntos em atividades tais como jogar pôquer ou entregar-se a hábil tagarelice de velhos residentes, e onde fica claramente entendido que as enfermeiras não "abusarão" da sua autoridade. Os acampamentos militares muitas vezes têm uma região semelhante. Uma narrativa sobre a vida no mar fornece-nos outro exemplo:

> Há uma antiga regra de que na cozinha do navio todo homem pode expor suas ideias impunemente, como em Hyde Park Corner, em Londres. Um oficial que usasse algo dito na cozinha contra um homem no momento em que este saísse se sentiria imediatamente sabotado a bordo ou banido[241].
>
> Em primeiro lugar, ninguém fica jamais sozinho com o cozinheiro. Há sempre alguém trocando pernas por ali, escutando os mexericos ou histórias de desgraças, enquanto está confortavelmente sentado no banquinho junto à parede quente, em frente ao fogão, com os pés apoiados numa grade, as bochechas avermelhadas pelo calor. A grade em que apoia os pés fornece o sinal: a cozinha é a pracinha de aldeia do navio, e o cozinheiro e seu fogão a barraca de cachorro-quente. É o único lugar em que oficiais e subordinados se encontram em pé de completa igualdade, conforme logo irá descobrir o jovem marinheiro se entrar com um ar de jovem prefeito. Chamando-o

---

241. HARTOG, J. *A Sailor's Life*. Nova York: Harper Brothers, 1955, p. 155.

"querido" ou "camarada", o cozinheiro o colocará no seu lugar, que é ao lado de Hank, o lubrificador, no pequeno banco [...].
Sem este livre intercâmbio na cozinha, o navio se torna crivado de correntes subjacentes. Todo mundo está de acordo em que nos trópicos a tensão aumenta e as tripulações tornam-se mais difíceis de manejar. Alguns atribuem isso ao calor, outros sabem que é a perda da velha válvula de segurança, a cozinha[242].

Frequentemente quando duas equipes entram em interação, podemos identificar uma delas como a que tem o menor prestígio geral, e a outra, o menor. Comumente, quando pensamos em realinhar as ações em tais casos, pensamos nos esforços por parte da equipe inferior para alterar a base da interação numa direção que lhe seja mais favorável, ou reduzir a distância e as formalidades sociais entre ela e a equipe de posição mais elevada. Interessante é que há ocasiões em que convém aos objetivos mais amplos da equipe superior reduzir as barreiras e permitir que a equipe de mais baixa condição tenha maior intimidade e igualdade com ela. Admitindo-se as consequências de estender a familiaridade dos bastidores aos indivíduos inferiores a nós pode ser de nosso interesse a longo prazo fazer isso momentaneamente. Dessa maneira, a fim de evitar uma greve, o Sr. Barnard conta-nos que deliberadamente dizia palavrões na presença de uma comissão representante de operários desempregados e também nos afirma que tinha consciência do significado deste fato:

> Em minha maneira de pensar, confirmada por outras pessoas cuja opinião respeito, em regra geral é uma prática excessivamente má para alguém em posição superior dizer palavrões na presença de subordinados ou pessoas de condição inferior, mesmo que estas não façam objeção a imprecações e saibam que o superior está habituado a praguejar. Conheci muito poucos homens que poderiam fazê-lo sem reações prejudiciais à sua influência. Suponho que a razão é que tudo quan-

242. Ibid., p. 154-155.

> to rebaixa a dignidade de uma posição superior torna mais difícil aceitar a diferença de posição. Também, quando se trata de uma única empresa, na qual a posição superior simboliza a empresa inteira, julga-se que o prestígio desta fica prejudicado. No caso presente, uma exceção, o xingamento foi deliberado, sendo acompanhado por um violento soco na mesa[243].

Encontra-se uma situação semelhante em hospitais de doentes mentais onde se pratica a terapia ambiental. Sendo trazidas as enfermeiras e mesmo as auxiliares a assistirem ao que são em geral as sacrossantas conferências do corpo clínico, o pessoal não médico pode julgar que a distância entre ele e os doutores está diminuindo e podem mostrar maior disposição em aceitar o ponto de vista dos médicos a respeito dos doentes. Sacrificando a exclusividade dos que estão por cima, acredita-se que o moral dos inferiores pode ser melhorado. Um sóbrio relatório sobre este processo nos é dado por Maxwell Jones, na sua exposição a respeito da experiência inglesa com a terapia ambiental:

> Em nossa secção tentamos ampliar o papel do médico para satisfazer nossa limitada finalidade de tratamento e procuramos evitar simulações. Isto significou uma quebra considerável da tradição do hospital. Não nos vestimos de modo a nos conformarmos com o conceito usual do profissional. Evitamos o jaleco branco, o estetoscópio saliente e o agressivo martelo de percussão como extensões de nossa imagem corporal[244].

Realmente, quando estudamos a interação de duas equipes em situações cotidianas, verificamos que muitas vezes se espera que a equipe superior perca um pouco a serenidade. Em primeiro lugar, este descontraimento da fachada fornece uma base para barganhas; os superiores recebem um serviço ou alguma espécie

---

243. BARNARD, C.I. *Organization and Management*. Cambridge, Mass.: Harvard University Press, 1949, p. 73-74. Esta forma de conduta deve ser claramente distinguida da linguagem e do comportamento grosseiros empregados por um superior, que está dentro da equipe formada por seus empregados e "caçoa com eles" para trabalharem.

244. JONES, M. *The Therapeutic Community*. Nova York: Basic Books, 1953, p. 40.

de vantagem, enquanto que o subordinado recebe uma indulgente concessão de intimidade. Assim, a reserva que as pessoas da classe alta na Inglaterra mantêm durante a interação com comerciantes e funcionários subalternos costuma ceder momentaneamente, quando precisam pedir um favor particular a estes subordinados. Também este afrouxamento da distância fornece um meio pelo qual pode ser gerado na interação um sentimento de espontaneidade e envolvimento. De qualquer modo, a interação entre duas equipes geralmente implica tomar algumas pequenas liberdades, ao menos como meio de examinar o terreno para ver se uma vantagem inesperada não seria tirada pelo lado oposto.

Quando um ator se recusa a manter sua posição, quer seja ela de nível mais alto ou mais baixo que o da plateia, espera-se que o diretor, quando há um, e a plateia tenham má vontade em relação a ele. Em muitos casos, o povo provavelmente também lhe fará objeção. Como foi dito anteriormente, qualquer concessão extra à plateia por parte de um membro da equipe é uma ameaça à posição que os outros tomaram e à segurança que conseguiram com o conhecimento e o controle da posição que terão de tomar. Assim, quando uma professora na escola é profundamente simpática aos seus pupilos, ou participa de seus brinquedos durante o recreio, ou gosta de entrar em contato íntimo com os alunos de condição social inferior, as outras professoras acharão que está ameaçada a impressão que estão procurando manter do que constitui seu trabalho correto[245]. De fato, quando determinados atores atravessam a linha que separa as equipes, quando alguém se torna por demais íntimo, indulgente ou por demais antagonista, podemos esperar que se estabeleça um circuito de repercussões que prejudica a equipe subordinada, a equipe dos superiores e os transgressores pessoalmente.

Uma indicação dessas repercussões pode ser citada tomando-a de um estudo recente sobre marinheiros mercantes, no qual o autor conta que, quando os oficiais discutem por assuntos que dizem respeito aos deveres no navio, os marinheiros se valem da brecha para oferecer sua solidariedade ao oficial que julgam ter sido injustiçado:

245. Comunicação pessoal da professora primária Helen Blaw.

> Ao fazer isto (bajular um dos disputantes), os tripulantes esperavam que o oficial afrouxasse sua atitude superior e permitisse aos homens uma certa igualdade, enquanto discutiam a situação. Isto logo a seguir levava a esperarem certos privilégios – tais como ficar na casa do leme, em lugar de se manterem numa das alas da ponte. Tiravam vantagem da disputa dos pilotos para melhorar sua condição social de subordinados[246].

As tendências recentes no tratamento psiquiátrico fornecem-nos outros exemplos. Gostaria de mencionar alguns.

Um deles pode ser citado do trabalho de Maxwell Jones, embora seu estudo signifique um argumento em favor do abrandamento das diferenças de *status* entre os níveis do pessoal e entre os doentes e o pessoal:

> A integridade do grupo de enfermeiras pode ser perturbada pela indiscrição de qualquer um de seus membros; uma enfermeira que permita que suas necessidades sexuais sejam satisfeitas de maneira patente pelo doente altera a atitude deles em relação a todo o grupo de enfermeiras e faz com que o seu papel terapêutico se torne menos eficaz[247].

Encontramos outro exemplo nos comentários de Bettelheim sobre sua experiência ao construir um ambiente terapêutico na Escola Ortogênica Sônia Shankman, na Universidade de Chicago:

> No cenário total do ambiente terapêutico, a segurança pessoal, a conveniente satisfação dos instintos e o apoio do grupo, tudo sensibilizava a criança para as relações interpessoais. Seria, sem dúvida, destruir os propósitos da terapia ambiental se as crianças não fossem protegidas contra o tipo de desilusão que já tinham experimentado em seu ambiente original. A coesão do pessoal é, portanto, uma importante fonte de segurança individual para as crianças na medida

---

246. BEATTIE. Op. cit., p. 25-26.

247. JONES, M. Op. cit., p. 38.

> em que os membros do pessoal mostram-se inacessíveis às tentativas das crianças de jogar um contra o outro.
> Primitivamente, muitas crianças conquistam a afeição de um dos pais somente à custa de pedidos afetuosos ao outro. Um meio de a criança dominar a situação da família fazendo com que os pais se oponham um ao outro desenvolve-se frequentemente nesta base, mas isto só lhe dá uma segurança relativa. As crianças que usaram esta técnica com particular sucesso estão especialmente em posição desvantajosa quanto à sua habilidade para formar futuras relações não ambivalentes. De qualquer modo, assim como as crianças voltam a criar situações edipianas na escola, também formam ligações positivas, negativas ou ambivalentes com vários membros do pessoal. É essencial que essas relações entre crianças e membros individuais do pessoal não afetem as relações destes entre si. Se não houver coesão nesta área do ambiente total, tais amizades podem se degenerar em relações neuróticas e destruir a base de identificação e de afetuosas ligações mantidas[248].

Um exemplo final pode ser tomado do projeto de terapêutica de grupo, no qual se esboçam sugestões para atender as repetidas dificuldades de interação, causadas por doentes embaraçosos:

> Foram feitas tentativas para estabelecer uma relação especial com o médico. Os doentes muitas vezes procuram cultivar a ilusão de um secreto entendimento com o médico: por exemplo, esforçando-se por chamar a atenção dele se um paciente faz alguma coisa que pareça "de louco". Se conseguirem obter do médico uma resposta que possam interpretar como indicativa de uma ligação especial, isto pode ser muito prejudicial para o grupo. Sendo este tipo de perigosa mímica caracteristicamente não verbal, o médico deve controlar especialmente sua própria atividade não verbal[249].

---

248. BETTELHEIM, B. & SYLVESTER, E. "Milieu Therapy". *Psychoanalytic Review*, XXXVI, 65.

249. POWDERMAKER, F.B. et al. *Preliminary Report for the National Research Council*: Group Therapy Research Project, p. 26. A deslealdade de uma equipe

Talvez estas situações nos esclareçam mais sobre os sentimentos sociais parcialmente ocultos dos atores do que sobre os processos gerais que podem ocorrer quando alguém sai da linha, mas, recentemente, no trabalho de Stanton e Schwartz, nos foi feita uma narrativa bastante detalhada do circuito de consequências que surgem quando a linha entre duas equipes é transposta[250].

Foi dito que em ocasiões de crise as linhas momentaneamente podem ser rompidas e os membros de equipes opostas esquecer por momentos seus devidos lugares com relação uns aos outros. Foi dito também que, às vezes, a redução de barreira entre duas equipes pode ser útil, aparentemente, a certas finalidades e que, para alcançar estas finalidades, as equipes superiores podem temporariamente unir-se às categorias inferiores. É preciso acrescentar, como uma espécie de caso-limite, que as equipes em interação parecem estar preparadas para sair do esquema dramático de suas ações e entregar-se, por extenso período de tempo, a uma promíscua orgia de análises clínicas, religiosas ou éticas. Podemos encontrar uma sombria versão deste processo em movimentos sociais evangélicos que empregam a confissão aberta. Um pecador, às vezes reconhecidamente de baixo *status*,

---

ao chamar a atenção de um membro da outra equipe é certamente uma ocorrência comum. Pode-se notar que na vida cotidiana a recusa a entrar neste tipo de comunicação conivente momentânea quando se é convidado a fazê-lo constitui, por si mesma, uma afronta de caráter menor a quem convida. O indivíduo pode encontrar-se no dilema de saber se deve trair o objeto da conivência solicitada ou afrontar a pessoa que exige a conivência. Um exemplo é fornecido por COMPTON-BURNETT, I. *A Family and a Fortune*. Londres: Eyre & Spottiswoode, 1948, p. 12: "'Mas eu não estava roncando', disse Blanche, no tom mais tranquilo de quem perde o controle de uma situação. 'Eu mesma saberia. Não seria possível estar acordada, fazer barulho e não ouvi-lo'.
Justine lançou um olhar atrevido para qualquer pessoa que o recebesse. Edgar fez isso como uma obrigação e rapidamente desviou o olhar como outra obrigação".

250. STANTON, A.H. & SCHWARTZ, M.S. "The Management of a Type of Institutional Participation in Mental Illness". *Psychiatry*, XII, p 13-16. Nesse trabalho os autores descrevem a preferência de enfermeiras por determinados doentes, em termos de seus efeitos sobre os outros pacientes, o pessoal e os transgressores.

levanta-se e diz aos presentes coisas que comumente tentaria esconder ou racionalizar; sacrifica seus segredos e a distância que os protege, e este sacrifício tende a produzir uma solidariedade de bastidores entre os presentes. A terapia de grupo proporciona um mecanismo semelhante para a formação do espírito de equipe e da solidariedade de bastidores. Um "pecador" psicológico levanta-se, fala de si próprio e convida outras pessoas a falarem sobre ele, de um modo que seria impossível na interação comum. O resultado tende a ser a solidariedade entre os membros do grupo, e este "apoio social", como é chamado, presumivelmente tem valor terapêutico. (Pelos padrões atuais, a única coisa que um doente assim procedendo perde é seu autorrespeito.) Talvez uma repercussão disto também se encontre nas reuniões entre enfermeiras e médicos, anteriormente mencionadas.

Pode ser que esta passagem do afastamento à intimidade ocorra em ocasiões de tensão crônica. Ou talvez possamos considerá-las como parte de um movimento social antidramatúrgico, o culto da confissão. Talvez este abaixamento das barreiras represente uma fase natural na mudança social que transforma uma equipe em outra. Presume-se que as equipes opostas negociem segredos de modo que possam começar, desde o início, a reunir um novo conjunto de fatos vergonhosos ou humilhantes, que são escondidos dos estranhos, para um segredo logo em seguida compartilhado. De qualquer modo, verificamos que surgem ocasiões nas quais equipes opostas, sejam elas industriais, conjugais ou nacionais, parecem dispostas não somente a contar seus segredos ao mesmo especialista, mas também a fazer esta revelação na presença do inimigo[251].

Convém indicar aqui que um dos melhores campos para estudar ações de realinhamento, principalmente as traições temporárias, pode não ser um estabelecimento hierarquicamente organizado, mas a interação de convívio informal entre pessoas

---

251. Pode ser encontrado um exemplo no papel que o grupo de Tavistock pretende ter como terapeutas capazes de "superar" o antagonismo entre o trabalho e a administração em estabelecimentos industriais. Cf. os registros de consulta relatados no livro de JAQUES, E. *The Changing Culture of a Factory*. Londres: Tavistock Ltd., 1951.

relativamente iguais. De fato, a ocorrência autorizada destas agressões parece ser uma das características que definem nossa vida social. Espera-se frequentemente em tais ocasiões que duas pessoas entabulem uma conversa parcimoniosa em benefício dos ouvintes e que cada qual tentará, de modo pouco sério, desacreditar a posição tomada pela outra. Verificam-se formas de namoro, nas quais os homens tentarão destruir a pose das mulheres de intocabilidade virginal, enquanto elas procuram forçá-los a uma atitude de interesse sem ao mesmo tempo enfraquecer sua própria posição defensiva. (Onde os que flertam são ao mesmo tempo membros de equipes nupciais diferentes, pode haver também traições e deslealdades relativamente sem importância.) Em círculos de conversa de cinco ou seis pessoas os realinhamentos fundamentais, como os que se dão entre um casal e outro, entre anfitriões e convidados, entre homens e mulheres, podem ser prazerosamente abandonados, e os participantes estarão dispostos a trocar e tornar a trocar esses alinhamentos com pouca provocação, reunindo por brincadeira seu público anterior contra seus antigos companheiros de equipe, mediante franca traição ou por uma comunicação combinada fingida contra eles. Pode também ser definido como alinhamento o caso em que algum dos presentes de alto *status* se embriaga, abandonando, assim, sua fachada e tornando-se intimamente acessível a pessoas que lhe são um pouco inferiores. O mesmo tom agressivo é, às vezes, realizado, de maneira menos complicada, ao se organizarem jogos ou brincadeiras, nos quais a pessoa que é objeto de ridículo será levada, de maneira não séria, a tomar uma posição comicamente insustentável.

Gostaria de comentar um aspecto geral que parece emergir dessas considerações sobre o comportamento das equipes. Seja o que for que crie o desejo humano de contato e companheirismo social, o efeito parece tomar duas formas: a necessidade de um público diante do qual pôr à prova a própria personalidade jactanciosa e a necessidade de companheiros de equipe, com os quais se possa entrar em intimidades coniventes e praticar o descontraimento dos bastidores. E aqui a estrutura deste trabalho começa a ficar demasiado rígida para os fatos salientados por ela. Embora as duas funções que os outros podem desempenhar para nós sejam usualmente separadas (este trabalho é amplamente devotado às razões pelas quais esta separação de funções é necessária), há, sem dúvida, ocasiões em que ambas são desempenhadas quase simultaneamente pelos mesmos outros. Como foi dito, isto pode acontecer como uma licença recíproca em reuniões sociais. Mas naturalmente esta função dupla também é encontrada como obrigação não correspondida, estendendo o papel de "parceiro", de modo que a pessoa que o desempenha estará sempre disponível, ou para assistir à impressão causada por seu chefe ou para ajudá-lo a transmiti-la. Assim, em enfermarias dos fundos de hospitais de doentes mentais, é possível encontrar auxiliares e doentes que envelheceram juntos, e verificar que o doente é obrigado a ser o alvo das brincadeiras do auxiliar em certos momentos, embora receba uma piscadela de conivência que os realinha em outra ocasião. Este apoio terapêutico é dado ao auxiliar sempre que lhe agrada solicitá-lo. Talvez a função militar comum de ajudante de ordens possa também ser considerada parcialmente, em termos de "parceiros", pois a pessoa que a desempenha fornece ao seu general um companheiro de equipe que pode ser dispensado à vontade ou usado como membro da plateia. Alguns membros de quadrilhas de esquina e certos assistentes executivos nas cortes formadas ao redor dos produtores de Hollywood fornecem outros exemplos.

Neste capítulo foram considerados quatro tipos de comunicação imprópria: o tratamento dos ausentes; a conversa sobre a encenação; a conivência da equipe e as ações de realinhamento. Cada um desses quatro tipos de conduta dirige a atenção para o mesmo ponto: a representação feita por uma equipe não é uma resposta espontânea e imediata à situação, absorvendo todas as energias da equipe e constituindo sua única realidade social. A representação é algo de que os membros da equipe podem afastar-se suficientemente para imaginar ou desempenhar simultaneamente outras espécies de representações, evidenciando outras realidades. Quer os atores apreendam sua exibição oficial como sendo a realidade mais "verdadeira de todas", quer não, darão expressão furtiva a múltiplas versões da realidade, cada qual tendendo a ser incompatível com as outras.

Capítulo VI
A arte de manipular a impressão

Neste capítulo gostaria de reunir o que foi dito ou ficou implícito a respeito dos atributos necessários a um ator para o trabalho de representar, com sucesso um personagem. Será feita, portanto, uma breve referência a algumas técnicas da manipulação da impressão, nas quais esses atributos se expressam. Como preparação, conviria iniciar, em alguns casos pela segunda vez, alguns dos principais tipos de rupturas da representação, pois são estas que as técnicas da manipulação da impressão procuram evitar.

No início deste trabalho, ao considerarmos as características gerais das representações, foi lembrado que o ator deve agir com expressiva responsabilidade, visto que muitas ações insignificantes e inadvertidas podem, às vezes, transmitir impressões inapropriadas ao momento. Estes acontecimentos foram chamados de "gestos involuntários". Ponsonby dá um exemplo de como a tentativa, feita por um diretor, de evitar um gesto involuntário levou à ocorrência de um outro:

> Um dos adidos da Legação devia carregar a almofada na qual estavam colocadas as insígnias e, a fim de evitar que caíssem, espetei o alfinete da parte de trás da Estrela na almofada de veludo. O adido, entretanto, não satisfeito com isso, prendeu a extremidade do alfinete no gancho para torná-lo duplamente seguro. O resultado foi que, quando o Príncipe Alexandre, tendo feito um discurso adequado, tentou apanhar a Estrela, encontrou-a firmemente presa à almofada e levou algum tempo para conseguir tirá-la. Isso, de certo modo, prejudicou o momento culminante da cerimônia[252].

---

252. PONSONBY. Op. cit., p. 351.

Poder-se-ia acrescentar que o indivíduo responsável pela realização de um gesto involuntário pode com isso desacreditar, principalmente, sua própria representação, a representação dos companheiros de equipe ou a que está sendo encenada pela plateia.

Quando um estranho acidentalmente entra numa região na qual está sendo levada a efeito uma representação, ou quando um membro da plateia inadvertidamente entra nos bastidores, provavelmente surpreenderá os presentes em flagrante delito. Embora não seja a intenção de alguém, as pessoas presentes na região podem achar que foram claramente vistas numa atividade que é inteiramente incompatível com a impressão que elas, por razões sociais, estão na obrigação de manter com relação ao intruso. Tratamos aqui daquilo que se chama, às vezes, de "intromissões inoportunas".

A vida passada e o curso habitual das atividades de determinado ator contêm tipicamente alguns fatos que, se fossem introduzidos durante a representação, desacreditariam ou, no mínimo, enfraqueceriam as pretensões relativas à sua personalidade, que o ator estava tentando projetar, como parte da definição da situação. Estes fatos podem envolver segredos escusos bem guardados ou características negativas, que todo mundo vê, mas às quais ninguém se refere. Quando tais fatos são apresentados, o resultado comum é o constrangimento. Os gestos involuntários e as intromissões inoportunas podem naturalmente chamar a atenção para esses fatos. Entretanto, mais frequentemente são apresentados por declarações verbais intencionais ou por atos não verbais, cujo completo significado não é avaliado pelo indivíduo que contribui com eles para a interação. De acordo com o uso comum, estas rupturas das projeções podem ser chamadas de *faux pas*. Quando um ator irrefletidamente faz uma contribuição intencional que destrói a imagem de sua própria equipe, podemos falar de "gafes" ou "ratas". Se um ator põe em risco a imagem de sua personalidade projetada pela outra equipe, falamos de "mancada" ou dizemos que o ator "meteu os pés pelas mãos". Os manuais de etiqueta fornecem clássicas advertências contra tais indiscrições:

> Se há alguém na roda que você conhece, seja cuidadoso na maneira de lançar epigramas ou gracejos

> sarcásticos. Poder-se-ia ter muito espírito falando de cordas com um homem cujo pai tivesse sido enforcado. O primeiro requisito para uma conversa que tenha sucesso é conhecer bem os circunstantes[253].
>
> Ao encontrar um amigo que não vê há algum tempo e de cujo estado e história familiar o senhor recentemente e com particularidades não tem sido informado, procure evitar fazer perguntas ou alusões a respeito dos membros da família, até que tome conhecimento a respeito deles. Alguns podem ter morrido, outros ter-se conduzido mal, se separado ou sido atingidos por alguma calamidade desoladora[254].

Os gestos involuntários, as intromissões inoportunas e os *faux pas* são fontes de embaraços e dissonâncias que não estavam nos planos da pessoa responsável por eles e que seriam evitados se o indivíduo conhecesse de antemão as consequências de sua atividade. Entretanto, há situações frequentemente chamadas de "cenas", nas quais o indivíduo age de modo a destruir ou ameaçar seriamente a aparência de cortesia da convivência, e embora possa simplesmente não agir com o objetivo de criar tal dissonância, age sabendo que há probabilidade de haver como resultado esta espécie de dissonância. A expressão popular "fazer uma cena" é adequada porque, com efeito, estas rupturas criam uma nova cena. A ação recíproca anterior e esperada entre as equipes é subitamente abandonada e um novo drama violentamente toma o lugar dela. É significativo que esta nova cena muitas vezes implique uma súbita redistribuição e troca de posições dos membros da equipe anterior em duas novas equipes.

Algumas cenas ocorrem quando os companheiros de equipe não conseguem mais apoiar a representação inepta uns dos outros e deixam escapar uma crítica pública imediata a respeito dos próprios indivíduos com quem deveriam estar em cooperação dramatúrgica. Este mau procedimento liquida, às vezes, a representação que os disputantes deveriam estar apresentando. Um dos efeitos da briga é fornecer à plateia uma visão dos bas-

---

253. *The Laws of Etiquette*. Filadélfia: Carey, Lee & Blanchard, 1836, p. 101.

254. *The Canons of Good Breeding*, p. 80.

tidores, e outro é deixá-la com o sentimento de que há alguma coisa seguramente suspeita relativamente a uma representação, quando aqueles que a conhecem melhor não se entendem. Outro tipo de cena ocorre quando a plateia decide não mais fazer o jogo da interação cortês, ou não quer mais fazê-lo, e desta forma confronta os atores com os fatos ou os atos expressivos que cada equipe sabe que serão inaceitáveis. É o que acontece quando um indivíduo se arma de coragem social e resolve "decidir a parada" com um outro, ou "dizer-lhe umas verdades". Os julgamentos de crimes institucionalizaram esta forma de discordância aberta, assim como o último capítulo de romances de assassinatos misteriosos, quando um indivíduo que até então mantinha uma atitude convincente de inocência é confrontado, em presença de outras pessoas, com a prova expressiva e inegável de que sua pose é somente uma pose. Outro tipo de cena tem lugar quando a interação entre duas pessoas se torna tão berrante, acalorada ou, por outro motivo qualquer, chama a atenção, que as pessoas próximas, empenhadas em sua própria interação numa conversa, são forçadas a se tornar testemunhas ou mesmo a tomar posição e "entrar no barulho". Um último tipo de cena pode ser lembrado. Quando uma pessoa que atua como uma equipe de um só componente se compromete de maneira séria com uma reivindicação ou exigência e não deixa uma saída para si no caso em que isso venha a ser negado pela plateia, geralmente se assegura de que sua pretensão ou exigência seja do tipo que provavelmente será aprovado e admitido pela plateia. Porém, se sua motivação é bastante forte, o indivíduo pode se dar ao luxo de fazer uma reivindicação ou afirmar uma suposição que sabe poder ser rejeitada pela plateia. Conscientemente reduz suas defesas na presença do público, lançando-se, se assim é lícito dizer, à sua mercê. Agindo assim, o indivíduo faz um pedido ao auditório para que se considere como parte da sua equipe, ou que lhe permita se considerar como parte da equipe. Esta espécie de coisa é muito embaraçosa e, quando a exigência imprudente é recusada na presença do indivíduo, ele sofre o que se chama humilhação.

Examinei algumas das principais formas de rupturas da representação – gestos involuntários, intromissões inoportunas, *faux pas* e cenas. Estas rupturas, em termos habituais, são chamadas de "incidentes". Quando acontece um incidente, a realidade patrocinada pelos atores é ameaçada. É provável que as pessoas presentes reajam tornando-se aturdidas, constrangidas, embaraçadas, nervosas etc. Literalmente, os participantes podem ficar descontrolados. Quando este aturdimento ou os sintomas de embaraço se tornam evidentes, a realidade mantida pela representação provavelmente ficará mais prejudicada e enfraquecida, pois estes sinais de nervosismo, na maioria dos casos, são um aspecto do indivíduo que representa um personagem e não um aspecto do personagem que ele projeta, dessa forma impondo à plateia uma imagem do homem que se acha por trás da máscara.

A fim de evitar que aconteçam incidentes e o embaraço consequente, será necessário que todos os participantes da interação, bem como aqueles que não participam, possuam certos atributos e os expressem em práticas empregadas para salvar o espetáculo. Esses atributos e práticas serão passados em revista sob três subtítulos: as medidas defensivas usadas pelos atores para salvar seu próprio espetáculo; as medidas protetoras usadas pela plateia e pelos estranhos para ajudar os atores a salvar seu espetáculo; e, finalmente, as medidas que os atores devem tomar para tornar possível o emprego, pela plateia e pelos estranhos, de medidas protetoras em favor dos atores.

Atributos e práticas defensivas

1. Lealdade dramatúrgica. É evidente que, se uma equipe quiser manter a linha de ação que tomou, os companheiros de equipe devem agir como se tivessem aceito certas obrigações morais. Não devem trair os segredos da equipe nos intervalos das representações – quer por interesse pessoal, por princípios ou falta de discrição. Assim, as pessoas adultas de uma família devem, às vezes, excluir uma criança da casa dos seus mexericos e confissões, pois nunca se pode estar certo da pessoa a quem a criança contará os segredos. Por isso, somente na época em que a criança chegar à idade da discrição é que seus pais não

baixarão o tom de voz quando ela entrar na sala. Os escritores do século XVIII, ao tratarem do problema dos empregados domésticos, citam um caso semelhante de deslealdade, mas, aqui, em relação a pessoas que já eram bastante velhas para discernir melhor:

> Esta falta de dedicação [dos criados aos patrões] deu origem a uma multidão de pequenas contrariedades, às quais poucos patrões ficaram inteiramente imunes. Destas, uma das mais incômodas era a propensão dos empregados em revelar com minúcias os negócios dos patrões. Defoe notou o fato, lembrando às donas de casa: "Acrescente às suas outras virtudes a piedade que lhe ensinará a prudência de *guardar os segredos da família*; a falta desta virtude é um grande mal"[255].

As vozes também baixavam de tom à aproximação dos criados, mas no início do século XVIII uma outra prática foi introduzida como meio de guardar os segredos da equipe dos ouvidos dos empregados:

> O aparador era uma mesa com prateleiras que os criados, antes da hora do jantar, guarneciam com comidas, bebidas e talheres, retirando-se em seguida, deixando que os hóspedes se servissem[256].

Sobre a introdução deste recurso dramatúrgico na Inglaterra, informou Mary Hamilton:

> Meu primo Charles Cathcart jantou conosco em casa de Lady Stormont; tínhamos aparadores de modo que nossa conversa não ficava tolhida pela presença de criados na sala[257].
> No jantar tínhamos confortáveis aparadores, de modo que nossa conversa não era obrigada a ser desagradavelmente vigiada por causa da presença dos criados[258].

---

255. HECHT. Op. cit., p. 81 [citação da obra de DEFOE. *The Maid Servant's Modest Defense*].

256. HECHT. Op. cit., p. 208.

257. Id., p. 208.

258. Id., p. 208.

Desse modo, também, os membros da equipe não devem aproveitar-se de sua presença na região da fachada a fim de encenar seu próprio espetáculo, como fazem, por exemplo, as estenógrafas casadouras, que às vezes entulham seus locais de trabalho com um exuberante guarda-roupa de alta moda. Nem devem usar seu tempo de representação para denunciar sua equipe. Precisam estar dispostos a aceitar de boa vontade papéis menos importantes e representar com entusiasmo sempre que, onde quer que e para quem a equipe, como um todo, decidir. E devem revestir-se de sua própria representação até o ponto necessário para impedi-los de darem uma impressão vazia ou de soarem falso à plateia.

Talvez o problema decisivo na manutenção da lealdade dos membros da equipe (e aparentemente aos membros de outros tipos de coletividades, também) consiste em impedir que os atores se tornem tão emocionalmente ligados ao auditório que lhe revelem as consequências da impressão que lhe está sendo dada, ou, por outros meios, façam a equipe, como um todo, pagar por este apego. Em pequenas comunidades inglesas, por exemplo, os gerentes das lojas frequentemente serão leais ao estabelecimento e definirão para um freguês o produto que está sendo vendido em termos fulgurantes associados a falsas informações, mas encontram-se muitas vezes empregados que não somente aparentam tomar o papel do freguês nas recomendações sobre as compras, mas realmente o fazem. Na Ilha Shetland, por exemplo, ouvi um empregado dizer a um freguês a quem entregava uma garrafa de cerveja gasosa: "não sei como o senhor pode beber este troço". Nenhum dos presentes considerou isto uma surpreendente franqueza e comentários semelhantes podiam ser ouvidos todos os dias nas lojas da ilha. Assim também os gerentes de postos de gasolina, às vezes, desaprovam as gorjetas, porque podem levar os empregados a prestar excessivo serviço gratuito aos poucos escolhidos, enquanto outros clientes ficam esperando.

Uma técnica básica que a equipe pode empregar para se defender de tal deslealdade é criar uma elevada solidariedade dentro da equipe, embora realizando uma imagem de bastidores a respeito da plateia que a faz suficientemente desumana para permitir que os atores se dirijam a ela, em conversa, com imunidade emocional e moral. Na medida em que os companheiros de equipe e seus colegas formam uma comunidade social completa, que ofereça a cada ator um lugar e uma fonte de apoio moral, independentemente de ser bem-sucedido ou não em manter sua fachada diante da plateia, nessa mesma medida pareceria que os atores podem se defender da dúvida e da culpa e praticar qualquer tipo de impostura. Talvez devêssemos compreender a arte impiedosa dos tugs com referência às crenças religiosas e práticas rituais nas quais se integravam suas depredações e talvez devêssemos compreender a afortunada insensibilidade dos vigaristas, fazendo referência à sua solidariedade social no que chamam mundo dos "fora da lei" e suas difamações bem-formuladas do mundo legal. Talvez esta noção nos permita compreender, em parte, por que os grupos que são alijados de uma comunidade ou ainda não se incorporaram a ela têm tanta capacidade de participar de negócios escusos e de se ocupar de serviços que implicam a prática habitual da trapaça.

Uma segunda técnica para neutralizar o perigo dos laços afetivos entre os atores e a plateia consiste em mudar periodicamente de público. Assim, os gerentes de postos de gasolina costumavam ser transferidos periodicamente de um posto para outro, para evitar a formação de fortes vínculos pessoais com determinados clientes. Verificou-se que, quando se deixava que se formassem tais laços, o gerente, às vezes, colocava os interesses de um amigo necessitado de crédito acima dos interesses da firma[259]. Os gerentes de banco e os ministros são rotineiramente transferidos, por motivos semelhantes, o mesmo acontecendo com certos administradores coloniais. Algumas prostitutas profissionais fornecem outro exemplo, conforme se vê pela seguinte referência à prostituição organizada:

> O sindicato tratou disto estes dias. As garotas não permanecem num lugar o tempo suficiente para real-

259. Evidentemente esta deslealdade é sistematicamente simulada em alguns estabelecimentos comerciais, onde o freguês recebe um "desconto especial" de um empregado que pretende proceder assim a fim de manter o comprador como freguês pessoal constante.

> mente travar relações com alguém. Não há muita probabilidade de alguma delas se apaixonar por um sujeito, você sabe, e dar motivo de queixa. De qualquer modo, a prostituta que está em Chicago esta semana na próxima estará em St. Louis, ou girando por meia dúzia de lugares na cidade, antes de ser mandada a outra parte. E elas nunca sabem para onde vão, até que se lhes diga[260].

2. Disciplina dramatúrgica. É essencial para a manutenção da representação da equipe que cada membro possua disciplina dramatúrgica e a exerça ao apresentar seu próprio papel. Refiro-me ao fato de que, conquanto o ator esteja ostensivamente imerso na atividade que está representando entregue a ela e, aparentemente, absorvido em suas ações de forma espontânea e isenta de cálculo, deve, não obstante, estar emocionalmente dissociado de sua apresentação, de modo tal que fique livre para enfrentar as contingências dramatúrgicas à medida que surjam. Tem de oferecer uma demonstração de envolvimento intelectual e emocional na atividade que está apresentando, mas deve realmente evitar ser arrastado por seu próprio espetáculo, a fim de que isto não destrua sua absorção na tarefa de montar uma encenação bem-sucedida.

Um ator disciplinado, dramaturgicamente falando, é aquele que se lembra do seu papel e não comete gestos involuntários ou *faux pas* ao desempenhá-lo. É pessoa discreta; não trai a representação ao revelar involuntariamente seus segredos. É alguém com "presença de espírito", podendo encobrir instintivamente um comportamento inadequado por parte de seus companheiros de equipe enquanto ao mesmo tempo mantém a impressão de estar" simplesmente executando seu papel. E se não foi possível evitar ou esconder uma ruptura da representação, o ator disciplinado estará preparado para dar uma razão plausível que justifique o acontecimento da ruptura, uma maneira jocosa de diminuir a importância dela, ou uma profunda desculpa e autodepreciação para reintegrar os responsáveis por ela. O ator disciplinado é também

---

260. HAMILTON, C. *Men of the Underworld*. Nova York: MacMillan, 1952, p. 222.

alguém dotado de autocontrole. Consegue suprimir sua resposta emocional a seus problemas pessoais, aos companheiros quando cometem erros e à plateia, quando instiga sentimentos adversos ou hostilidade para com ele. E é capaz de deixar de rir a respeito de assuntos considerados sérios e de deixar de levar a sério assuntos humorísticos. Em outras palavras, é capaz de suprimir seus sentimentos espontâneos, a fim de dar a impressão de não abandonar a linha emocional, o *status quo* expressivo, estabelecida pela representação de sua equipe, pois uma demonstração de afetividade condenável pode não somente levar a revelações impróprias e a uma transgressão ao consenso operacional, mas também implicitamente estender aos assistentes a condição de membros da equipe. E o ator disciplinado é alguém com suficiente equilíbrio para passar de posições particulares de ausência de formalismo para posições públicas de graus variáveis de formalismo, sem deixar que estas mudanças o perturbem[261].

Talvez o ponto mais importante da disciplina dramatúrgica se ache no domínio do rosto e da voz. É nele que se situa a prova decisiva da habilidade de um indivíduo como ator. A resposta emocional verdadeira precisa ser dissimulada e uma outra, adequada, é que terá de ser apresentada. "Provocar" é um recurso informal de iniciação empregado por uma equipe para exercitar e submeter à prova a capacidade de seus novos membros de "aceitar uma brincadeira", isto é, manter uma atitude amistosa mesmo quando possivelmente não a estejam sentindo. Quando um indivíduo é aprovado neste exame de domínio da expressão, quer o receba de seus novos companheiros de equipe com espírito esportivo, quer lhe advenha de uma necessidade inesperada de representar em uma peça séria, daí por diante pode aventurar-se como executante que confia em si mesmo e em quem os outros confiam. Uma excelente ilustração deste fato é dada num trabalho, a sair, de Howard S. Becker, sobre o hábito de fumar maconha. Becker conta que a pessoa que faz uso irregular da droga tem um grande medo de se encontrar, estando sob a influência dela, na presença imediata dos pais ou colegas de trabalho, que esperarão dele uma conduta íntima de quem não

---

261. Para um exemplo, cf. PAGE. Op. cit., p. 91-92.

se entrega a drogas. Ao que parece, o fumante irregular não se torna um inveterado consumidor regular até compreender que pode estar "alto" e, ainda assim, continuar a manter uma representação diante dos que não fumam, sem se trair. O mesmo problema surge, talvez de forma menos dramática, na vida comum da família, quando se precisa tomar uma decisão a respeito do momento, no curso de sua educação, em que os membros mais jovens da equipe podem ser levados a cerimônias públicas e semipúblicas, já que somente quando a criança é capaz de manter o domínio de seu temperamento poderá ser um participante digno de confiança em tais ocasiões.

3. Circunspecção dramatúrgica. A lealdade e a disciplina, no sentido dramatúrgico destes termos, são atributos exigidos dos membros de uma equipe, se o espetáculo que encenam tiver de ser mantido. Além disso, será útil se os membros da equipe exercerem previsão e planejamento ao determinarem com antecipação qual a melhor maneira de encenar um espetáculo. A circunspecção deve ser exercida. Quando há poucas oportunidades de serem vistos, as oportunidades para descontração devem ser aproveitadas; quando há pouca probabilidade de serem postos à prova, fatos nus podem ser apresentados sob um prisma brilhante, e os atores podem desempenhar seu papel com toda a alma, revestindo-o de completa dignidade. Se não houver cuidado e honestidade, provavelmente ocorrerão rupturas. Se o cuidado e a honestidade forem exercidos rigidamente, os atores não serão provavelmente compreendidos "tão bem assim", e poderão ser mal-interpretados, compreendidos insuficiente ou enormemente limitados naquilo que podem criar a partir das oportunidades dramatúrgicas que lhes são abertas. Em outras palavras, no interesse da equipe deve-se exigir dos atores que sejam prudentes e circunspectos ao representar o espetáculo, preparando-se antecipadamente para prováveis contingências e explorando as oportunidades restantes. O exercício ou a expressão da circunspecção dramatúrgica toma formas bem conhecidas; consideraremos aqui algumas destas técnicas para dirigir as impressões.

Evidentemente, uma dessas técnicas é a que a equipe emprega para escolher membros leais e disciplinados, e uma segunda é a que usa para adquirir uma ideia clara sobre a extensão da lealdade e disciplina em que pode repousar por parte de seus membros como um todo, pois o grau em que esses atributos são possuídos afetará acentuadamente a probabilidade de executar uma representação e, por conseguinte, a garantia de revestir a representação de seriedade, importância e dignidade.

O ator prudente tentará selecionar a espécie de plateia que cause o mínimo de dificuldades, em termos do espetáculo que deseja encenar e do espetáculo que não deseja ter de representar. Assim diz-se que os professores frequentemente não gostam dos alunos iniciantes nem dos pertencentes às últimas séries, porque ambos os grupos podem tornar difícil manter na sala de aula o tipo de definição de situação que reafirma o papel profissional do professor[262]. Por estas razões dramatúrgicas os professores se transferem para escolas de curso médio. Da mesma forma, também, diz-se que algumas enfermeiras preferem trabalhar numa sala de cirurgia, e não numa enfermaria, porque na primeira tomam-se medidas para assegurar que a plateia, formada de um só membro, logo se esqueça dos pontos fracos da representação, permitindo à equipe operatória descontrair-se e devotar-se às exigências técnicas das ações, em oposição às dramatúrgicas[263]. Uma vez que a plateia está dormindo, é mesmo possível introduzir um "cirurgião fantasma" para efetuar tarefas que outros, que aí estejam, mais tarde pretenderão ter feito[264]. Igualmente, dado o fato de ser exigida a solidariedade conjugal entre marido e mulher ao demonstrar atenção conjunta por aqueles que recebem, é necessário excluir dentre os visitantes as pessoas a respeito das quais têm sentimentos diferentes[265]. Assim também se um homem de influência e poder quer ter a certeza de poder assumir

---

262. BECKER. "Social Class Variations..." Op. cit., p. 461-462.

263. Trabalho inédito de pesquisa de Edith Lentz. Observe-se que o procedimento, às vezes empregado, de tocar música por audiofones para o paciente que está se submetendo a uma operação sem anestesia geral é um meio de separá-lo efetivamente da conversa da equipe que o está operando.

264. SOLOMON. Op. cit., p. 108.

265. Esta questão foi desenvolvida numa pequena história por Mary McCarthy "A Friend of the Family", que consta também da obra da mesma autora *Cast a Cold Eye*. Nova York: Harcourt Brace, 1950.

um papel amistoso nas interações no escritório, será útil para ele ter um elevador particular e círculos protetores de recepcionistas e secretárias, de modo que ninguém o veja quando precisa tratar alguém de maneira impiedosa ou esnobe.

Parece evidente que um meio automático de garantir que nenhum membro da equipe ou da plateia proceda inadequadamente consiste em limitar o tamanho de ambas tanto quanto possível. Em circunstâncias iguais, quanto menor o número de membros, menor possibilidade haverá de erros, "dificuldades" e traições. Assim, vendedores gostam de vender a fregueses desacompanhados, pois é geralmente sabido que duas pessoas na plateia são muito mais difíceis de "tapear" do que uma. Assim, também, em algumas escolas há um acordo tácito de que nenhum professor deve entrar na sala de outro enquanto este está dando aula. Parece que se admite haver a probabilidade de o novo ator fazer alguma coisa que os olhares expectantes da plateia de estudantes perceberão ser incompatível com a impressão produzida por seu próprio professor[266]. Contudo, há no mínimo duas razões pelas quais este procedimento de limitar o número de pessoas presentes tem também suas limitações. Primeiro, algumas representações não podem ser executadas sem a assistência técnica de considerável número de companheiros de equipe. Por isso, embora o Estado-Maior do Exército compreenda que quanto maior o número de oficiais que conheçam os planos da próxima fase da ação maior será a probabilidade de alguém revelar, desse modo, segredos estratégicos, ainda assim o Estado-Maior terá de permitir que um número suficientemente grande de homens participem do segredo, para planejar e organizar o acontecimento. Em segundo lugar, parece que os indivíduos, como peças do equipamento expressivo, são mais eficientes, em certos aspectos, do que as peças não humanas do cenário. Se, portanto, for preciso dar a um indivíduo um lugar de grande proeminência dramática, pode ser necessário empregar um séquito numeroso para realizar uma impressão efetiva de adulação em torno dele.

---

266. BECKER. "The Teacher in the Authority System ot the Public School". Op. cit., p. 139.

Afirmei que, mantendo-se ligado aos fatos, será possível ao ator proteger seu espetáculo, mas isto pode impedi-lo de fazer uma encenação muito cuidadosa. Se uma representação muito minuciosa tiver de ser encenada com segurança, será mais útil afastar-se dos fatos do que manter-se preso a eles. É possível para uma autoridade religiosa conduzir uma apresentação solene e impressionante, porque não há nenhum meio aceitável pelo qual estas pretensões possam ser desacreditadas. Igualmente, o profissional parte do princípio de que o serviço que executa não será julgado pelos resultados, mas pela medida em que a habilidade profissional exequível foi usada com eficiência; e, evidentemente, o profissional declara que só o grupo de seus colegas pode fazer um julgamento desta espécie. É, portanto, possível que o profissional se empenhe inteiramente em sua apresentação, com todo o seu valor e dignidade, sabendo que somente um erro supinamente louco será capaz de destruir a impressão criada. Assim, o esforço dos comerciantes em obter um respaldo profissional pode ser compreendido como um esforço para dominar a realidade que apresentam a seus fregueses. Por outro lado, podemos ver que este domínio torna desnecessário ser prudentemente humilde na atitude que o indivíduo adota ao representar o seu negócio.

Pareceria existir uma relação entre a dose de modéstia empregada e a duração de uma representação. Se o público tiver de ver apenas uma breve apresentação, a probabilidade de uma ocorrência embaraçosa será relativamente pequena, e será relativamente seguro para o ator, especialmente em circunstâncias anônimas, manter uma fachada falsa[267]. Na sociedade norte-americana existe o que se chama de "voz telefônica", uma forma requintada de falar, não empregada na conversa frente a frente, por causa do perigo de proceder assim. Na Inglaterra, nas formas

---

267. Em relações breves e anônimas de prestação de serviço, os servidores tornam-se hábeis em descobrir o que consideram uma simulação. Contudo, como sua própria posição revela-se por seu papel no trabalho, não podem facilmente retrucar a uma simulação com outra. Ao mesmo tempo, os fregueses que são o que declaram ser, às vezes, sentem que o empregado pode não apreender este fato. O freguês pode então sentir-se envergonhado, porque se sente como se sentiria se fosse tão falso como aparenta.

de contato entre estranhos que devem seguramente ser breves – por exemplo, casos como "por favor", "obrigado", "desculpe" e "posso falar com" – ouve-se a pronúncia das escolas mantidas por particulares em maior proporção do que o número de pessoas que frequentaram tais escolas. Assim também na sociedade anglo-americana a maior parte dos estabelecimentos domésticos não possui um equipamento de cena suficiente para manter um espetáculo de hospitalidade cortês para com as visitas que ficam mais do que algumas horas. Só na alta classe média e nas classes superiores encontramos a instituição do "convidado de fim de semana", pois é somente neste caso que os atores julgam possuir suficiente equipamento de sinais para se sair bem de uma representação demorada. Assim, na Ilha Shetland, alguns lavradores julgam poder manter um espetáculo de classe média durante um lanche, em alguns casos durante uma refeição, e, em um ou dois, até mesmo um fim de semana; mas muitos habitantes da ilha julgam que só é seguro representar para plateias de classe média na varanda da frente ou, melhor ainda, no salão da comunidade, onde os esforços e responsabilidades do espetáculo podiam ser divididos por muitos companheiros.

O ator que quiser ser dramaturgicamente prudente terá de adaptar sua representação às condições de informação sob as quais deve ser encenada. As prostitutas envelhecidas, na Londres do século XIX, que restringiam seu lugar de trabalho aos parques escuros a fim de que seus rostos não diminuíssem o atrativo para o público, estavam praticando uma estratégia ainda mais antiga que sua profissão[268]. Além de contar com o que pode ser visto, o ator terá também de levar em consideração a informação que o público já possui a seu respeito. Quanto maior for a informação que a plateia tenha sobre o ator, menor probabilidade haverá de que os fatos percebidos durante a interação a influenciem radicalmente. Por outro lado, quando não há informação anterior, é de se esperar que a informação colhida durante a interação seja decisiva. Por isso, de um modo geral, podemos esperar que os indivíduos afrouxem a manutenção rigorosa da fachada quando se encontram em companhia daqueles que

268. MAYHEW. Op. cit., vol. 4, p. 90.

conhecem há muito tempo e estreitem sua fachada quando estão entre pessoas de conhecimento recente. Para aqueles que não são conhecidos, exigem-se representações cuidadosas.

Uma outra condição ligada à comunicação pode ser citada. O ator prudente terá de levar em consideração o acesso da audiência a fontes de informação exteriores à interação. Por exemplo, conta-se que os membros da tribo dos tugs, da Índia, no início do século XIX executavam as seguintes representações:

> Em regra geral eles fingiam ser mercadores ou soldados, viajando desarmados a fim de não levantar suspeitas, o que lhes dava uma excelente desculpa para pedir permissão para acompanhar viajantes, pois nada havia em sua aparência que despertasse alarme. Muitos tugs tinham um ar pacífico e eram particularmente corteses, pois esta camuflagem fazia parte de seus recursos. Os viajantes bem-armados não sentiam medo de permitir que estes vagabundos se reunissem a eles. Este primeiro passo levado a efeito com sucesso, os tugs ganhavam progressivamente a confiança de suas futuras vítimas por uma conduta de humildade, gratidão e fingido interesse por seus negócios, até se familiarizarem com os detalhes sobre suas casas, se alguém daria pela falta deles se fossem assassinados, e se conheciam alguém nas vizinhanças. Às vezes, viajavam grandes distâncias juntos, antes que surgisse uma oportunidade adequada à traição. Conta-se o caso de uma quadrilha que viajou com uma família de onze pessoas durante vinte dias, cobrindo trezentos e vinte quilômetros, antes de conseguir assassinar todo o conjunto sem ser apanhada[269].

Os tugs podiam fazer essas representações, a despeito do fato de suas plateias estarem constantemente à espreita desses atores (e imediatamente matarem os que eram identificados como tugs), em parte por causa das condições de informação a respeito do percurso. Logo que um grupo partia para uma longa viagem, não havia meios de comprovar a identidade declarada por aqueles com quem se encontrasse, e, se alguma coisa acon-

269. SLEEMAN. Op. cit., p. 25-26.

tecia com o grupo no caminho, passariam meses antes que se considerasse que os viajantes estavam atrasados e, nesse momento, os tugs, que tinham atuado a princípio a favor deles e depois contra, já estariam fora de alcance. Mas em suas aldeias natais, sendo os membros da tribo conhecidos, estabelecidos e responsáveis por seus pecados, comportavam-se de maneira exemplar. Da mesma maneira, norte-americanos circunspectos, que ordinariamente nunca teriam oportunidade de uma falsa representação de sua condição social, podem tê-la quando permanecem por curto período num local de veraneio.

Se as fontes de informação externas à interação constituem uma contingência que o ator prudente precisa levar em consideração, as fontes de informação internas constituem outra. Por isso, o ator prudente deve ajustar sua apresentação ao caráter dos apoios e tarefas com os quais tem de construir sua representação. Por exemplo, os negociantes de roupas nos Estados Unidos precisam ser relativamente circunspectos ao fazerem afirmações exageradas, porque os fregueses podem testar, vendo e tocando, aquilo que lhes é mostrado. Mas os vendedores de móveis não precisam ser tão cuidadosos, porque poucos são os membros da plateia que podem julgar o que está por trás da fachada de verniz e madeira compensada que lhes é apresentada[270]. No Hotel Shetland, os empregados tinham grande liberdade com relação ao que era colocado nas sopas e pudins, porque estes pratos ocultam o que neles está contido. Principalmente as sopas eram fáceis de encenar: eram quase sempre um adicionamento – os restos de uma sopa, mais alguma coisa encontrada à mão, serviam de começo para outra. Com as carnes, cujo verdadeiro estado poderia ser mais facilmente percebido, havia menos liberdade de movimento. De fato, neste caso os padrões dos empregados eram mais rigorosos que os dos hóspedes do continente, pois o que "cheirava a início de decomposição" aos nativos podia "cheirar bem" aos de fora. Do mesmo modo, também, há na ilha uma tradição que permite aos lavradores idosos se afastarem das árduas obrigações da vida adulta simulando doença, pois, de outro modo, faz-se mau juízo de uma pessoa que ficou

270. CONANT. Op. cit., p. 169, fala sobre isto.

demasiado velha para trabalhar. Supondo-se que os médicos da ilha – embora o atual não concorde com isso – reconhecem o fato de ninguém poder estar seguro de que uma doença esteja ou não oculta no corpo humano, espera-se que com toda a delicadeza restrinjam seus diagnósticos inequívocos aos males visíveis. Igualmente, se uma dona de casa está preocupada em mostrar que mantém padrões de limpeza, provavelmente concentrará a atenção nos vidros da sala, pois que nestes a poeira aparece muito claramente. Dará menos atenção ao tapete escuro e menos revelador, que pode muito bem ter sido escolhido na crença de que "as cores escuras não mostram a sujeira". Assim, também, um artista não precisa tomar muito cuidado com a decoração do seu estúdio. De fato, criou-se o estereótipo de que estúdio é um lugar onde aqueles que fazem trabalho de bastidores não se importam com quem os observa ou com as condições em que são vistos, em parte porque o valor das obras do artista pode, ou deveria ser, imediatamente acessível aos sentidos. Os pintores retratistas, por outro lado, precisam prometer tornar as sessões de pose agradáveis e procuram usar estúdios relativamente atraentes e de aparência rica, como uma espécie de garantia para as promessas que fazem. Igualmente, sabemos que os trapaceiros precisam empregar fachadas pessoais cuidadosas e meticulosas, e frequentemente arquitetam cenários sociais detalhados, não tanto porque mentem como meio de vida, mas porque, para conseguir escapar de uma mentira desse vulto, o sujeito precisa lidar com pessoas que foram e continuam sendo estranhas, sendo obrigados a terminar os negócios o mais rápido possível. Os homens de negócio legítimos que promovessem uma especulação comercial honesta em tais circunstâncias precisariam ser da mesma forma meticulosos ao se expressar, pois é justamente em tais condições que os investidores em potencial analisam o caráter daqueles com quem vão negociar. Em resumo, desde que um comerciante desonesto tem de fraudar seus clientes em circunstâncias nas quais estes percebem que um "conto do vigário" poderia ser empregado, o vigarista precisa antecipar-se, impedindo, cuidadosamente, a impressão imediata que ele possa ser o que de fato é, da mesma forma que o negociante honesto, nas mesmas circunstâncias, precisaria impedir a impressão imediata de que poderia ser o que não é.

É evidente que deverá haver muito cuidado em situações nas quais poderão ocorrer para o ator importantes consequências como resultado de sua conduta. A entrevista de trabalho é um exemplo claro. Muitas vezes o entrevistador terá de tomar decisões da maior importância para o entrevistado, baseado somente na informação obtida na encenação da entrevista com o candidato. O entrevistado julgará provavelmente, e com alguma razão, que qualquer ato seu será tomado como altamente simbólico e que, portanto, deverá preparar-se e pensar muito antes de sua representação. Nessas ocasiões esperamos que o entrevistado dará muita atenção a sua aparência e maneiras, não apenas para criar uma impressão favorável, mas também para sentir-se seguro e impedir qualquer impressão desfavorável que possa ser transmitida inadvertidamente. Outro exemplo pode ser lembrado: as pessoas que trabalham no campo da radiotransmissão, principalmente na televisão, bem sabem que a impressão momentânea que dão terá efeito sobre a opinião que uma audiência maciça tem a seu respeito. Nesta parte da indústria da comunicação toma-se muito cuidado em dar a impressão correta, havendo grande ansiedade quando se julga que a impressão produzida possa não ser conveniente. A força dessa preocupação avalia-se pelas indignidades que os atores de alta posição estão dispostos a sofrer a fim de se saírem bem: os parlamentares aceitam maquilar-se e admitem que lhes digam o que devem vestir; os boxeadores profissionais rebaixam-se a fazer uma exibição, à maneira dos lutadores, em vez de um assalto[271].

A circunspecção por parte dos atores será também expressa pela maneira com que tratam o afrouxamento das aparências. Quando uma equipe está fisicamente distante do público que a inspeciona, sendo improvável alguma visita de surpresa, uma grande descontração torna-se exequível. Dessa forma diz-nos um livro que as pequenas instalações da marinha norte-americana em ilhas do Pacífico, na última guerra, podiam ser administradas informalmente, ao passo que se exigia o reajustamento na direção do setor da limpeza e polimento das armas quando

---

271. Cf. a coluna semanal de John Lardner no *Newsweek*, de 22/02/1954, p. 59.

a unidade militar se transferia para lugares onde havia maior probabilidade de frequência de membros da plateia[272]. Quando inspetores têm fácil acesso ao lugar onde uma equipe executa seu trabalho, a quantidade de afrouxamento possível para a equipe dependerá da eficiência e segurança do seu sistema de aviso. Observe-se que uma completa distensão requer não somente um sistema de aviso, mas também um apreciável lapso de tempo entre o aviso e a visita, pois a equipe só terá condições de descontrair-se na medida em que puder corrigir-se nesse espaço de tempo. Assim, quando a professora deixa a sala de aula por um momento, os alunos podem entregar-se a posturas descontraídas e conversações murmuradas, porque estas transgressões podem ser corrigidas no aviso de poucos segundos que os alunos terão de que ela já vai entrar; mas é pouco provável a possibilidade de fumar furtivamente um cigarro, pois não poderiam livrar-se rapidamente do cheiro da fumaça. Interessante é que os alunos, como outros atores, "experimentarão os limites", afastando-se alegremente de seus lugares, mas apenas até o ponto em que, quando o aviso chegar, possam correr desenfreadamente de volta aos seus lugares próprios, de modo a não serem apanhados longe deles. Aqui, certamente, o caráter do terreno pode ser importante. Na Ilha Shetland, por exemplo, não havia árvores para bloquear a visão e era pequena a concentração de unidades residenciais. Os vizinhos tinham o direito de entrar na casa uns dos outros sempre que acontecia morarem próximos, mas em geral era possível vê-los se aproximando uns bons minutos antes de efetivamente chegarem. Os cachorros dos lavradores, sempre presentes, geralmente acentuavam o aviso visual latindo para os visitantes. Um amplo afrouxamento era portanto possível, porque havia sempre alguns minutos de misericórdia para pôr a cena em ordem. Evidentemente, com tal aviso, a batida na porta perdia sua principal utilidade e os companheiros lavradores não levavam a este ponto a cortesia, embora alguns tivessem o hábito de raspar os pés um pouco ao entrar, como um aviso final extra. Os apartamentos de hotéis cuja porta da frente só se abre quando o morador aperta um botão pelo lado

272. PAGE. Op. cit., p. 92.

de dentro oferecem uma garantia semelhante de amplo aviso e permitem igual profundidade de descontração.

Gostaria de mencionar ainda um modo pelo qual se exerce a circunspecção dramatúrgica. Quando as equipes chegam à presença imediata uma da outra, pode ocorrer uma grande quantidade de pequenos fatos que acidentalmente servem para transmitir uma impressão geral incompatível com a impressão alimentada. Este atraiçoamento expressivo é uma característica básica da interação frente a frente. Um meio de tratar deste problema é, como foi indicado anteriormente, selecionar companheiros de equipe disciplinados que não desempenhem seus papéis de maneira inepta, desajeitada ou constrangida. Um outro método consiste em preparar-se de antemão para todas as contingências expressivas possíveis. Uma aplicação desta estratégia é estabelecer uma agenda completa antes do acontecimento, designando quem vai fazer o que e que se apresentará depois. Desta forma, é possível evitar confusões e calmarias, sendo também evitadas, por conseguinte, as impressões que tais dificuldades na ação poderiam transmitir à plateia. (Sem dúvida há aqui um perigo. Uma representação completamente planejada, como as encontradas nas peças encenadas, é muito eficiente desde que nenhum acontecimento inesperado quebre a sequência prevista das expressões faladas e dos atos; pois, uma vez rompida essa sequência, os atores podem ser incapazes de reencontrar o caminho pela indicação que lhes possibilitará apanhar o fio no lugar onde a sequência planejada foi rompida. Por conseguinte, os atores que obedecem a um texto podem se encontrar em pior situação do que os executantes de um espetáculo menos organizado.) Outra aplicação desta técnica de planejamento é aceitar o fato de acontecimentos insignificantes (quem vai entrar numa sala primeiro ou quem vai se sentar perto da dona da casa etc.) serem tomados como expressões de consideração e distribuir esses favores conscientemente, baseado em critérios de julgamento com os quais nenhum dos presentes ficará ofendido, tais como idade, flagrante prioridade de condição, sexo, condição cerimonial temporária etc. Assim, num sentido importante, o protocolo não é tanto um recurso para expressar valores durante a interação quanto dispositivo para “firmar” expressões potencialmente ruptivas, de um modo que seja aceitável (e tranquilo) para todos os presentes. Uma terceira aplicação é ensaiar toda a prática, de modo que os atores se familiarizem com seus papéis e que as contingências que não foram previstas ocorram em circunstâncias que possam ser enfrentadas com segurança. Uma quarta é esboçar de antemão para a plateia a linha da resposta que deve tomar com relação à representação. Quando se realiza este tipo de instrução torna-se difícil distinguir entre atores e plateia. Esta espécie de conivência encontra-se especialmente quando o ator é pessoa de *status* altamente sagrado e não pode se confiar à sensibilidade espontânea do público. Por exemplo, na Inglaterra, as mulheres que vão ser apresentadas à corte (que podemos considerar como uma plateia para os atores reais) são cuidadosamente instruídas com antecipação a respeito do modo como devem se vestir; do tipo de automóvel em que deverão chegar; sobre como fazer a reverência e sobre o que dizer.

Práticas protetoras

Indiquei três atributos que os membros da equipe devem possuir para que sua equipe represente com segurança: lealdade, disciplina e circunspecção. Cada uma dessas qualidades expressa-se em muitas técnicas defensivas padronizadas, graças às quais um grupo de atores pode proteger seu próprio espetáculo. Passamos em revista algumas dessas técnicas da manipulação da impressão. Outras, como a prática do controle do acesso à região do fundo e à região da fachada, foram examinadas em capítulos anteriores. Nesta secção quero acentuar o fato de a maioria destas técnicas defensivas da manipulação da impressão terem uma contrapartida na tendência discreta do público e dos estranhos de agirem de forma protetora, a fim de ajudar os atores a defenderem seu próprio espetáculo. Como a dependência dos atores do tato da plateia e dos estranhos tende a ser subestimada, reunirei aqui algumas das várias técnicas protetoras que são comumente empregadas, embora analiticamente falando cada prática protetora devesse melhor ser considerada juntamente com a prática defensiva correspondente.

Em primeiro lugar seria preciso compreender que o acesso às regiões de fundo e de fachada de uma representação é controlado não somente pelos atores, mas por outras pessoas. As pessoas afastam-se voluntariamente das regiões a que não foram convidadas. (Este gênero de tato em relação ao lugar é análogo à "discrição", que já definimos como o tato com relação aos fatos.) E quando os estranhos percebem que estão prestes a entrar numa tal região, geralmente dão às pessoas ali presentes algum aviso, em forma de uma mensagem, uma batida, ou tossindo, de modo que a intrusão possa ser protelada se necessário, ou o cenário apressadamente posto em ordem, e as expressões adequadas sejam fixadas no rosto dos presentes[273]. Esta espécie de tato pode se tornar finamente requintado. Assim, quando uma pessoa se apresenta a um estranho por meio de uma carta de apresentação, acha-se conveniente enviar a carta ao destinatário antes de o indivíduo realmente chegar à presença imediata dele. O destinatário terá tempo, assim, de decidir que espécie de acolhida o indivíduo deve receber, e tempo para montar a maneira expressiva apropriada a tal acolhida[274].

Verificamos que muitas vezes, quando a interação tem de continuar em presença de estranhos, estes agem discretamente de maneira desinteressada, não se envolvendo e "não percebendo", de modo que se o isolamento físico não é obtido por paredes ou pela distância, o isolamento efetivo pode ser conseguido por convenção. Assim, quando dois grupos de pessoas se encontram em compartimentos vizinhos, num restaurante, espera-se que nenhum deles se valha dessa oportunidade, que realmente existe, para escutar o que o outro diz.

---

273. As criadas são frequentemente treinadas para entrar num quarto sem bater, ou bater e entrar imediatamente, presumivelmente com base na teoria de que elas são não pessoas, diante das quais qualquer fingimento ou presteza para a interação por parte das pessoas que estão no quarto não precisam ser mantidas. As donas de casa que sejam amigas entrarão na cozinha umas das outras com permissão semelhante, como expressão de que nada têm a esconder entre si.

274. *Esquire Etiquette*. Op. cit., p. 73.

A etiqueta, relativa à desatenção discreta, e o efetivo isolamento que promove, varia evidentemente de uma sociedade e de uma subcultura para outra. Na sociedade anglo-americana de classe média, quando num lugar público, supõe-se que as pessoas não se imiscuem na atividade dos outros e tratam dos seus próprios negócios. Somente quando uma senhora deixa cair um embrulho, um motorista enguiça no meio da estrada ou um bebê deixado sozinho num carrinho começa a berrar é que as pessoas de classe média acham correto romper momentaneamente os muros que efetivamente os isolam. Na Ilha Shetland predominam regras diferentes. Se acontecer que um homem se encontre em presença de outros empenhados numa tarefa, espera-se que ele lhes dê uma mãozinha, principalmente se a tarefa for relativamente breve e cansativa. Esta ajuda casual era tomada como coisa natural, sendo expressão de nada mais senão companheirismo de habitantes da ilha.

Uma vez que o público tenha sido admitido numa representação, a necessidade de ser discreto não cessa. Verificamos haver uma complicada etiqueta, pela qual os indivíduos se guiam em sua condição de membros da plateia. Isto implica prestar adequado teor de atenção e interesse; boa vontade para refrear o próprio desempenho, de modo a não introduzir demasiado número de contradições, interrupções ou pedidos de atenção; inibição de todos os atos ou declarações que poderiam criar um *faux pas*; acima de tudo o desejo de evitar uma cena. O tato do auditório é uma coisa tão generalizada, que podemos esperar encontrá-lo exercido mesmo por indivíduos famosos por seu mau comportamento, como é o caso de doentes mentais. Assim, um grupo de pesquisadores relata o seguinte:

> Numa outra ocasião o pessoal médico, sem consultar os doentes, decidiu oferecer-lhes uma festa no dia dos namorados. Muitos doentes não queriam ir, mas foram de qualquer modo, pois achavam que não deviam magoar as enfermeiras-alunas que tinham organizado a festa. Os jogos apresentados pelas enfermeiras eram de um nível bem infantil; muitos dos pacientes julgaram tolo participar deles e ficaram muito

contentes quando a festa acabou e puderam voltar a atividades de sua própria escolha[275].

Em outro hospital de doentes mentais observou-se que, quando organizações étnicas promoviam bailes com convidados para os doentes no Hospital da Cruz Vermelha, proporcionando desse modo experiência de obras de caridade para algumas de suas associadas menos favorecidas, o representante do hospital, às vezes, persuadia uns poucos doentes masculinos a dançar com essas jovens, a fim de manter a impressão de que as visitantes estavam dando a sua companhia a pessoas mais necessitadas que elas próprias[276].

Quando os atores cometem um descuido de qualquer espécie, mostrando claramente uma discrepância entre a impressão suscitada e a realidade revelada, a plateia pode discretamente "não notar" o lapso, ou aceitar prontamente a desculpa oferecida para justificá-lo. E, em momentos críticos para os atores, toda a plateia pode chegar a uma conivência tácita com eles a fim de auxiliá-los a sair da situação. Assim, ficamos sabendo que em hospitais de doentes mentais, quando um doente morre de forma tal que afeta a impressão de eficácia do tratamento que o pessoal médico está tentando manter, os outros pacientes, comumente dispostos a dar trabalho ao corpo clínico, podem com muito tato abrandar sua beligerância e, com grande delicadeza, ajudar a manter a impressão inteiramente falsa de não terem percebido o significado do que aconteceu[277]. Igualmente, em ocasiões de inspeção, seja em escolas, quartéis, hospitais ou em casa, a plateia provavelmente se comportará de forma exemplar, de modo que os atores que estão sendo inspecionados possam executar uma representação modelar. Nessas ocasiões

---

275. CAUDILL, W.; REDLICH, F.C., GILMORE, H.R. & BRODY, E.B. "Social Structure and Interaction Processes on a Psychiatric Ward". *American Journal of Orthopsychiatry*, XXII, p. 321-322.

276. Estudo do autor, 1953-1954.

277. Cf. TAXEL. Op. cit., p. 118. Quando duas equipes conhecem um fato embaraçoso e cada uma sabe que a outra o conhece e, no entanto, nenhuma delas admite abertamente esse conhecimento, temos um exemplo do que Robert Dubin chamou de "ficções organizadas". Cf. DUBIN, Op. cit., p. 341-315.

as linhas que separam as equipes podem deslocar-se ligeira e momentaneamente, de modo que o superintendente, o general, o diretor, ou o convidado que está fazendo a inspeção se defrontarão com atores e um público que estão coniventes.

Citemos um exemplo final de tato no trato com o ator: Quando se sabe que o ator é um principiante, e mais sujeito, portanto, a cometer erros embaraçosos que qualquer outro, a plateia geralmente mostra uma consideração especial, abstendo-se de causar as dificuldades que de outro modo poderia criar.

As plateias são motivadas a agir com jeito por uma identificação imediata com os atores pelo desejo de evitar uma cena ou para granjear o agrado dos atores com o propósito de exploração. Talvez esta última seja a explicação preferida. Algumas mundanas de rua bem-sucedidas são, ao que parece, as que se dispõem a representar uma viva aprovação da encenação de seus clientes, demonstrando deste modo o triste fato dramatúrgico de que as namoradas e as esposas não são as únicas pessoas de seu sexo que têm de se empenhar nas formas superiores de prostituição:

> Mary Lee diz que não atende melhor o Sr. Blakesee do que seus outros clientes ricos.
> "Faço o que eu sei que eles querem, fingindo estar louca por eles. Às vezes, agem como meninos brincando. O Sr. Blakesee sempre faz isso. Ele representa o homem das cavernas. Chega ao meu apartamento e me agarra nos braços, segurando-me até achar que tirou minha respiração. É uma coisa ridícula. Depois que faz amor comigo, tenho de lhe dizer: 'Querido, você me fez tão feliz que tenho vontade de chorar! Não se acreditaria que um homem adulto apreciasse fazer essas brincadeiras, mas ele gosta. Não somente ele. A maior parte dos ricaços.'"
> Mary Lee está tão convencida de que a principal mercadoria para seus clientes ricos é a habilidade de agir espontaneamente, que recentemente se submeteu a uma operação para prevenção da gravidez. Considerou-a um investimento na sua carreira[278].

---

278. MURTAGH & HARRIS. Op. cit., p. 165. Cf. tb. p. 161-167.

Mas aqui, outra vez, a estrutura da análise empregada neste trabalho se torna construtiva, pois estas ações discretas da plateia podem se tornar mais complicadas do que a representação para a qual são uma resposta.

Gostaria de acrescentar, para concluir, um fato a respeito do tato. Sempre que uma plateia procede com jeito, surgirá a possibilidade de os atores compreenderem que estão sendo discretamente protegidos. Quando isto acontece, há uma nova possibilidade, a de que a plateia compreenda que os atores sabem que estão sendo discretamente protegidos. Então, por sua vez, torna-se possível que os atores compreendam que a plateia sabe que eles sabem que estão sendo protegidos. Ora, quando estes estados de informação existem, pode haver um momento na representação, em que a separação das equipes desaparece, sendo momentaneamente substituída por uma comunhão de olhares mediante os quais cada equipe admite abertamente na outra seu estado de informação. Em tais ocasiões, toda a estrutura dramatúrgica da interação social é súbita e convenientemente posta a nu, e a linha que separa as equipes desaparece momentaneamente. Quer esta íntima visão das coisas produza vergonha ou riso, as equipes provavelmente retornarão rapidamente a seus personagens determinados.

O tato com relação ao tato

Afirmamos que o público contribui de maneira significativa para a manutenção de um espetáculo, exercendo tato ou práticas protetoras em favor dos atores. É evidente que, se o público usar de tato em favor do ator, este deve agir de modo a tornar possível a execução desta ajuda. Isto exigirá disciplina e circunspecção, mas de caráter especial. Por exemplo, foi dito que os estranhos que têm tato e se acham em posição física de escutar uma interação podem dar uma mostra de desatenção. A fim de ajudar nesta manobra discreta, os participantes, ao perceberem ser fisicamente possível que os estejam ouvindo, podem omitir de sua conversa e atividade tudo que embarace esta resolução diplomática dos estranhos e ao mesmo tempo incluir um número suficiente de fatos semiconfidenciais para mostrar que não estão desconfiando do espetáculo de alheamento apresentado pelos estranhos. Igualmente, se uma secretária tem de dizer com muito tato a um visitante que o homem que ele deseja ver não está, será mais prudente que o visitante se mantenha afastado do interfone, a fim de não ouvir o que a pessoa supostamente ausente está dizendo à secretária.

Gostaria de concluir mencionando duas estratégias gerais sobre o tato com relação ao tato. Em primeiro lugar, o ator deve ser sensível às insinuações e estar disposto a aceitá-las, pois é mediante as indicações que a plateia pode avisá-lo de que seu espetáculo é inaceitável e que faria melhor em modificá-lo rapidamente, se quiser salvar a situação. Em segundo lugar, se o ator tiver de não representar devidamente os fatos, de algum modo, deve fazer isso de acordo com a etiqueta adequada às falsas representações; não deve colocar-se numa posição da qual mesmo a desculpa mais tola e o público mais amigo não possam livrá-lo. Ao dizer uma inverdade, o ator precisa guardar uma sobra de troça na voz, de modo que, caso venha a ser apanhado, possa negar qualquer pretensão de seriedade e dizer que estava apenas gracejando. Ao desfigurar sua aparência física, o ator deve usar um método que admita uma desculpa inocente. É o que acontece com os homens calvos que usam chapéu dentro e fora de casa, sendo mais ou menos desculpados, pois é possível que estejam resfriados, que simplesmente tenham esquecido de tirar o chapéu ou que a chuva possa surpreendê-los em lugares inesperados; uma peruca, entretanto, não oferece desculpa a quem a usa e não dá à plateia nenhum pretexto para desculpas. De fato há um sentido no qual a categoria de impostor, a que já nos referimos, pode ser definida como uma pessoa que torna impossível que sua plateia seja discreta a respeito dos efeitos de representação observados.

A despeito do fato de os atores e o público empregarem todas estas técnicas de manipulação da impressão, bem como muitas outras, sabemos, sem dúvida, que ocorrem incidentes e que inadvertidamente as plateias chegam a dar uma espiada no que se passa por trás das cenas de uma representação. Quando acontece um acidente deste gênero os membros da plateia, às vezes, aprendem uma lição importante, mais importante para eles do que o prazer agressivo que poderiam ter ao descobrir os segredos escusos, de confiança, interiores ou secretos de alguém. Os membros da plateia podem descobrir uma democracia fundamental, que é geralmente bem-escondida. Quer o personagem que está sendo apresentado seja sóbrio quer descuidado, da alta ou baixa condição, o indivíduo que o representa será visto como aquilo que em larga medida é: um ator solitário envolvido numa opressiva preocupação com sua produção. Por trás de muitas máscaras e muitos personagens, cada ator tende a usar uma única aparência, uma aparência nua não socializada de concentração, uma aparência de quem está pessoalmente empenhado em uma tarefa difícil e traiçoeira. Simone de Beauvoir, em seu livro sobre as mulheres, fornece um exemplo:

> Apesar de toda a sua prudência, os acidentes acontecerão: o vinho é derramado no seu vestido, um cigarro o queima; isto marca o desaparecimento da brilhante e festiva criatura que se entediava, com um sorriso orgulhoso, no salão de baile, pois ela assume agora o ar sério e grave da dona da casa; torna-se imediatamente evidente que seu traje não era um objeto prescrito como os fogos de artifício, um lampejo transitório de esplendor, projetado para a pródiga iluminação de um momento. É, ao contrário, uma rica posse, um bem de capital, um investimento; significou sacrifício; perdê-lo é uma verdadeira calamidade. Manchas, rasgões, vestidos malfeitos, penteados de mau aspecto são catástrofes ainda mais sérias que um assado queimado ou um vaso quebrado; pois não somente a mulher da alta sociedade se projeta nas coisas, mas escolheu fazer de si própria uma coisa e se sente diretamente ameaçada no mundo. Suas relações com as costureiras e as chapeleiras, sua inquietação, suas exigências inflexíveis, tudo isto manifesta uma atitude séria e seu sentimento de insegurança[279].

Sabendo que seu auditório é capaz de formar más impressões a seu respeito o indivíduo pode chegar a sentir-se envergonhado

279. DE BEAUVOIR. Op. cit., p. 530.

de um ato honesto e bem-intencionado, simplesmente porque o contexto de sua representação fornece impressões falsas que lhe são desfavoráveis. Sentindo esta vergonha injustificada, pode achar que seus sentimentos são percebidos; sentindo-se assim observado, pode achar que sua aparência confirma estas conclusões falsas a seu respeito. Pode, então, agravar sua precária posição empenhando-se justamente naquelas manobras defensivas que empregaria se realmente fosse culpado. Deste modo é possível que todos nos tornemos transitoriamente para nós próprios a pior pessoa que podemos imaginar que os outros sejam capazes de imaginar que somos.

E na medida em que o indivíduo mantém diante dos outros um espetáculo no qual ele mesmo não acredita, pode vir a experimentar uma forma especial de alienação de si mesmo e uma forma especial de cautela em relação aos outros. Conforme disse uma colegial norte-americana:

> Às vezes, eu "banco a boba" nos encontros, mas isto deixa uma impressão má. As emoções são complicadas. Uma parte de mim fica satisfeita de "enganar jeitosamente" o sujeito que de nada suspeita. Mas esta sensação de superioridade sobre ele mistura-se com sentimentos de culpa por minha hipocrisia. Ao se aproximar o momento do encontro sinto certo desprezo porque ele é "logrado" por minha técnica, ou, se gosto do rapaz, uma espécie de condescendência maternal. Às vezes, fico indignada com ele. Por que não se mostra superior a mim em todas as coisas em que um homem deveria sobrepujar, de modo a que eu pudesse ser eu mesma? Afinal que estou fazendo com ele aqui? Visitando favelas por filantropia?
>
> E a parte mais engraçada disto tudo, acho eu, é que o homem nem sempre é tão ingênuo assim. Pode perceber a verdade e se tornar constrangido nas nossas relações. "Onde é que eu estou? Estará ela rindo consigo mesma ou está falando sério este elogio? E ficou realmente impressionada com minha conversa ou somente fingiu não saber nada sobre política?" E uma ou duas vezes senti que quem estava sendo objeto de brincadeira era eu; o rapaz enxergava através dos

> meus estratagemas e sentia desprezo por mim porque eu me rebaixava a usar de tais manhas[280].

Eis alguns dos elementos dramatúrgicos da situação humana: problemas de encenação em comum; preocupação pela maneira como as coisas são vistas; sentimentos de vergonha justificados e injustificados; ambivalência com relação a si mesmo e ao seu público.

---

280. KOMAROVSKY. Op. cit., p. 188.

Capítulo VII
Conclusão

A estrutura

Um estabelecimento social é qualquer lugar limitado por barreiras estabelecidas à percepção, no qual se realiza regularmente uma forma particular de atividade. Indiquei que qualquer estabelecimento social pode ser estudado proveitosamente do ponto de vista da manipulação da impressão. Dentro das paredes do estabelecimento social encontramos uma equipe de atores que cooperam para apresentar à plateia uma dada definição da situação. Isto incluirá o conceito da própria equipe e da plateia e princípios relativos à linha de conduta que deverá ser mantida mediante regras de polidez e decoro. Encontramos, às vezes, uma divisão entre região dos fundos, onde é preparada a representação de uma prática, e região de fachada, onde ela é representada. O acesso a estas regiões é vigiado, a fim de evitar que o auditório veja os bastidores e para impedir que estranhos participem de uma representação que não lhes é endereçada. Sabemos que entre os membros da equipe prevalece a familiaridade, sendo provável criar-se a solidariedade, e que são compartilhados e guardados segredos que poderiam prejudicar a representação. Um acordo tácito é mantido entre os atores e a plateia, para agir como se um dado nível de oposição e concordância existisse entre eles. Tipicamente, mas nem sempre, o acordo é acentuado e a oposição é representada com truques. O consenso operacional resultante tende a ser contradito pela atitude que os atores expressam em relação à plateia na ausência dela e pela comunicação imprópria cuidadosamente controlada, transmitida pelos atores quando a plateia está presente. Verificamos que se desenvolvem papéis discrepantes: alguns indivíduos que aparentemente são companheiros de equipe pertencem à plateia ou são estranhos, adquirem informação a respeito da representação e estabelecem relações invisíveis com a equipe, que complicam o problema de encenar um espetáculo. Às vezes, acontecem rupturas por gestos involuntários, *faux pas*, e cenas, dessa forma desacreditando ou contradizendo a definição da situação que está sendo mantida. A mitologia da equipe insiste sobre esses acontecimentos que provocam as rupturas. Vemos que os atores, a plateia e os estranhos, todos utilizam técnicas para salvar o espetáculo, quer evitando rupturas prováveis, quer corrigindo as inevitáveis, ou ainda tornando possível que outros o façam. Para se assegurar de que essas técnicas serão empregadas, a equipe tem tendência a selecionar membros que sejam leais, disciplinados e circunspectos e a escolher um público discreto.

Estes aspectos e elementos constituem, portanto, o quadro de referência que afirmo ser característico de grande parte da interação social, tal como ocorre em ambientes naturais em nossa sociedade anglo-norte-americana. Este quadro de referência é formal e abstrato, no sentido de poder ser aplicado a qualquer estabelecimento social; não é, contudo, simplesmente uma classificação estática. O quadro de referência está em conformidade com questões dinâmicas, criadas pela necessidade de sustentar uma definição da situação que foi projetada diante de outras pessoas.

O contexto analítico

Este trabalho tratou principalmente dos estabelecimentos sociais como sistemas relativamente fechados. Partimos da suposição de que a relação de um estabelecimento com outros é, por si mesma, uma área de estudo e deveria ser tratada analiticamente como parte de uma diferente ordem de fatos – a ordem da interação institucional. Seria bom tentar aqui colocar a perspectiva adotada neste trabalho no contexto de outras perspectivas que parecem ser as habitualmente empregadas, implícita ou explicitamente, no estudo dos estabelecimentos sociais como sistemas fechados. Como tentativa, podemos sugerir quatro dessas perspectivas.

Um estabelecimento pode ser "tecnicamente" considerado, em termos de sua eficiência ou falta de eficiência, como um sistema de atividade intencionalmente organizado para a realização de objetivos predeterminados. Um estabelecimento admite ser "politicamente" considerado em termos das ações que cada participante (ou classe de participantes) pode exigir dos outros participantes, das formas de privações e concessões que podem ser conferidas a fim de reforçar essas exigências, e dos tipos de controle social que orientam este exercício de direção e uso de sanções. Um estabelecimento pode ser considerado "estruturalmente", em termos das divisões, horizontais e verticais, de condições sociais e das formas de relacionamento social que ligam estes vários grupos uns aos outros. Finalmente, um estabelecimento pode ser considerado "culturalmente", em termos dos valores morais que influenciam a atividade nele, valores referentes à moda, aos costumes e questões de gosto, à polidez e ao decoro, às finalidades últimas e às restrições normativas sobre os meios etc. Deve-se observar que todos os fatos que podem ser descobertos com relação a um estabelecimento interessam a cada uma das quatro perspectivas, mas cada qual impõe sua prioridade e ordem a estes fatos.

Parece-me que a abordagem dramatúrgica pode constituir uma quinta perspectiva a ser acrescentada às outras[281]. A perspectiva dramatúrgica, do mesmo modo que cada uma das outras quatro, pode ser empregada como ponto final da análise, como um meio final de ordenar os fatos. Isto nos levaria a descrever as técnicas da manipulação da impressão empregadas num dado estabelecimento, os problemas mais importantes desta manipulação no estabelecimento, e a identidade e inter-relações das várias equipes de representação que nele operam. Mas, tal como acontece com os fatos utilizados em cada uma das outras perspectivas, os fatos especificamente concernentes à manipulação da impressão desempenham também um papel nas questões de

---

281. Compare-se a posição tomada por Oswald Hall, com respeito a possíveis perspectivas para o estudo dos sistemas fechados em seu trabalho "Methods an Techniques of Research in Human Relations". HUGHES, E.C. et al. abr./1952 [s.n.t.].

interesse em todas as outras perspectivas. Pode ser útil exemplificar isto resumidamente.

As perspectivas técnicas e dramatúrgicas se entrecruzam mais claramente talvez no que diz respeito aos padrões de trabalho. É importante para ambas as perspectivas o fato de um grupo de indivíduos ocupar-se em pôr à prova as características e qualidades não aparentes das realizações do trabalho de outro grupo de indivíduos, e este último estará interessado em dar a impressão de que seu trabalho incorpora esses atributos ocultos. As perspectivas política e dramatúrgica entrecruzam-se claramente no que diz respeito à capacidade que um indivíduo tem de dirigir a atividade de outro. Em primeiro lugar, se um indivíduo tem de dirigir outros, muitas vezes julgará útil guardar deles segredos estratégicos. Além disso, se um indivíduo tenta dirigir a atividade de outros por meio do exemplo, do esclarecimento, persuasão, intercâmbio, manipulação, autoridade, ameaça, punição ou coerção, será necessário, qualquer que seja sua posição de poder, transmitir eficazmente o que deseja que se faça, o que está preparado para conseguir que seja feito e o que fará, caso isto não seja cumprido. Qualquer tipo de poder deve estar revestido de meios eficientes que o exibam, e terá diferentes efeitos, dependendo do modo como é dramatizado. (Evidentemente a capacidade de transmitir efetivamente uma definição da situação será de pouca utilidade se o indivíduo não tiver condições de dar o exemplo, pôr em prática o intercâmbio, a punição etc.) Assim, a forma mais objetiva do poder nu, isto é, a coerção física, frequentemente não é, nem objetiva nem nua, mas funciona principalmente como uma exibição para persuadir a plateia; é frequentemente um meio de comunicação e não simplesmente um meio de ação. As perspectivas estrutural e dramatúrgica parecem cruzar-se mais claramente no que diz respeito à distância social. A imagem que um grupo de status é capaz de manter aos olhos de uma plateia de outros *status* dependerá da capacidade dos atores de restringir o contato comunicativo com a plateia. As perspectivas cultural e dramatúrgica cruzam-se mais claramente no que diz respeito à manutenção dos padrões morais. Os valores culturais de uma instituição determinarão em detalhe o modo como os participantes se sentirão a respeito de muitos assuntos, e ao mesmo tempo estabelecerão um quadro de referência de aparências, que devem ser mantidas, quer existam, ou não, sentimentos por trás delas.

Personalidade – Interação – Sociedade

Nos últimos anos tem havido complicadas tentativas para estruturar os conceitos e resultados originais de três diferentes áreas de pesquisa: a personalidade individual, a interação social e a sociedade. Gostaria de sugerir aqui um simples acréscimo a essas tentativas interdisciplinares.

Quando um indivíduo se apresenta diante de outros, consciente ou inconscientemente projeta uma definição da situação, da qual uma parte importante é o conceito de si mesmo. Quando acontece algo expressamente incompatível com esta impressão criada, consequências significativas são simultaneamente sentidas em três níveis da realidade social, cada um dos quais implica um diferente ponto de referência e uma diferente ordem de coisas.

Em primeiro lugar, a interação social, tratada aqui como um diálogo entre duas equipes, pode chegar a uma parada embaraçosa e confusa. A situação pode deixar de ser definida, as posições anteriores tornarem-se insustentáveis e os participantes encontrarem-se sem uma linha de ação estabelecida. Tipicamente, os participantes sentem uma nota falsa na situação e vêm a se sentir embaraçados, perturbados e, literalmente, desconcertados. Em outras palavras, o sistema social em miniatura, criado e mantido pela interação social ordenada, torna-se desorganizado. Estas são as consequências da ruptura, do ponto de vista da interação social.

Em segundo lugar, além dessas consequências desorganizadoras da ação no momento, as rupturas da representação podem ter consequências de muito maior alcance. As plateias tendem a aceitar a personalidade projetada pelo ator durante qualquer representação comum como representante responsável do seu grupo de colegas, de sua equipe e de seu estabelecimento social. As plateias também aceitam o desempenho pessoal do indivíduo como prova de sua capacidade de executar sua prática, e mesmo como prova de sua capacidade de executar qualquer prática. Em certo sentido, estas unidades sociais mais amplas – equipes, instituições etc. –, ficam comprometidas todas as vezes que o indivíduo representa seu papel. A cada representação, a legitimidade destas unidades tende a ser posta à prova novamente, e sua reputação permanente está em jogo. Esta forma de comprometimento é especialmente forte durante algumas representações. Assim, quando um cirurgião e sua enfermeira se afastam da mesa de operação e o paciente anestesiado acidentalmente cai da mesa e morre, não somente a operação é interrompida de uma forma embaraçosa, mas a reputação do doutor como médico e como homem, e também a reputação do hospital, ficarão abaladas. Estas são as consequências que as rupturas podem ter, do ponto de vista da estrutura social.

Finalmente, verificamos que o indivíduo pode envolver profundamente o seu eu em sua identificação com um determinado papel, instituição ou grupo, e em seu conceito de si mesmo como alguém que não rompe a interação social ou desaponta as unidades sociais que dependem dessa interação. Quando acontece uma ruptura, portanto, verificamos que as concepções de si mesmo em torno das quais foi construída sua personalidade podem ficar desacreditadas. Estas são as consequências que as rupturas podem ter do ponto de vista da personalidade do indivíduo.

As rupturas na representação por conseguinte têm consequências em três níveis de abstração: personalidade, interação e estrutura social. Embora a probabilidade de ruptura varie amplamente de interação para interação, e conquanto a importância social de prováveis rupturas varie de uma interação para outra, ainda assim parece não haver interação na qual os participantes não tenham uma apreciável probabilidade de ficar ligeiramente embaraçados ou uma ligeira probabilidade de ficar profundamente humilhados. A vida pode não ter muito de semelhante a um jogo, mas a interação tem. Além disso, na medida em que os indivíduos fazem esforços para evitar rupturas ou para corrigir as que não puderam ser evitadas, estes esforços também terão consequências simultâneas nos três níveis. Temos aqui, portanto, uma maneira simples de articular três níveis de abstração e três perspectivas, a partir das quais a vida social tem sido estudada.

Comparações e estudo

Neste trabalho usamos exemplos de outras sociedades, diferentes da anglo-americana. Ao proceder assim, não pretendi afirmar que o quadro de referência aqui apresentado é independente da cultura ou aplicável nas mesmas áreas da vida social em sociedades não ocidentais, como o é em nossa própria. Levamos uma vida social dentro de casa. Especializamo-nos em cenários estabelecidos, em manter afastados os estranhos e em dar ao ator algum isolamento no qual possa se preparar para o espetáculo. Uma vez que começamos uma representação, temos a tendência de terminá-la, e somos sensíveis às notas desafinadas que possam ocorrer no curso dela. Se somos surpreendidos numa falsa representação, sentimo-nos profundamente humilhados. Dadas nossas regras e inclinações dramatúrgicas gerais para conduzir a ação, não devemos esquecer as áreas da vida em outras sociedades nas quais aparentemente são observadas outras regras. As narrativas dos viajantes ocidentais estão cheias de casos nos quais seu sentimento dramatúrgico foi ofendido ou surpreendido. E se vamos generalizar para outras culturas, devemos considerar tanto estes exemplos quanto outros mais favoráveis. Devemos estar preparados para ver na China que, embora as ações e os cenários possam ser maravilhosamente harmoniosos e coerentes numa sala de chá particular, comidas extremamente complicadas são servidas em restaurantes extremamente simples, e lojas que parecem casebres e cujos empregados são grosseiros e atrevidos, podem conter em seus recantos, embrulhados em velho papel pardo, rolos de seda maravilhosamente delicados[282]. E entre um povo do qual se diz ser cuidadoso em salvar o prestígio das pessoas devemos estar preparados para ficar sabendo que:

> Felizmente os chineses não acreditam na intimidade do lar à nossa maneira. Não se importam em que

282. MacGOWAN. Op. cit., p. 178-179.

> todos os detalhes de sua experiência diária sejam observados por quem se der ao trabalho de olhar. O modo como vivem, o que comem, e mesmo as brigas familiares, que tentamos esconder do público, são coisas que parecem ser propriedade comum, não pertencendo exclusivamente a esta determinada família, em que os observadores se mostram interessados[283].

Devemos estar preparados para ver que, em sociedades em que vigoram sistemas de condições de vida desiguais e acentuada orientação religiosa, muitas vezes os indivíduos levam menos a sério todo o drama cívico do que nós e atravessarão as barreiras sociais com gestos simples, que dão mais reconhecimento ao homem por trás de máscara do que poderíamos julgar permissível.

Além disso, devemos ser muito cautelosos em qualquer tentativa de caracterizar nossa própria sociedade como um todo, no que diz respeito a práticas dramatúrgicas. Por exemplo, nas relações habituais entre a administração e os trabalhadores, sabemos que uma equipe pode realizar reuniões para consulta juntamente com a oposição, ciente de que pode ser necessário aparentar sair majestosamente ofendida do encontro. Às vezes, exige-se de equipes diplomáticas que encenem uma exibição semelhante. Em outras palavras, embora em nossa sociedade as equipes sejam geralmente obrigadas a abafar sua raiva por trás de um consenso operacional, há ocasiões em que são obrigadas a eliminar a aparência de sóbria oposição atrás de uma demonstração de sentimentos ultrajados. Igualmente, há ocasiões em que os indivíduos, quer queiram, quer não, sentem-se obrigados a destruir uma interação, a fim de salvar sua honra e seu prestígio. Seria mais prudente, então, começar com unidades menores, com estabelecimentos sociais ou classes de estabelecimentos ou com *status* particulares, e documentar comparações e mudanças de maneira modesta, lançando mão do método de referência de casos. Por exemplo, temos a seguinte espécie de informação sobre as exibições que os homens de negócio estão legalmente autorizados a fazer:

---

283. Id., p. 180-181.

> O último meio século assistiu a uma acentuada alteração na atitude dos tribunais sobre a questão da confiança justificável. As decisões antigas sob a influência da doutrina predominante do "embargo de terceiros" acentuavam fortemente o "dever" do queixoso de proteger-se e desconfiar do seu antagonista e sustentavam que ele não tinha o direito de confiar mesmo em afirmações positivas de fato, feitas por alguém com quem estava tratando à distância. Admitia-se que se podia esperar de qualquer pessoa que burlasse outra numa transação, se tivesse oportunidade de fazê-lo, e que somente um tolo esperaria a honestidade comum. Portanto, o queixoso deve fazer uma investigação sensata e formar seu próprio julgamento. O reconhecimento de um novo padrão de ética nos negócios, exigindo que sejam feitas declarações de fato pelo menos, honesta e cuidadosamente, e em muitos casos que sejam comprovados como verdadeiras, levou a uma mudança quase completa neste ponto de vista.
> Está estabelecido agora que as afirmações de fato quanto à quantidade ou qualidade da terra ou das mercadorias vendidas, a situação financeira das empresas e questões semelhantes, que induzem a transações comerciais, podem justificadamente ser aceitas como dignas de confiança sem investigação, não somente quando tal investigação seria onerosa e difícil, por exemplo, no caso do terreno vendido estar situado longe, mas da mesma maneira quando a falsidade da representação puder ser descoberta com pequeno esforço, por meios facilmente acessíveis[284].

E embora a fraqueza nas relações de negócios possa estar aumentando, temos algumas provas de que os conselheiros matrimoniais estão cada vez mais de acordo em que um indivíduo não deve se sentir obrigado a contar ao seu cônjuge os "casos" anteriores, pois isso somente levaria a tensões desnecessárias. Outros exemplos podem ser citados. Sabemos, por exemplo, que, até cerca de 1830, os bares na Inglaterra tinham um local de bastidores

---

284. PROSSER. Op. cit., p. 749-750.

para os operários, pouco diferente da cozinha, e que depois dessa data o "palácio do gim" subitamente irrompeu no palco, para oferecer quase à mesma clientela uma região de fachada mais elegante do que aquela com que poderiam sonhar[285]. Temos relatos sobre a história social de certas cidades norte-americanas, que nos contam o recente declínio do esmero das regiões de fachada domésticas e de diversão das classes superiores locais. Em contraposição, dispõe-se de algum material que descreve a recente melhoria no cuidado dos cenários que os sindicatos empregam[286] e a crescente tendência de "prover" este ambiente de especialistas de formação universitária, que lhes emprestam uma aura de pensamento e respeitabilidade[287]. Podemos notar mudanças no planejamento das instalações industriais e comerciais específicas, mostrando o aumento da fachada, tanto no que diz respeito à fachada do prédio principal quanto em relação aos locais de conferência, principais salões e salas de espera desses edifícios. Podemos registrar, numa dada comunidade de agricultores, como o estábulo para os animais, outrora bastidor da cozinha, ao qual se tinha acesso por uma pequena porta próxima ao fogão, ultimamente foi removido para longe da casa, e como esta, anteriormente colocada desprotegidamente em meio ao jardim, equipamentos de lavoura, lixo e estoque de pastagem, em certo sentido está se tornando orientada para as "relações públicas" com um pátio fronteiro cercado e conservado razoavelmente limpo, apresentando à comunidade um lado bem-arranjado, enquanto os entulhos são espalhados ao acaso nas regiões do fundo onde não há cercas. E como o estábulo das vacas pegado está desaparecendo, e o próprio lavadouro da cozinha começa a se tornar menos frequente, podemos observar a melhoria das instalações domésticas, em virtude da qual a cozinha, que outrora possuía suas próprias regiões de fundo, vem a ser agora a região menos apresentável da casa, conquanto, ao mesmo tempo, torne-se cada vez mais apresentável. Podemos também

285. GORHAM, M. & DUNNETT, H. *Inside the Pub*. Londres: The Architectural Press, 1950, p. 23-24.

286. Cf., p. ex., HUNTER. Op. cit., p. 19.

287. Cf. WILENSKY. Op. cit., cap. IV, para o estudo a respeito da função de "decorador das vitrinas" dos peritos do pessoal dirigente. Para referência à contrapartida comercial deste movimento, cf. a obra de RIESMAN, p. 138-139.

registrar o movimento social característico que levou algumas fábricas, navios, restaurantes e lares a limpar seus bastidores a tal ponto que, como os monges, os comunistas ou conselheiros municipais alemães, seus guardas estão sempre alertas, e não há lugar em que sua fachada esteja em perigo, embora ao mesmo tempo os membros da plateia se tornem suficientemente fascinados com o *id* da sociedade para explorar os lugares que foram arrumados para eles. Acompanhar os ensaios de uma orquestra sinfônica é somente um dos últimos exemplos. Podemos observar aquilo que Everett Hughes chama de mobilidade coletiva, mediante a qual os ocupantes de um *status* tentam alterar o conjunto de tarefas executadas por eles, de modo a não ser exigida nenhuma ação expressivamente incompatível com a imagem de si próprios que essas pessoas estão tentando estabelecer. Podemos observar um processo paralelo, que poderia ser chamado de "empreendimento de um papel", dentro de um determinado estabelecimento social, graças ao qual um membro individual tenta não tanto subir a uma posição mais elevada já estabelecida quanto criar uma nova posição para ele próprio, posição que implica deveres adequadamente expressivos de atributos que lhe são inerentes. Podemos examinar o processo de especialização, pelo qual muitos atores chegam a fazer um breve uso, em comum, de ambientes sociais muito requintados, contentando-se em dormir sozinhos num cubículo despretensioso. Podemos seguir a difusão de fachadas sociais – tais como o complexo de vidro, aço inoxidável, luvas de borracha, azulejos brancos e guarda-pós dos laboratórios – que permitem a um número crescente de pessoas ligadas a tarefas pouco próprias um modo de se purificarem. Começando com a tendência, em organizações altamente autoritárias, de se exigir que uma equipe passe o tempo incutindo uma limpeza rigorosamente ordenada no cenário em que outra equipe terá de representar, podemos registrar em estabelecimentos como hospitais, bases aéreas e grandes casas familiares um declínio atual na rigidez hipertrófica de tais cenários. E, finalmente, podemos acompanhar a ascensão e difusão do *jazz* e dos padrões culturais da "costa ocidental", nos quais palavras como *bit*, *goof*, *scene*, *drag*, *dig*[288] entraram para o

288. Expressões utilizadas por pessoas que frequentam grupos de *jazz*.

uso corrente, permitindo aos indivíduos manter algo da relação entre atores profissionais e aspectos técnicos das representações cotidianas.

O papel da expressão é transmitir impressões a respeito do indivíduo

Talvez uma nota moral seja permitida para terminar. Neste trabalho o componente expressivo da vida social foi tratado como uma fonte de impressões dadas ou recebidas por outrem. A impressão, por sua vez, foi tratada como uma fonte de informação a respeito de fatos não aparentes e como meio pelo qual as pessoas que a recebem podem orientar sua resposta ao informante, sem ter de esperar que todas as consequências das ações deste último se façam sentir. A expressão, por conseguinte, foi tratada em termos do papel comunicativo que desempenha durante a interação social e não, por exemplo, em termos da função de realização ou de alívio de tensões que poderia ter para quem a manifesta[289].

Subjacente a toda interação social parece haver uma dialética fundamental. Quando um indivíduo se apresenta a outros, desejará descobrir os fatos da situação. Se possuir esta informação, poderá saber, e levar em consideração, o que irá acontecer, e dar às pessoas presentes o que lhes é devido, de modo coerente com seu interesse próprio assim esclarecido. Para descobrir inteiramente a natureza real da situação, seria necessário que o indivíduo conhecesse todos os dados sociais importantes relativos aos outros. Seria também necessário que o indivíduo conhecesse o resultado real ou produto final da atividade dos outros durante a interação, assim como os mais íntimos sentimentos deles a seu respeito. Raramente se consegue completa informação dessa ordem. Na falta dela, o indivíduo tende a empregar substitutos – deixas, provas,

---

289. Uma recente abordagem deste tipo pode ser encontrada em PARSONS, T.; BALES, R.F. & SHILS, E.A. *Working Papers in the Theory of Action*. Glencoe, Ill: The Free Press, 1953 [Cap. II, "The Theory of Simbolism in Relation to Action"].

insinuações, gestos expressivos, símbolos de *status* etc. – como recursos para a previsão. Em resumo, como a realidade em que o indivíduo está interessado não é percebida no momento, em seu lugar terá de confiar nas aparências. Paradoxalmente, quanto mais o indivíduo se interessa pela realidade inacessível à percepção, tanto mais tem de concentrar a atenção nas aparências.

O indivíduo tende a tratar os outros presentes com base na impressão que dão agora a respeito do passado e do futuro. É aqui onde os atos comunicativos se traduzem em atos morais. As impressões que os outros dão tendem a ser tratadas como reivindicações e promessas que implicitamente fizeram e estas tendem a adquirir um caráter moral. O indivíduo diz consigo mesmo: "estou usando essas impressões a seu respeito como um meio de examiná-lo, a você e à sua atividade, e você não deveria me deixar desorientado". O que há de peculiar neste fato é que o indivíduo tende a tomar esta atitude mesmo se espera que os outros não tenham consciência de muitos de seus comportamentos expressivos, e mesmo se espera aproveitar-se deles com base na informação que sobre eles colige. Como as fontes de impressões usadas pelo observador implicam múltiplos padrões concernentes à polidez e ao decoro, pertencentes tanto ao intercâmbio social quanto à representação de uma tarefa, podemos apreciar, ainda uma vez, como a vida cotidiana está enredada em linhas morais de discriminação.

Passemos agora ao ponto de vista dos outros. Se procedem de modo cavalheiresco e executam o jogo, individual, prestarão pouca atenção consciente ao fato de estarem sendo formadas impressões a respeito deles. Ao contrário, agirão sem malícia ou maquinação, permitindo ao indivíduo receber impressões válidas a respeito deles e de seus esforços. E, se acaso tomarem conhecimento de que estão sendo observados, não permitirão que isso os influencie indevidamente, satisfeitos com a crença de que o indivíduo obterá impressão correta e, por causa disso, será atribuído a eles o que merecem. Se estivessem interessados em influenciar o tratamento que o indivíduo lhes proporciona, e isto é exatamente o que seria de esperar, teriam a seu dispor um meio cavalheiresco. Bastaria somente que se conduzissem no presente de modo a que as futuras consequências de suas ações fossem do tipo que levariam o indivíduo a tratá-los da maneira pela qual desejariam ser tratados. Feito isto, têm apenas de confiar na sensibilidade e justiça do indivíduo que os observa.

Às vezes, as pessoas que são observadas empregam, evidentemente, os meios adequados para influenciar a forma pela qual o observador os trata. Mas há um outro caminho, mais curto e mais eficiente, pelo qual o observado pode influenciar o observador. Em lugar de permitir que surja uma impressão sobre sua atividade como um subproduto incidental da própria atividade, podem reorientar seu quadro de referência e devotar seus esforços à criação das impressões desejadas. Em lugar de tentar alcançar determinados fins por meios aceitáveis, podem tentar realizar a impressão de estarem alcançando determinados fins por meios aceitáveis. É sempre possível manipular a impressão que o observador usa como substituto para a realidade, pois um sinal da presença de uma coisa, não sendo a coisa, pode ser empregado na ausência desta. A necessidade do observador de confiar nas representações das coisas cria, ela própria, a possibilidade da falsa representação.

Há muitos grupos de pessoas que sentem não poder permanecer num negócio, qualquer que este seja, limitando-se aos meios cavalheirescos de influenciar o indivíduo que os observa. Em um ponto ou outro do curso de sua atividade, sentem necessidade de se aliar e manipular diretamente a impressão que dão. Os observados transformam-se numa equipe de atores, e os observadores, em plateia. Ações que parecem ser feitas sobre objetos tornam-se gestos dirigidos ao público. O curso da atividade torna-se dramatizado.

Chegamos agora à dialética básica. Em sua qualidade de atores, os indivíduos se interessarão em manter a impressão de que vivem à altura dos múltiplos padrões pelos quais eles e seus produtos são julgados. E porque esses padrões são muito numerosos e muito difundidos, os indivíduos que são os atores vivem, mais do que poderíamos pensar, num mundo moral. Mas, enquanto atores, os indivíduos interessam-se não pela questão moral de realizar esses padrões, mas pela questão amoral de maquinar uma impressão convincente de que estes padrões estão sendo realizados. Nossa atividade, portanto, está amplamente ligada a assuntos morais, mas, como atores, não temos interesse moral neles. Como atores, somos mercadores de moralidade. Nosso dia é entregue ao íntimo contato com as mercadorias que expomos e nosso espírito está ocupado com a íntima compreensão delas. Mas pode bem acontecer que, quanto maior atenção dermos a essas mercadorias, mais distantes nos sintamos delas e daqueles que são bastante crédulos para comprá-las. Usando uma imagem diferente, a própria obrigação e a vantagem de aparecer sempre sob um prisma moral constante, de ser um personagem socializado, forçam o indivíduo a ser a espécie de pessoa que é representada no palco.

A representação e o "eu"

A noção geral de que fazemos uma representação de nós mesmos para os outros não é nenhuma novidade. O que deveria ser acentuado, para concluir, é que a própria estrutura do "eu" pode ser considerada segundo o modo como nos arranjamos para executar estas representações na nossa sociedade anglo-americana.

Neste trabalho, o indivíduo foi implicitamente dividido em dois papéis fundamentais: foi considerado como *ator*, um atormentado fabricante de impressões envolvido na tarefa demasiado humana de encenar uma representação; e foi considerado como *personagem*, como figura, tipicamente uma figura admirável, cujo espírito, força e outras excelentes qualidades a representação tinha por finalidade evocar. Os atributos do ator e os do personagem são de ordens diferentes, e isto de modo inteiramente fundamental; e, no entanto, ambos os conjuntos têm seu significado em termos do espetáculo que deve prosseguir.

Em primeiro lugar, o personagem. Em nossa sociedade o personagem que alguém representa e o próprio indivíduo são, de certa forma, equiparados, e este indivíduo-personagem é geralmente considerado como algo alojado no corpo do possuidor, especialmente em suas partes superiores, sendo de certo modo um nódulo na psicologia da personalidade. Sugiro que esta concepção é uma parte implícita do que todos estamos tentando apresentar, mas fornece, exatamente por causa disto, uma análise insatisfatória da apresentação. Neste trabalho, a personalidade encenada foi considerada como uma espécie de imagem, geralmente digna de crédito, que o indivíduo no palco e como personagem efetivamente tenta induzir os outros a terem a seu respeito. Embora esta imagem seja acolhida com relação ao indivíduo, de modo que lhe é atribuída uma personalidade, este "eu" não se origina do seu possuidor, mas da cena inteira de sua ação, sendo gerado por aquele atributo dos acontecimentos locais que os torna capazes de serem interpretados pelos observadores. Uma cena corretamente representada conduz a plateia a atribuir uma personalidade ao personagem representado, mas esta atribuição – este "eu" – é um "produto" de uma cena que se verificou, e não uma "causa" dela. O "eu", portanto, como um personagem representado, não é uma coisa orgânica, que tem uma localização definida, cujo destino fundamental é nascer, crescer e morrer; é um efeito dramático, que surge difusamente de uma cena apresentada, e a questão característica, o interesse primordial, está em saber se será acreditado ou desacreditado.

Ao analisar o "eu", então, somos arrastados para longe de seu possuidor, da pessoa que lucrará ou perderá mais em tê-lo, pois ele e seu corpo simplesmente fornecem o cabide no qual algo de uma construção colaborativa será pendurado por algum tempo. E os meios para produzir e manter os "eus" não residem no cabide. Na verdade, frequentemente estes meios estão aferrolhados nos estabelecimentos sociais. Haverá uma região de fundo com suas ferramentas para dar forma ao corpo e uma região de fachada com seus apoios fixos. Haverá uma equipe de pessoas cuja atividade no palco junto com os suportes disponíveis construirá a cena da qual emergirá o "eu" do personagem representado, e outra equipe, a plateia, cuja atividade interpretativa será necessária para esse surgimento. O "eu" é um produto de todos esses arranjos e em todas as suas partes traz as marcas dessa gênese.

O mecanismo completo da produção do "eu" é lento, sem dúvida, e às vezes se rompe expondo seus diversos componentes: o controle da região dos fundos; a conivência da equipe; o tato da plateia; e assim por diante. Mas, sendo bem-lubrificado, as impressões fluirão dele com bastante rapidez para nos colocar no domínio de um dos nossos tipos de realidade. A representação se realizará e o firme "eu" conferido a cada personagem representado parecerá emanar intrinsecamente de seu ator.

Passemos agora do indivíduo como personagem representado ao indivíduo como ator. Tem a capacidade de aprender, sendo esta exercida na tarefa de treinamento para um papel. É dado a ter fantasias e sonhos, alguns que agradavelmente desenrolam uma representação triunfante, outros, cheios de ansiedade e terror, que nervosamente se referem a descréditos vitais numa pública região de fachada. Manifesta, às vezes, um desejo gregário de companheiros de equipe e plateias, uma cuidadosa consideração pelos assuntos deles. E tem a capacidade de sentir-se profundamente envergonhado, o que o leva a reduzir ao mínimo as probabilidades que aceita, de se expor.

Estes atributos do indivíduo enquanto ator não são simplesmente um efeito retratado de representações particulares. São de natureza psicológica e, no entanto, parecem surgir da íntima interação com as contingências da representação no palco.

E agora um comentário final. Ao desenvolver o quadro de referência conceitual empregado neste trabalho foi utilizada a linguagem teatral. Falei de atores e plateias; de rotinas e papéis; de representações se realizando ou sendo malsucedidas; de insinuações, cenários e bastidores; de necessidades, habilidades e estratégias dramatúrgicas. Agora se deveria admitir que essa tentativa de insistir numa simples analogia até aqui foi em parte retórica e estratagema.

A afirmação de que o mundo inteiro é um palco é suficientemente corriqueira para que os leitores estejam familiarizados com suas limitações e tolerantes com a apresentação dela, sabendo que, a qualquer momento, serão capazes de demonstrar facilmente a si próprios que não deve ser levada demasiado a sério. Uma ação encenada num teatro é uma ilusão relativamente tramada, sendo admitida como tal; ao contrário da vida normal, nada de real ou de verdadeiro pode acontecer aos personagens representados – embora em outro nível, sem dúvida, alguma coisa verdadeira e real possa acontecer à reputação dos atores, enquanto profissionais cujo trabalho diário consiste em desempenhar peças teatrais.

E assim, aqui, a linguagem e a máscara do palco serão abandonadas. Os tablados, afinal, são feitos para com eles se construírem outras coisas e deveriam ser levantados tendo em vista sua demolição. Este trabalho não está interessado nos aspectos do teatro que se insinuam na vida cotidiana. Diz respeito à estrutura dos encontros sociais – a estrutura daquelas entidades da vida social que surgem sempre que as pessoas entram na presença física imediata umas das outras. O fator fundamental nesta estrutura é a manutenção de uma única definição da situação, definição que tem de ser expressa, e esta expressão mantida em face de uma grande quantidade de possíveis rupturas.

Um personagem representado num teatro não é real, em certos aspectos, nem tem a mesma espécie de consequências reais que o personagem inteiramente inventado, executado por um trapaceiro. Mas a encenação *bem-sucedida* de qualquer um dos dois tipos de falsas figuras implica o uso de técnicas *verdadeiras*, as mesmas técnicas graças às quais as pessoas na vida diária mantêm suas situações sociais reais. Os indivíduos que realizam uma interação frente a frente num palco de teatro devem satisfazer a exigência fundamental das situações reais. Devem expressivamente manter uma definição da situação: mas fazem isto em circunstâncias que lhes facilitaram criar uma terminologia adequada às tarefas de interação das quais todos nós compartilhamos.

Vozes de Bolso

EDITORA VOZES LTDA.
Rua Frei Luís, 100 – Centro – Cep 25689-900 – Petrópolis, RJ
Tel.: (24) 2233-9000 – E-mail: vendas@vozes.com.br